D1587962

Hoog spel

Gary Berntsen
&
Ralph Pezzullo

Hoog spel

LUITINGH

Mixed Sources
Productgroep uit goed beheerde bossen
en andere gecontroleerde bronnen
www.fsc.org Cert no. SGS-COC-006507
© 1996 Forest Stewardship Council

Uitgeverij Luitingh en drukkerij Bariet vinden het belangrijk om op milieu-vriendelijke en verantwoorde wijze met natuurlijke bronnen om te gaan

I

4-5 september

*M*aggie *zal teleurgesteld zijn*, dacht hij en wrong zich door de nauwe, drukke, stoffige Ruwistraat in Masqat, waarbij hij rakelings langs Arabieren in witte gewaden en Zuid-Aziatische arbeiders uit Pakistan en Bangladesh ging, en wit-oranje taxi's ontweek die door de voetgangersmenigte kropen. *En ik kan haar geen ongelijk geven.* Het was 19.45 uur precies, iets meer dan vier uur voor de vijfde.

Airco's die hard zwoegden om de juweliers en elektronica-winkels langs de soek koel te houden bliezen muffe, hete lucht uit, waardoor de ziedende hitte van 35 graden nog bijtender werd. September in het sultanaat Oman was klote.

Matt Freed wierp een snelle blik over zijn schouder om te zien of de donkerharige Cody hem nog altijd volgde aan de andere kant van de straat. Ze waren al meer dan een uur op pad. Geen van beiden had ontdekt of ze door vijanden gevolgd werden.

De achtendertigjarige Matt was 1,85 m lang, had zand-kleurig haar en lichtbruine ogen. Er leek een elektrische stroom van een hoog kilowattage door zijn lichaam te lopen en uit zijn ogen te stralen. Voor het overige was hij niet erg opmerkelijk – hij zag er prettig uit, maar niet knap; alert, maar niet bestu-deerd; conventioneel gekleed in een katoenen shirt met korte mouwen en een kaki broek.

Hij kon makkelijk doorgaan voor een Ierse olieveldwerker, een Zweedse SAS-piloot, een Amerikaanse ingenieur, een Duit-se zakenman – en had gebruikgemaakt van elk van die vier identiteiten.

Bij een kebabstalletje maakte Matt een scherpe bocht een

steegje in, waarbij hij de geladen Glock die hij in een canvas aktetas met zich meedroeg tegen zich aandrukte. Bijna onmiddellijk keek een jonge Arabische man met een wit IZOD-shirt, die voor een Big Apple-elektronicawinkel stond, op van zijn mobiel. De twee mannen maakten oogcontact en de grote Amerikaan liep naar de ander toe.

Nu maar hopen dat dit mijn mannetje is, dacht Matt.

En dat was zo. Hij en de Arabier wisselden geen woord, alleen een elektronische sleutel in een envelop. Daarop stond met potlood geschreven: Al Bustan Palace Hotel, kamer 723. Rustig, zonder te stoppen, liep Matt verder door de steeg en ging er weer uit op de Ruwistraat. Zijn partner stond aan de andere kant van de weg te wachten. Matt wenkte een taxi en de lange, graatmagere Cody gleed erin.

'Rijd ons over de kustweg en dan naar het oude stadsdeel van Masqat. Mijn vriend wil het paleis van sultan Qaboos zien,' zei Cody in het Arabisch, met een Egyptisch accent.

'*Naam,*' antwoordde de chauffeur.

'We zijn veilig,' zei Cody vanuit zijn mondhoek.

Matt wees op de tatoeage van een blondine, die vanonder de korte mouw van Cody's shirt te zien was. 'Wie is Gayle?'

'Een ex-vriendin. Foutje.'

'Die hebben we allemaal wel eens gemaakt.'

Terwijl ze nieuwe hoogbouw en appartementenflats tegemoet reden, leunde Matt ontspannen achterover. Na twee dienstperioden bij CIA Operations en vijf jaar bij de National Counterterrorism Service (NCTS) was dit gesneden koek.

De Amerikaanse landmachtmajoor die aan hem was 'uitgeleend' bleef gespannen, terwijl Matts gedachten heen en weer schoten tussen zijn oudste dochter Maggie en de economische ontwikkelingen van Oman. Die bewonderde hij allebei – Maggie vanwege haar charme en karakter, de sultan van Oman vanwege dat wat hij bereikt had onder zijn welwillende dictatorschap.

Bij het oprijden van de kustweg zwenkte de taxi naar rechts. Aan hun rechterhand zagen ze een rij gebouwen van drie verdiepingen, die versierd waren met islamitisch filigreinwerk en bogen. Links, voorbij de verkeerslichten, lagen in de haven zowel moderne commerciële vaartuigen als dhows in Arabische stijl.

Ze zaten in stilte te kijken naar de serene schoonheid van het landschap. Matt repeteerde de missie die voor hen lag. Hij werd onderbroken doordat Cody een melodietje neuriede en op de armleuning trommelde.

'Focus,' waarschuwde Matt.

'Ik dacht aan een meisje thuis, die me een filmpje heeft gemaild waarop ze danst op het liedje "Polaris".'

'Je moet volledig bij de les blijven.'

'Natuurlijk, sir. Maar ik ben gewoon gek op dansende vrouwen.'

De heuvels waar ze door reden waren zonovergoten en alle vocht was weggeschroeid. Nadat ze vijf minuten geklommen hadden, daalde de taxi een helling af naar het oude Masqat, langs een steile klip waarbovenop een oud Portugees fort stond. De chauffeur stuurde naar rechts en stopte.

Cody overhandigde hem wat rials, en de twee mannen stapten uit. Er waren geen toeristen te zien – alleen een paar rondhangende Omani's.

Matt voelde zich niet op zijn gemak. 'Laten we verdergaan.'

Het zachte briesje van de Perzische Golf voerde een vleugje dichterlijke jasmijn mee toen ze langs het paleis liepen. De grote, lage ingang stak naar buiten als een enorme betonnen tong. Op de volgende hoek wenkte Matt een tweede taxi. 'Al Bustan Hotel.'

De chauffeur, een bedoeïen, reed ongehaast weg. Daarbij morste hij sigarettenas, die al het hele oppervlak van de taxi vervuilde. Het schilderachtige oude Masqat en de kust stuiterden weer voorbij.

Nadat ze door diverse dorpen waren gereden, naderden ze een verkeersplein met een dhow in het midden. Het prachtige Al Bustan Palace Hotel glansde aan hun linkerkant.

Daar zouden ze Manochehr Moshiri ontmoeten, een voormalige generaal van het Iraanse leger, die nu in ballingschap leefde. Als jongeman had Moshiri zich een naam verworven in de gevechten met de Irakezen. Ooit was hij trouw geweest aan de moellahs. Maar nu niet meer.

De lobby droop van de luxe, van de rijke handgeweven kleden over marmer tot de 24 meter hoge, briljant glinsterende koepel. Tientallen rijke Omani's en andere Arabieren zaten onderuit in luxueuze stoelen, terwijl ze op gedempte toon praatten over zaken.

Uit de lift kwam een gedrongen man met gemillimeterd wit haar, gekleed in een Omaanse *dishdasha*, het traditionele lange witte gewaad. Zijn huid was een tint lichter dan die van de gemiddelde Arabier en hij had een c-vormig litteken in zijn nek. *Een Iraniër*, dacht Matt, terwijl hij de plastic kaart in het beveiligde paneel van de lift stak en '7' indrukte. *Wat doet die hier?*

Later zou hij de rekening van de generaal betalen, die minstens 800 dollar per nacht zou zijn. De generaal voorzag Matt en zijn werkgever nu al meer dan een jaar van waardevolle informatie over de gewapende strijdkrachten en het Islamitische Revolutionaire Garde Corps (IRGC). Bij twee verschillende gelegenheden had hij geholpen om aanvallen op de Amerikaanse belangen in de Perzische Golf te verijdelen. Het was duidelijk dat de generaal een hooggeplaatste bron binnen de IRGC had. Matt speculeerde dat deze een lid was van Moshiri's uitgebreide familie.

Ze volgden het pluchen tapijt langs een tiental deuren en stopten. Matt klopte en wachtte. Hij klopte opnieuw. *Ik wed dat hij in slaap is gevallen.*

Twee mannen in witte gewaden kwamen uit een kamer verderop in de gang. Matt wachtte tot de lift hen verzwolgen had voordat hij de elektronische sleutel in de deur stak en zichzelf binnenliet. De kamer was pikdonker. De plastic sleutel die in het wandsysteem gestoken werd, veranderde dat.

Zo gauw het licht aanging, zagen de twee mannen sporen van een worsteling – een omvergegooide stoel, de inhoud van de minibar die over de grond verspreid lag. Toen zag Matt de generaal, die met zijn gezicht op het tapijt lag, in een plas bloed.

Zwijgend trokken ze hun pistolen. Matt liep naar het lichaam en gebaarde dat Cody naar de slaapkamer moest gaan.

Een kogelgat boven het rechteroog, een tweede onder het linkeroog, vier in het lichtblauwe zijden shirt van de generaal. Matt concludeerde: *kaliber .22, geluiddemper.* Hij kon geen hartslag ontdekken.

'Niemand op de badkamer of in het toilet,' zei Cody.

'Pistool in je holster, kijk door het kijkgaatje, zorg dat je zeker weet dat er niemand op de gang is. Hang dan het NIET STOREN-bordje op en doe de deur op slot. Het laatste wat we willen, is gezelschap.'

Matt ging verder met onderzoeken en ontdekte de lege oplader van een mobieltje. Toen hij de bagage van de dode man doorzocht, vond hij het julinummer van *Playboy*, een fles Lipitor, een gouden armband, maar weinig anders, behalve kleren.

Net toen hij een smartphone uit zijn zak haalde en een nummer begon te draaien, ging er een mobiele telefoon over. Cody en hij volgden het geluid tegelijkertijd naar de sofa. Daar vonden ze het mobieltje achter een kussen.

'Degene die Moshiri doodde, heeft al het andere meegenomen,' zei Matt, terwijl hij de nummers doorliep. Hij stopte bij een kengetal dat hij herkende en gebruikte toen de hoteltelefoon om te bellen.

Een diepe stem aan de andere kant antwoordde in het Farsi: '*Salaam.*'

Matt herkende de stem onmiddellijk. 'Cyrus, dit is Robert,' zei hij. 'De generaal was er niet. Waar ben jij nu?'

'Dat is vreemd. Hij was in het hotel toen ik vertrok. Hij weet dat je komt.'

Matt kwam ter zake. 'Luister, ik heb haast. Ik moet je iets geven. We ontmoeten elkaar tegenover het Sheraton Hotel. Weet je waar dat is?'

'Ja, maar...'

'Dan zie ik je daar over tien minuten.'

Zodra hij had opgehangen, ging Matt naar de badkamer om een washandje te halen, dat hij gebruikte om de telefoon schoon te vegen.

'Wat nu?' vroeg Cody.

'We moeten het land uit, meteen. We moeten de neef van de generaal, Cyrus, ook hiervandaan halen.'

'Waarom?'

'Omdat de Omani's zich op hem zullen storten en hij ze zal vertellen dat hij hier gesproken heeft met tegenstanders van het Iraanse regime. Dat zal sultan Qaboos niet leuk vinden. De Iraniërs hebben de Omani's geholpen tijdens de Dhofar-oorlog in de jaren zeventig. Hoewel het niet de Islamitische Republiek was die de sultan geholpen heeft, zijn de Omani's en de Iraniërs nog steeds vrienden.'

'Zullen ze niet vermoeden dat we met hem hadden afgesproken?'

'Ze mogen van alles vermoeden,' zei Matt, terwijl hij de binnenkant van de deur en het handvat rond het NIET STOREN-bordje afveegde. 'We gaan.'

Een familie Arabieren ging met hen mee in de lift naar de lobby, de jongens eisten dat ze meteen teruggingen naar het zwembad. 'Het water is gekoeld en net zo fris als de oceaan,' riep een van hen uit.

De taxi scheurde over de tweebaans-snelweg die de heuvels doorsneed. Matts gedachten gingen razendsnel. Hij wist wie dit gedaan had. De Islamitische Republiek Iran maakte er een gewoonte van om politieke tegenstanders te vermoorden. De vraag was of dit het werk was van het ministerie van Informatie en Veiligheid (MVIV) of van het IRGC.

Ze waren nog een aantal blokken van het Sheraton af, toen Matt de chauffeur opdracht gaf te stoppen. Cyrus stond te wachten onder een natriumstraatlantaarn in een effen katoenen shirt. Hij rookte een Camel. Matt introduceerde Cody als 'mijn partner Bob'.

De drie mannen schudden elkaar de hand.

Matt pakte de jonge Pers bij de arm. 'Cyrus, we gaan een stukje lopen.'

Moshiri's neef fronste zijn donkere wenkbrauwen. Een vlaagje wind deed zijn shirt rimpelen.

'De generaal is dood,' zei Matt kalm.

De jongeman stond meteen stil en leek de stoep in te zakken. 'Hoe bedoel je?'

'Ik bedoel dat je oom dood is. We hebben hem gevonden op de vloer van zijn hotelkamer. Hij is doodgeschoten.'

De jonge Iraniër liet zijn vingers branden door zijn sigaret, schrok van de pijn en liet de peuk vallen.

'Wat deed de generaal nog meer in Masqat?' vroeg Matt. 'Wie heeft hij gesproken?'

Cyrus haalde diep adem. 'We zijn twee dagen geleden aangekomen. Hij heeft gisteren iemand gesproken. Ik weet niet wie.' Hij was nog maar nauwelijks uitgesproken, of hij begon te snikken.

'Cyrus,' begon Matt, 'je oom was een groot man. Ik vind het heel erg.'

Een zakdoek over Cyrus' mond dempte zijn 'Ja'.

'Je moet onmiddellijk weg uit Masqat. Je wilt hier niet gearresteerd worden. De Omani's houden je maandenlang vast.'

Cyrus schudde zijn hoofd en zei: 'De moellahs,' met een gebroken stem.

Matt trok hem naar zich toe, zodat hun neuzen bijna tegen elkaar kwamen. 'Waar logeer je?'

'Het Intercontinental.'

'Welke luchtvaartmaatschappij heb je gebruikt?'

'British Airways. We staan gepland om morgenavond laat te vertrekken.'

Matt deed een paar snelle berekeningen. 'Ga naar je hotel, check uit. Ga dan direct naar Seeb International Airport. Dan heb je tijd om de middernachtvlucht naar Londen te halen.'

'Wie zorgt er voor de generaal?'

Matt pakte Cyrus bij allebei zijn schouders om nadrukkelijk te zeggen: 'De generaal is nu in Gods handen.'

Dat leverde nog meer tranen en een knikje op.

Matt ging verder: 'Mijn doel is jou uit de gevangenis te houden. Ga. Nu!'

Cyrus veegde zijn ogen af met zijn vuist en snoot zijn neus. 'Ik zal de broer van de generaal, Ahmad, bellen en zorgen dat hij je opvangt op Heathrow. Praat met niemand tot je in Londen bent. Heb je dat begrepen?'

Hij antwoordde met nieuwe tranen: 'Ja.'

Matt kneep in zijn hand. 'Ik vind het echt heel erg voor je, Cyrus. Dat meen ik.' Toen wenkte hij een taxi en was Cyrus weg. Terwijl hij de rode achterlichten nakeek, pakte Matt zijn mobieltje en toetste een nummer in. Een vrouw antwoordde in accentrijk Engels.

'Hallo, dit is meneer O'Rourke,' zei Matt. 'Het spijt me dat ik u op dit uur lastigval, maar ik heb begrepen dat u een auto in de verkoop hebt. Is het mogelijk dat ik die auto morgen zie?'

De vrouw antwoordde zonder aarzeling: 'Mijn man is er nu niet. Kunt u over een uur terugbellen?'

'Dank u zeer.' Hij klapte het mobieltje dicht en wendde zich tot Cody. 'We moeten opschieten. Op het moment dat Cyrus' vliegtuig is opgestegen, zit hij meteen aan de telefoon en vertelt hij het de hele wereld.'

Cody knikte. 'Dat had ik ook al zo'n beetje bedacht.'

'Ik zal tegen het hoofdkwartier zeggen dat je niet zo dom bent als je eruitziet.'

'Bedankt.'

Ze liepen nog driehonderd meter in de pas en wenkten toen een taxi. Dit keer was hun bestemming een luxueus winkelcentrum in een buurt die Medinat Qaboos heette. Matt instrueerde de chauffeur achter een witte vierdeurs Nissan Pathfinder langs de stoeprand te parkeren. Achter het stuur zat nonchalant een aantrekkelijke dame uit het Midden-Oosten van in de dertig – ravenzwart haar, scherpe donkere ogen, volle zelfbewuste lippen die met roze waren aangezet.

'Leuk om u te zien vanavond, heren,' zei Leila – de vrouw die Matt had gebeld over de auto. Ze was een Libanese christen, die als tiener naar Amerika was geëmigreerd. Net als Matt was ze momenteel in dienst van de National Counterterrorism Service (NCTS).

'We hebben een probleem,' zei Matt dringend. 'Axelrod One is vermoord in zijn hotelkamer.'

Haar zwarte ogen gingen wijd open. 'Bedoel je dat jullie naar het hotel zijn geweest?'

'Ja, wij zijn naar het hotel gegaan.'

'Heb je het lichaam gezien?'

'Met zes kogelgaten erin. Axelrod Five is nu op weg naar het vliegveld. Ik wil dat je Axelrod Two ervan op de hoogte stelt dat hij Axelrod Five moet ophalen op Heathrow en regelingen moet treffen om het lichaam te laten ophalen.'

Ze stak haar hand met lange vingers uit. 'Geef me jullie wapens en holsters.'

Zonder aarzeling overhandigden ze haar hun Glocks en extra magazijnen, die ze in een diplomatieke zak van canvas deed en op de passagiersstoel legde.

'De Omani's zullen woedend zijn,' merkte ze op vanuit haar mondhoek.

'Ze zullen de vliegvelden in de gaten houden,' kondigde Matt aan. 'We hebben een voertuig nodig zodat we de kortste weg kunnen nemen naar de Verenigde Arabische Emiraten.'

'Hoe zit het met papieren?' Ze was snel.

Cody had een verblijfsvergunning uit Dubai, waarmee hij over de grens zou komen. Matt had die niet, dus zou hij zich moeten verbergen in de kofferbak.

'Mijn baas zal dit geweldig vinden,' zei ze, terwijl ze de motor liet loeien.

Matt gaf haar het mobieltje van de generaal door het geopende raam van het portier. 'Laat jullie technische mensen de nummers downloaden. Stuur ze naar de Odysseusbasis en het hoofdkwartier.'

'Komt voor elkaar.'

Binnen een uur waren de twee mannen op weg in een nieuwe witte Toyota Corolla met een volle tank benzine. Cody, aan het stuur, lette op loslopende kamelen, terwijl Matt naar Iraanse radiostations luisterde, die vanaf de andere kant van de Perzische Golf uitzonden.

'Kijk of je de White Stripes kunt vinden,' plaagde Cody.

'Hou je kop en let op de weg.'

Ze veranderden die nacht twee keer van positie. Toen de zon

zijn vingers over de woestijn begon uit te spreiden, zette Cody de auto aan de kant van de weg.

'Het is tijd, baas.'

Matt legde hun bagage op de achterbank en klom in de kofferbak. Terwijl Cody hem afdekte met een deken, zei hij: 'Slaap lekker.'

'Rot op.'

Twintig minuten later bracht Cody de auto tot stilstand. Matt zweette peentjes in de achterbank.

Hij hoorde Cody praten in het Arabisch en toen de motor uitzetten. Het autoportier ging open en dicht. Voetstappen en toen nog meer gesprekken tussen Cody en een Omaanse ambtenaar.

Uiteindelijk ging het autoportier weer dicht en schoot het voertuig naar voren. Vijftien seconden later stopte het.

Matt werd er niet goed van. Het was bijna 40 graden in de kofferbak. Hij snakte naar water en hield zichzelf bezig met het bedenken van de namen en leeftijden van zijn diverse neven en nichten. Hij was bij zijn nicht Lucille, die ergens in Tennessee woonde, toen de auto weer naar voren schoot.

Schiet op, maat, anders kom ik eruit en schop ik je voor je hol.

Cody had half in de gaten dat de zilverkleurige Ford Explorer voor hem een bocht om ging. Met één hand aan het stuur joeg hij de auto over het asfalt. Hij dacht eraan hoe opgelucht hij was om terug te gaan naar de basis in de VAE, en misschien die jonge vrouwelijke radartechnicus met de lichtblauwe ogen weer op kon zoeken, die hij ontmoet had bij de PX. Hij merkte half dat er rechts voor hem een snelle beweging was.

Een zwerm kogels versplinterde de zijruit en de voorruit. Cody dook achter het dashboard en stuurde scherp naar rechts, langs de witharige man die met de AK-47 schoot, recht op de Ford Explorer af, die de weg nu blokkeerde in een hoek van 45 graden. Precies op het moment dat hij die raakte, gaf hij het stuur een ruk naar rechts, zoals hij dat bij de training geleerd had.

De Corolla ramde het grotere voertuig en slingerde.

Met zijn hoofd vlak boven het dashboard zag Cody dat de Explorer ondersteboven rolde en dat de man die erachter stond wegsprong.

Hij trapte het gaspedaal in en bad. De Corolla reageerde. Eerst zwenkte hij naar links, toen naar rechts, waarna hij de auto onder controle kreeg. Terwijl de kogels door een stofwolk langs suisden, vond hij het asfalt en scheurde weg. Zijn hartslag maakte bijna een afdruk in zijn keel.

Tien minuten later, met nog altijd hartkloppingen, zette hij de auto aan de kant en liet hij Matt uit de kofferbak.

'Verdomd lekker gereden,' mopperde Matt. Hij nam een diepe teug frisse lucht en gaf over.

'Dezelfde hufter die we uit de lift hebben zien komen in het Bustan Palace Hotel.'

'Die vent met het witte haar?'

'Yep.'

'Zeker weten?'

'Tachtig procent.'

'Klonk als twee schutters.'

'Ik heb die andere gast niet goed gezien.'

De twee Amerikanen hadden geen tijd om de schade te inspecteren. Terwijl Cody reed, maakte Matt zichzelf schoon en trok andere kleren aan. Nadat hij de airco voluit aan had gezet, toetste hij een nummer in op zijn mobiel.

Het was 9.45 uur op 5 september toen ze stopten bij de vertrekhal van de Al Dafra Air Base. Twee leden van de US Air Force Office of Special Investigations (OSI) stonden in burgerkleding te wachten. Eenmaal binnen begonnen Cody en Matt allebei te trillen. Pas nadat ze elk een sixpack bier op hadden, kwamen hun zenuwen tot rust.

Naar schatting drie uur later landde het C-17 transportvliegtuig op de Araxos Air Base, net buiten Athene. Felle zon prikte in Matts ogen. Op de landingsbaan wachtte zijn baas, Alan (Moses) Beckman, met een volle bos lang, grijsachtig haar en een baard.

Beckman was hoofd van de Odysseusbasis, een van de belangrijkste overzeese teams van de National Counterterrorism Service. De eenheid bestond uit acht officieren, twee communicatiespecialisten en twee technici. Zij waren verantwoordelijk voor de rekrutering van bronnen binnen jihadistische terroristengroepen en regeringen die feitelijk staatssponsors van terreur waren, zoals Syrië en Iran.

Zo gauw Matt met zijn bagage uitstapte, begon Alan: 'Wat heb ik je geleerd over het achterlaten van lijken op het operationele gebied van anderen en over het verstoren van een horzelnest?'

Matt glimlachte. 'Welk gebod is dat?'

Alan, die vijftien jaar ouder was, mocht Matts houding wel, maar zou willen dat hij wat meer gehoor zou geven aan autoriteit. 'Het lichaam werd vanmorgen vroeg gevonden. De grensposten werden een uur nadat jij eroverheen was gesloten.'

Terwijl de SUV door de hoofdingang scheurde, keek Matt op zijn horloge. Het was bijna 17.00 uur op maandag 5 september.

Alan gaf hem een envelop. 'Hier zijn de documenten met je echte naam. Ik zet je thuis af.'

Ze waren op de Kydatheneon en naderden de Plaka, de vestigingsplaats van talloze toeristenwinkeltjes, juwelenhandelaars, taverna's, plattelandsmeisjes die bloemen verkochten en straatmuzikanten. De glorieuze Akropolis doemde daarboven op.

Voor de eerste keer in een week gaf Matt zijn volle aandacht aan zijn vrouw en drie dochters. Hij had de eigenaardige neiging dingen totaal gescheiden te houden, wat hem in staat stelde zijn werk te doen.

'Alan, vind je het goed als we even ergens stoppen? Het is Maggies verjaardag en ik moet nog iets halen.'

25 kilometer noordelijker, in het koelere Kifissia, was Liz nog altijd witheet. Het feestje was al twee uur aan de gang. Twintig achtjarigen hadden pizza gegeten, hadden zich laten vermaken door een ingehuurde clown, hadden hun gezichten la-

ten beschilderen, hadden spelletjes gespeeld. Hun ouders zouden over een paar minuten komen om hen weer op te halen. Maar Maggie weigerde nog steeds om de taart aan te snijden.

'Ik wacht op papa,' hield ze vol. 'Hij kan hier ieder moment zijn. Dat weet ik.'

Ze kon koppig zijn, net als haar vader – een trekje dat haar moeder niet zo aanstond.

Toch probeerde Liz nog geduldig te blijven. 'Kijk, liefje,' begon ze.

'Nee. Nee!' schreeuwde de stevige kleine achtjarige, terwijl ze op de sofa klom, haar rug naar haar toekeerde, en uit het voorraam keek.

'Ga dan ten minste spelen met je vriendinnetjes.'

'NEE!'

Liz trok zich terug in de keuken. Haar bloeddruk steeg en ze herhaalde keer op keer tegen zichzelf: 'Zo kan ik niet verder leven. Dit kan niet.' Ze zag de taart smelten op het witte aanrechtblad en besloot haar moeder te bellen, thuis in Cockeysville, Maryland, om haar het slechte nieuws te vertellen. Toen hoorde ze een kreet uit de voorkamer.

Liz rende door de gang, omdat ze er zeker van was dat een van de kinderen zich had bezeerd. Ze verweet zichzelf al dat ze hen niet in de gaten had gehouden, tot ze de glimlachende Matt in de deuropening zag staan. Maggie had haar armen om hem heen geslagen, drukte zich met alle macht tegen hem aan. Het zonlicht stroomde door de open deur, waardoor vader en dochter in een gloed werden gezet als van een andere wereld.

'Papa! Papa!' schreeuwde Maggie. 'Nu kunnen we de taart aansnijden!'

2

5-6 september

'Sluit me niet buiten!' schreeuwde ze in zijn gezicht. Haar warme adem rook naar pizza.

Hij legde een grote hand over haar mond. 'De kinderen.'

Liz stak hem met haar ogen totdat hij zijn hand wegtrok. 'Ze kunnen ons niet horen, Matt. Ze kijken naar *Cars*.' Ze had het over hun dochters – Maggie (acht), Samantha (zes) en Nadia (drie). De verjaardagsgasten waren al opgehaald.

Dat was een opluchting voor Matt. 'Kijk...'

Ze onderbrak hem. 'Nee, kijk *jij*. Je bent weken weg van huis, doet je ding, en dan wordt van mij verwacht dat ik in Athene blijf en doe alsof we een normaal gezin zijn, terwijl mijn echtgenoot God weet waar is, God weet wat doet, met God weet wie.'

Het vuur in haar blauwe ogen, de manier waarop haar gezicht vertrok tot iets totaal anders, toonden hem hoe erg ze ermee zat. Hij trok haar tegen zich aan, zodat haar borsten platgedrukt werden tegen zijn borst. 'Het is het werk,' zei hij.

'Misschien hou je daar wel meer van dan van ons.'

'Kom op.'

'Misschien zijn wij lang niet zo opwindend.'

Matt drukte haar tegen zich aan en grijnsde. Op bepaalde manieren was Liz slimmer dan hij. Toen ze elkaar twaalf jaar geleden hadden ontmoet op de CIA Farm, was zij een opkomende analiste die vloeiend Russisch, Spaans en Frans sprak. Hij had net een opdracht met de mariniers afgerond. 'Jij bent op je eigen manier opwindend,' zei hij.

'Wat houdt dat in?'

Hij zuchtte zwaar en vermoeid. 'Ga je gang, meid. Vraag me wat je wilt.'

Ze stopte even met ademen, omdat hij haar verraste. Ze voelde zich altijd aantrekkelijker in zijn aanwezigheid, wat haar soms verwarde. 'Oké, Matt. Waar heb je vannacht geslapen?'

'Het Holiday Inn in Dubai.'

'Met wie?'

'Ik deelde een kamer met een Amerikaanse landmachtmajoor die Cody heet.'

Ze zei het eerste wat in haar hoofd opkwam: 'Ben je verliefd op hem?'

De absurditeit van haar vraag bracht een glimlach op zijn gezicht. 'Nee.' Hij vond de manier waarop ze zo soepel overging van tragedie naar komedie geweldig. 'Maar misschien zou ik dat moeten zijn.'

'Wat bedoel je daarmee?'

'Dat is geheim, schat.'

'Noem me niet zo.'

'Schat, schat, schat. Jij stelde de vraag.'

Ze ging op haar tenen staan en beet zachtjes in zijn lip. 'Au!'

'Jij egoïstische lul.' Ze was een knappe vrouw met een breed, open Iers gezicht, die graag spelletjes deed: woorden raden, jokeren, monopoly, tennis, volleybal, enzovoort. Dat maakte het makkelijker zichzelf te vergeten.

'Jij vraagt om billenkoek.' Matt hield vreselijk veel van zijn vrouw en dochters. Zij vormden de emotionele basis die hij nodig had om zijn werk te doen. Zonder hen zou hij zichzelf kapot werken. Zo gedreven was hij om te slagen.

'Jij bent volkomen egocentrisch.' Ze liet haar hand over zijn borst glijden. 'Geef het maar toe.'

'Ik ben veel gecompliceerder dan dat.'

Dat gold ook voor Liz – een interessante combinatie van een moderne feministe en een echtgenote uit de jaren vijftig, tegelijkertijd gericht op haar eigen zelfontplooiing en op het geluk van haar echtgenoot. Ze zei: 'Ik wed dat je nauwelijks aan ons denkt als je weg bent.'

Hij wist dat het waar was, maar zei: 'Fout.'

Haar hand gleed over zijn harde buik en stopte. 'Ik ben niet zoals jij. Ik kan mijn gevoelens niet uitzetten.'

Hij begon zich aan haar te ergeren. Moe en versuft had hij geen zin in het web van schuldgevoelens dat ze om hem heen aan het spinnen was. Dus riep hij: 'Verdomme, Liz, ik doe m'n godverdomde best!'

'Ik wil dat we gelukkig zijn samen, dat onze kinderen een goed leven hebben, dat ze hun vader kennen!'

Zijn bloed steeg zo snel naar zijn hoofd dat hij zich moest inhouden. 'Waarom zit je me zo op m'n nek? Ik ben net terug!'

Ze trommelde met haar vuisten tegen zijn borst. 'Omdat ik niet wil dat je lijk gevonden wordt in een donkere straat in Karachi of Tirana!'

Hij drukte haar harder tegen zich aan. 'Beheers je!'

'Dit is niet waar ik voor getekend heb!'

Hij pakte haar bij haar schouders. 'Luister!'

Ze sloeg hem hard in zijn gezicht. 'Probeer niet altijd de wereld te redden!'

Ze voelde de energiestoot door zijn lichaam gaan, en toen door dat van haar. Ze gaf er niet helemaal aan toe; ze probeerde ertegen te vechten. Al die weken van frustratie, al die nachten vol twijfels, angst en woede smolten samen tot één kracht.

Knopen werden afgerukt, kleren scheurden. Ze klauwden, kusten en neukten tot elkaars kern en waren vijftien minuten later een naar zweet en zaad ruikende kluwen op de vloer.

Liz rende achteruit, ze droomde dat ze op school aan het volleyballen was. Terwijl ze toekeek hoe de witte bal over het net ging, hoorde ze de speelse bel van de voordeur. 'Wat?' vroeg ze, half wakker, en greep naar het laken om zichzelf te bedekken.

Het schrapen van hout over tegels en de stem van de achtjarige Maggie brachten haar met een schok terug in het heden.

'Matt!'

Hij snurkte tegen haar borst, zijn lippen zacht en rubber-achtig, zijn armen dik en sterk.

'Matt, wakker worden!'

Maggie riep weer, dichterbij ditmaal. 'Mammie!'

'Niet binnenkomen!' En toen, met haar liefste stem: 'Wat is er, meisje?'

'Oom Alan moet met papa praten.'

Daardoor begonnen alle alarmbellen in haar hoofd te rinkelen. 'Niet nu!'

'Dat meen je niet,' snauwde Matt naar zijn baas, terwijl hij naar de bloemenpatronen van het kleed in de woonkamer keek, die hem aan iets anders deden denken. 'Ik heb nog niet eens uitgepakt.'

Matt keek toe hoe de oudere man zijn baard in een punt streek. 'Het spijt me, Matt. Jij bent de beste Farsi-spreker die we hebben.'

Alan Beckman vouwde het papier in zijn hand open en gaf dat aan zijn adjudant. Het was een getypte notitie aan de Amerikaanse ambassadeur in Roemenië van een man die zei dat hij lid was van de Iraanse veiligheidsdienst en dat hij op dinsdagmorgen 9 uur zou terugkomen in de Amerikaanse ambassade in Boekarest.

'Dat is morgen,' kreunde Matt.

Alan haalde een vliegticket uit de binnenzak van zijn linnen jasje. 'Ik heb voor je geboekt op de nachtvlucht naar Frankfurt, die over twee uur vertrekt.'

'Ik dacht dat je Roemenië zei.'

'Je neemt een aansluitende vlucht in Frankfurt en komt om 7 uur 's ochtends in Roemenië aan.'

Vervolgens overhandigde Alan hem een paspoort en een portefeuille. 'Je reist onder de naam John Paul Morgan.'

'Ik wil minstens een dag met mijn gezin doorbrengen.'

'Als je terugkomt, zal ik je wat vrije dagen geven.'

Matt spuwde het eerste uit wat hij kon bedenken. 'Misschien zou ik beter af zijn als ik in het hoofdkwartier op mijn reet zat.'

Alans kaakspieren spanden zich. Hij mocht zijn jongere adjudant graag, had zelfs bewondering voor diens lef, maar nu verloor hij zijn geduld. 'Dit is een erg slecht moment om te gaan lopen zeiken.'

'Ik ben niet aan het zeiken, Alan.'

'Hoe wil je het dan noemen?'

'Mijn frustratie uitdrukken. Ik steek steeds mijn nek uit voor jullie, maar ik krijg er niet veel voor terug.'

'Ik heb kennisgenomen van je frustratie.' Alan zette zijn meest gezaghebbende stem op. 'Ik heb dit al eerder gezegd en ik zal het je nog een keer zeggen: je hebt moed, waarvan we meer zouden kunnen gebruiken in deze dienst, en je bent opmerkelijk toegewijd. Maar er is meer voor nodig dan alleen dat.'

Matt klemde zijn kiezen op elkaar. 'Ga me nou niet vertellen hoe ik mijn werk moet doen.'

'Je moet je enthousiasme leren beteugelen.'

'Zelfs als het hoofdkwartier slechte beslissingen neemt?'

Ook Alan was gefrustreerd. Hij was het zat om zijn ondergeschikte te verdedigen en de rotzooi voor hem op te ruimen. 'Kijk. Een van jouw contacten is neergeschoten.'

'En dus?'

'Ik zeg niet dat het jouw fout is, Matt. Maar het ziet er niet goed uit.'

Matt zou willen schreeuwen. 'Heb ik het hoofdkwartier niet gewaarschuwd voor de Iraniërs? Heb ik niet gezegd dat ze steeds agressiever worden?' Hij en Liz hadden het daar voortdurend over: de kloof tussen de bureaucraten en beleidsmakers in Washington, die de lijnen uitzetten, en de operationele medewerkers in het veld die te maken hadden met de werkelijkheid.

Omdat hij zich klaar moest maken voor een diner, had Alan niet veel tijd om te praten. Hij zei: 'Die lui die een hinderlaag voor jullie hadden gelegd... Denk je dat je die kunt identificeren?'

'Ik lag in die verdomde kofferbak.'

'Je vriend Cody zegt dat hij er vrij zeker van is dat het de-

zelfde man was die je bij het hotel hebt gezien – wit haar, op-
vallend litteken in zijn nek.'

'Kan zijn.'

'Waarom denk je dat hij op jullie geschoten heeft?'

'Misschien dacht hij dat we hem volgden.'

Alan dacht even na. 'Goed antwoord. Ik zal een FBI-teke-
naar naar Dubai sturen om met Cody een profieltekening te
maken.'

'Wat gaat het hoofdkwartier doen? Het allemaal archive-
ren?'

Alan liet hem ophouden. 'Je bent een verdomd goede agent,
Matt. Maak het allemaal niet moeilijker voor jezelf.'

Matt stak het ticket in zijn zak. 'Ik zal het proberen.'

'Ze zeggen dat zelfrespect de mooiste beloning is.'

Matt grijnsde scheef. 'Jij zegt het, Moses.'

'En nog iets... Word eens volwassen.'

Matt had de onplezierige taak om het nieuws te vertellen aan
Liz, die daar allerminst blij mee was.

'Alweer!' riep ze uit.

'Liz, alsjeblieft. Ik probeer aan ieders verwachtingen te vol-
doen.' Hij was onderweg naar de meisjes, die zaten te wachten om zich te laten voorlezen uit *One Fish, Two Fish* van Dr.
Seuss.

'O, is dat wat je aan het doen bent?' vroeg ze.

'Als je het echt wilt weten: ik probeer mijn baan te behou-
den.'

Ze ging midden in de gang staan, met haar handen op haar
heupen en kwam direct ter zake. 'Is dat het wel waard, Matt?'

Het was een goede vraag. Hij beloofde woensdag, of uiterlijk donderdag terug te komen. Daarna zou hij met Alan gaan
praten om een andere opdracht te vragen. Na twee jaar bij
Odysseus was het tijd voor iets nieuws.

'Jij en de meisjes betekenen alles voor me,' zei hij. En hij
meende het.

Een uur later zat hij in de businessclass van een vliegtuig van
Olympic Airlines. Terwijl ze over de Egeïsche Zee vlogen, over-

woog hij zijn mogelijkheden. Hij sprak vloeiend Perzisch en was aan de universiteit van Virginia afgestudeerd met als hoofdvak Midden-Oosten. Als hij bij de NCTS zou weggaan, had hij allerlei vooruitzichten. Maar de gedachte aan opstappen, of aan gevraagd worden op te stappen, maakte hem misselijk. Als het voorbeeld van zijn vaders leven hem iets had geleerd, was het wel dat hij nooit een uitdaging uit de weg moest gaan en zich nooit moest verbergen voor de wereld.

Bovendien hield hij van zijn werk en vond hij het een voorrecht om zijn land te dienen. Naar zijn mening waren de Verenigde Staten de hoop van de planeet vanwege hetgeen ze te bieden hadden: een mogelijkheid om je eigen leven te leiden zonder afremmende sociale, economische en politieke barrières.

Het deed hem pijn dat zijn regering soms onhandig en stom was. Dat was een van de dingen die hij graag zou willen veranderen.

Toen de stewardess hem een Mythos-biertje gaf, zag hij een langbenige vrouw met schouderlang kastanjebruin haar, die een paar rijen achter hem zat in de toeristenklasse. Ze hadden oogcontact gehad in de terminal in Athene, waar hij een exemplaar van de *International Herald Tribune* had gekocht.

De Mythos hielp hem zijn ogen te sluiten. Algauw stond hij weer in de Ruwistraat in Oman, onderhandelend over een tapijt met een oudere, gebaarde man die een puntige, vooruitstekende adamsappel had. Hij had de prijs naar beneden gekregen tot een paar rials, toen hij besefte dat hij geen geld op zak had.

Het volgende dat hij zich herinnerde, was dat hij gewekt werd door de stem van de stewardess: 'We landen over vijftien minuten in Frankfurt, meneer.'

Hij was nog niet volledig bij zijn positieven toen een trein hem van terminal A naar terminal C bracht. Bij het aan boord gaan van de Lufthansa 712 naar Boekarest, zag hij weer de vrouw met de kastanjebruine haren achter hem in de rij staan. Hij vond haar geelbruine pumps mooi.

Dit keer sloeg hij een beduimeld exemplaar open van *An In-*

troduction to Persian van professor W.M. Thackston van Harvard, en studeerde. Matt had het zich tot een persoonlijk doel gesteld om niet alleen het alledaagse Perzisch te beheersen, maar ook de grammatica van het Farsi. Taal was een belangrijk werktuig in zijn vak en hij had de beheersing van de fijne kneepjes ervan tot een obsessie gemaakt.

De zon probeerde zich een weg te branden door laaghangende wolken, toen ze landden in Boekarest, een stad waar Matt in geen jaren was geweest. Hij herinnerde zich dat het vliegveld, dat ooit bekendstond als Otopeni, aan de noordkant van de stad lag. Het was hernoemd tot Henri Coandă, naar de man die het eerste straalvliegtuig had uitgevonden.

Zijn Rockports met rubberzolen piepten op de tegelvloer, langs de stationsklok die aangaf dat het 8.03 uur was. In het Frans instrueerde hij de chauffeur van een oude Mercedes 190E om hem naar de Amerikaanse ambassade te rijden. Hij wilde bij het hotel stoppen om een douche te nemen, maar er was weinig tijd.

Minuten, uren, jaren gingen langs hem heen. Hij zag ze naast elkaar in het bestaan van het moderne en het straatarme Roemenië dat langs zijn raam schoot – houten karren met verse producten, die door paarden werden voortgetrokken langs reclameborden met daarop mobiele telefoons met Bluetooth-internetmogelijkheden.

De technologie had ook zijn stempel gedrukt op het zwarte pannendak van de Amerikaanse ambassade. Antennes als wasrekken en satellietschotels lieten zien dat die in verbinding stond met de wereld. Hij bedacht dat het gebouw zelf, met de donkere bakstenen en torentjes, op iets uit de televisieserie *The Munsters* leek.

Een blonde jongeman in een slecht zittend pak begroette hem bij de deur. 'Meneer Morgan, mijn naam is Seth Bradley. Ik ben hier om u te assisteren.'

Bradley leidde hem langs de plaatselijke bewakingsdienst, door de Amerikaanse marinierspost, met de lift omhoog naar een kamer zonder ramen op de derde verdieping. Matt scande de volledige ruim honderd vierkante meter ervan – hardhouten vloeren, een boekenkast tegen een van de muren, een houten tafel en twee stoelen. 'Dit kan ermee door.'

Hij zette zijn zwarte nylon aktetas in de hoek en haalde er een geel notitieblok, potloden en een Perzisch-Engels woordenboek uit.

Bradley zei vanuit de deuropening: 'Ik ga terug naar de hoofdingang om op de man in kwestie te wachten. Ik zal de hele tijd buiten deze deur blijven staan, voor het geval u me nodig heeft. O, en ik ben trouwens bewapend.'

'Goed om te weten,' zei Matt, terwijl hij naar zijn mobieltje keek, om er zeker van te zijn dat het was opgeladen.

Bradley was nog niet uitgepraat. 'Als u klaar bent, kunt u deze kamer gebruiken om uw verslag te schrijven,' zei hij. 'Ik zal zorgen voor de versleutelde verzending. Als u nog iets nodig hebt, hoeft u het maar te vragen.'

'Een douche en een scheerbeurt zouden prettig zijn.'

'Sorry?'

'Ik ben er helemaal klaar voor.'

Om twee minuten voor negen zag Bradley een man van middelbare leeftijd met een grijze pantalon en een geperst wit katoenen overhemd de hoofdingang naderen met een versleten lederen agenda in zijn hand. Hij had een rechte militaire houding, kortgeknipt peper-en-zoutkleurig haar en een strak bijgewerkte baard en snor. Terwijl Bradley een paar snelle trekjes van zijn Marlboro nam, hoorde hij een van de bewakers aan de man vragen of hij een visum kwam aanvragen.

Toen de man een Iraans paspoort presenteerde, stapte Bradley naar voren. 'Deze meneer heeft een afspraak met de economische afdeling,' onderbrak Bradley in het Roemeens. 'Ik ben hier om hem te begeleiden.' Hij trapte zijn peuk uit, nam het paspoort over van de FSN-bewaker en las de naam die erin stond: Fariel Golpaghani.

'Deze kant op, meneer Golpaghani.'

De jonge Amerikaan begeleidde de Iraniër naar de kogelvrije glazen cabine. Een knikje van Bradley was het teken voor de marinier erbinnen om op een knop te drukken, waardoor de explosiebestendige deuren opengingen.

Matt stond op achter de tafel en sprak de gebruikelijke Perzische begroeting uit: '*Hale shoma chetorin.*'

'*Khubaem merci.*'

Bradley overhandigde het paspoort aan Matt en vertrok.

'Uw bescherming?' vroeg de Iraniër in het Engels, verwijzend naar Bradley.

Matt antwoordde koel: 'Ik ben nogal driftig. Hij is hier om u te beschermen tegen mij.'

Meneer Golpaghani trok een wenkbrauw op toen Matt blafte: '*Beshanid.*'

'Ik spreek Engels,' zei de Iraniër met een grijns.

'Gefeliciteerd,' zei Matt, terwijl hij door het paspoort van de Iraniër bladerde. Er ging een gespannen minuut voorbij voordat hij aan zijn kin krabde en vroeg: 'Wat kan ik voor u doen, *Agha* Golpaghani, als dat inderdaad uw echte naam is?'

De Iraniër glimlachte, waarbij hij zijn perfect witte tanden ontblootte. 'Het is wat ik voor u kan doen wat u zou moeten interesseren.'

'Waarom?'

Het viel Matt op dat hij een eenvoudige trouwring en een Bulova-horloge droeg. Zijn linkerarm was zwaar verbrand geweest.

'Ik geloof dat u Matt Freed bent, geboren in Fredericksburg, Virginia, op 5 juni, de naam van uw vrouw is Elizabeth Anne. Ze is geboren in Cockeysville, Maryland. U hebt drie kinderen, allemaal meisjes. U bent momenteel in dienst bij de CIA en woont in Athene. Uw laatste overzeese opdracht was in Afghanistan. Uw huidige baas is Alan Beckman, die vierenvijftig wordt in december.'

Max merkte op dat hij geen verschil maakte tussen de NCTS en de CIA. Toch vond hij het verontrustend om die informatie over zichzelf en zijn gezin te horen. Hij weerstond de verleiding om Golpaghani bij de keel te grijpen. 'U hebt me nog altijd niet verteld wat u voor me kunt doen.'

27

'Voor u persoonlijk?' vroeg de Iraniër met een pokerface.

Matt voelde zijn mobieltje trillen. Hij haalde het snel uit de leren houder aan zijn riem en las het sms'je: 'Ik ben op de club. Liefs J.J.'

J.J. was de codenaam voor de vrouw met het kastanjebruine haar in het vliegtuig. Ze vertelde hem hiermee dat ze gezien had dat vijandelijke agenten de ambassade in de gaten hielden.

Er gingen alarmbellen af in Matts hoofd. Met zijn kin op de Iraniër gericht vroeg hij scherp: 'Wat kunt u voor me doen?'

Golpaghani leunde vertrouwelijk naar voren. 'Ik kan uw leven redden.'

Matt gaf geen krimp. 'Van wie?'

'Ik ben hier met een team naartoe gestuurd om u te identificeren en te doden.' Hij legde nadruk op het woord *doden*.

Matts gedachten gingen meteen terug naar de generaal die dood op de vloer in het hotel lag. 'U hebt mij als specifiek doel?'

'U bent een van de agenten van wie we verwachtten dat die zouden verschijnen. Dat wisten we niet zeker. Ieder van u zou een aanvaardbaar doelwit vormen.'

'Wie bent u echt en waarom vertelt u me dit?'

De Iraniër keek Matt strak aan en praatte zachter. 'Ik ben Moshen Kourani van de Sepah-e Pasdaran – IRGC,' zei hij.

Matt herkende de naam onmiddellijk. Moshen Kourani was niet alleen lid van de Sepah-e Pasdaran, hij was ook onderdirecteur van de Qods-strijdmacht – het terroristische element van het IRGC.

De man die nu bekend was als Kourani vervolgde: 'De moordoperatie is het middel dat ik gebruikt heb om hier te komen en u iets anders te vertellen.'

'Zonder dat uw regering dat weet?'

Kourani knikte. 'Er gaat een gebeurtenis plaatsvinden die onze landen in een vreselijke oorlog kan brengen, die het hele Midden-Oosten zou kunnen vernietigen. Ik ben een soldaat, net als u. Maar een Amerikaans-soennitische-sjiitische oorlog is volgens mij zinloos. Daar zullen miljoenen mensen bij gedood worden.'

Matt leunde achterover en staarde naar Kourani, terwijl de

consequenties van wat er net gezegd was tot hem doordrongen. Twee dagen geleden was zijn voornaamste bron, Axelrod One, vermoord, gisteren was hij in een hinderlaag gelopen en bijna vermoord bij het oversteken van de grens naar de Emiraten. En nu dit.

Hij duwde alle emoties terzijde en ging weer aan het werk. 'Agha,' vroeg hij, 'hoeveel tijd hebt u voordat u deze ambassade weer moet verlaten?'

'Ik heb iets minder dan drie uur. Op het middaguur verwachten mijn collega's, die de ambassade in de gaten houden, dat ik vertrek. Het plan is dat ik dan een gedetailleerde beschrijving lever van u. Ze vermoorden u vanavond in uw hotel.'

3

6 september

*D*it zou wel eens van groot belang kunnen zijn, dacht Matt, terwijl hij naar zichzelf keek in de spiegel van het herentoilet. Vervolgens gooide hij koud water in zijn gezicht. Het woord *promotie* wilde zichzelf naar voren dringen. In plaats daarvan klapte hij zijn mobiel open en toetste hij een boodschap in: 'J.J. Je bent niet alleen. Er is een team van vier vlakbij. Allemaal mannen 24-35. Handel naar eigen oordeel. J.P.M.'

Hij leefde voor momenten als deze – de kans om je krachten te meten – en wist dat de Iraniërs link waren. *De generaal*, dacht hij. *Generaal Moshiri*. Er was een verband tussen zijn moord en deze ontmoeting. *Maar welk verband?*

Hij schonk geen aandacht aan de lichte misselijkheid in zijn maag, toen hij langs Bradley liep, die op wacht stond buiten de vergaderkamer.

Moshen Kourani zat als een standbeeld met zijn handen over zijn knie gevouwen.

Nadat hij een fles water had opengemaakt en wat gedronken had, vroeg Matt in het Perzisch: 'Waarom hebt u besloten deze informatie met mij te delen?'

Kourani knipperde niet eens met zijn ogen. 'Omdat ik uw hulp nodig heb.'

Ja, vast, dacht Matt. *Maar... waarom? Waar zit de valstrik?* Hij koos een andere benadering en zei: 'Ik herinner me een Hamid Kourani, een agent van uw ministerie van Informatie en Veiligheid, die vermoord is door de taliban toen ze in augustus 1998 Mazar-e Sharif veroverden.'

Moshen Kourani knikte plechtig en boog zijn hoofd. 'Mijn oudere broer.'

Matt drong aan: 'Hoe weet u mijn naam?'

De Iraniër bleef tegen zichzelf mompelen, een verwensing gericht aan de taliban, gevolgd door iets over mensen die anderen vermoorden bij wijze van sport.

'Hoe weet u mijn naam?' herhaalde Matt.

Er was woede in Kourani's bruine ogen, die met goud waren omlijnd. Zijn diepe stem was vast. 'Onze aandacht werd voor het eerst op u gevestigd, meneer Freed, toen u en een team Amerikanen in 2001 Jalalabad, Afghanistan, binnengingen. Een van onze mensen nam een foto van u en uw collega's buiten het kantoor van de gouverneur. Zes maanden geleden reisde u naar Dhaka, Bangladesh, en checkte bij het Pan Pacific Sonargaon Hotel in onder uw eigen naam. Wij kregen een kopie van uw paspoort van een hotelmedewerker. De persoon die u bij die reis ondervroeg in uw ambassade, Mohammed Aziz, was iemand die ik naar u had toegestuurd.'

'Ik herinner me Aziz.'

'U geloofde niet dat hij u de waarheid vertelde, meneer Freed. U had gelijk.'

Er flitste een beeld van Mohammed Aziz door Matts hoofd vreemde, gnoomachtige gelaatstrekken en grote, brandende ogen. Hij leunde naar voren en vroeg: 'Wat wilt u?'

Er kwam een dringende klank in Kourani's stem. 'Er wordt op dit moment in Irak een grote aanval gepland tegen de vs in de Perzische Golf. Iets erg groots. Dat zal gevolgd worden door iets nog veel groters in de Verenigde Staten. Als deze gebeurtenissen plaatsvinden, is het waarschijnlijk dat onze twee landen in oorlog raken.'

'Wie is deze aanvallen precies aan het voorbereiden?'

'Een groep soennitische radicalen die opereren in de provincie Anbar.'

'Al Qaida?'

'Misschien noemen ze zichzelf Al Qaida, maar de naam is niet belangrijk.'

'Ik heb details nodig.'

'Hun uiteindelijke doel is meer dan een miljoen van uw landgenoten te doden op Eid al-Fitr.'

Eid al-Fitr was het feest aan het einde van de ramadan. Dat vond plaats op de eerste dag van de maand Shawwal. Volgens Matts snelle berekening was dat over minder dan twee weken. Hij beet op zijn lip en zei: 'Ik heb meer specifieke details nodig.'

De vastberadenheid die in Kourani's harde gezicht was geëtst onderstreepte wat hij zei: 'Ik ben bereid informatie te delen over de eerste aanval tegen uw strijdkrachten in de Perzische Golf. Alles wat ik weet over de tweede is de datum, 19 september, het begin van Eid al-Fitr, en waar het zal plaatsvinden.'

Matt wist dat het einde van de ramadan begon bij zonsondergang op 18 september, maar liet het voorbijgaan. 'Vertel.'

'Het doelwit bestaat uit verschillende middelgrote Amerikaanse steden.'

Matt ging rechtovereind zitten. 'Daar moet ik meer over weten.'

'Tot onze bronnen behoort een lage veiligheidsofficier binnen de groep. Ik zal u meer details geven als ik die krijg.'

'Als uw informatie correct is, hebben we niet veel tijd.'

'Dertien dagen, om precies te zijn.'

Matt weerstond de ingeving iemand te bellen. *Wie?* De chef van de CIA-vestiging in Boekarest was een pompeuze ijzervreter die niets van het Midden-Oosten afwist. Alan Beckman zou in concentrische cirkels redeneren voordat hij hem zou zeggen dat hij naar eigen bevinding moest handelen.

Kourani ging verder: 'Het is belangrijk dat u de waakzaamheid in uw middelgrote steden onmiddellijk verscherpt. Bewaak de watervoorzieningen, het voedsel, de haven- en luchtvaartfaciliteiten. Het is van het grootste belang dat u me gelooft en weet dat Iran niet de bron is van deze bedreiging.'

Heel even had Matt het gevoel dat ze samenwerkten. 'Wat wilt u daarvoor terug?' vroeg hij.

'Vijf miljoen dollar.'

'Dat is een boel geld.'

'Vijf miljoen dollar en een nieuwe vestiging. Dat bedrag zal me in staat stellen om voor mijn gezin te zorgen en het verlies op te vangen van de bezittingen die zullen worden geconfisqueerd als mijn regering merkt dat ik ben overgelopen.'

'Wij zullen niet bekendmaken dat u bent overgelopen.'

Kourani glimlachte even sluw. 'U weet net zo goed als ik, meneer Freed, dat het altijd wel in iemands politieke belang is om een spionagesucces te lekken. Ik lees uw kranten. Ik bestudeer uw Witte Huis.'

'Ik moet weten wat voor soort aanval er wordt voorbereid.'

'De groep zal een serie aanvallen met autobommen uitvoeren op een militaire basis bij de Perzische Golf. Die zal gevolgd worden door grotere aanvallen in de vs.'

'Waar zullen die aanvallen in de vs plaatsvinden?' vroeg Matt scherp.

'Ik heb u verteld wat ik tot dusver weet: middelgrote steden in de Verenigde Staten.'

'Ik heb de exacte locaties nodig.'

De Iraniër wachtte even voordat hij zei: 'Meneer Freed, ik heb hun volledige plan nog niet.'

Honderd verschillende gedachten tuimelden door Matts hoofd. Hij haalde diep adem en dacht na over een andere aanpak.

Kourani vervolgde: 'Ik besef dat deze informatie uw regering grote zorgen zal baren. Maar als u onmiddellijk optreedt en veroorzaakt dat ik word gearresteerd, of mijn gezin, dan zal ik u niet kunnen helpen. Ik kan onder geen enkele voorwaarde mijn gezin in gevaar brengen.'

Matt knikte. 'Dat begrijp ik.'

'Uw mensen moeten zich beheersen.'

'Dat zal gebeuren,' zei Matt bot. Hij vond het niet prettig dat deze vreemdeling hem zei wat hij moest doen.

'Ik vraag u het geld nog niet vandaag. Ik zal regelen dat we elkaar nog een keer kunnen ontmoeten.'

Matt veranderde weer van aanpak: 'Uw paspoort is van Fariel Golpaghani, maar u zegt dat u Moshen Kourani bent.' De enige manier waarop hij kon bevestigen dat de man voor hem was wie hij pretendeerde te zijn, was met hem te praten over zijn verleden.

De Iraniër bevroor midden in een gebaar. Hij deed zijn arm naar beneden. 'Mijn naam is Moshen Kourani.'

'Waar bent u geboren?'

'Shiraz, Iran.'

'Wanneer?'

'1959.'

'Waar bent u naar school geweest?'

'Ik ben eerst naar school gegaan in Shiraz, maar we woonden van 1964 tot 1968 in Hamburg, Duitsland, en later weer van 1973 tot 1978. Daar heb ik Duits en Engels geleerd.'

'Waarom is uw familie weggegaan uit Iran?'

'Mijn vader vond dat de sjah arrogant en opgeblazen was, en niet gaf om de gewone mensen. Hij had ook een boerderij geërfd, die in beslag was genomen door vrienden van de sjah. Mijn vaders oudere broer was al in Hamburg, dus zij hebben ons geholpen toen we daar kwamen.'

'Was uw vader religieus?'

'Hij was erg bedachtzaam. Ik zou hem een filosoof willen noemen.'

'Kwam u bij het Islamitische Centrum in Hamburg?'

'Regelmatig, ja. De grote ayatollah Beheshti was de leider van de moskee in de vroege jaren zestig en, zoals u weet, een krachtig tegenstander van de sjah. Beheshti en mijn vader waren nauw bevriend. Ik heb Beheshti begeleid toen hij in 1979 naar Teheran vloog, nadat de sjah was gevlucht en Khomeini was teruggekeerd. Ik was negentien jaar oud en heb gediend als zijn assistent.'

'Hoe lang?'

'Een jaar.'

'En toen?'

'Ik ben bij hem weggegaan omdat hij me aanmoedigde lid te worden van de Sepah-e Pasdaran. Hij was een vertrouweling van Khomeini en werd het machtigste lid van de Revolutionaire Raad. Beheshti wilde iemand die hij kon vertrouwen binnen de organisatie.'

'Hoe vaak rapporteerde u aan hem?'

'Elke dag.'

'Dus u was zijn ogen.'

'Meer dan dat. Toen ayatollah Ozma Kazen Shariatmadari

en zijn Revolutionaire Partij van het Moslimvolk in opstand kwamen tegen Khomeini en de opstand in Tabriz begon, maakte ik deel uit van de groep Pasdars [Revolutionaire Gardisten] die daarheen gestuurd werd om het geweld te beteugelen. Wij heroverden de televisie- en radiozenders. We waren vernietigend. Beheshti was de kracht die ons dreef. Als hij niet had ingegrepen, zou een burgeroorlog het land verscheurd hebben en zouden honderdduizenden zijn gestorven.'

'Hebt u meegewerkt aan de revolutionaire rechtbanken?'

'Nee, maar andere Pasdars in mijn directe omgeving steunden Sadegh Khalkhali, de opperrechter van de revolutionaire rechtbanken, die zichzelf insloot in de Evin-gevangenis en gevangenen begon te executeren, onder wie de eerste minister van de sjah.'

'Vond u de acties van Beheshti en Khalkhali te ver gaan?'

Er flitste woede in Kourani's ogen. 'In de vroege jaren zestig heeft de geheime politie van de sjah honderden Khomeini-aanhangers vermoord door hun handen op hun rug te binden en hen in een rivier te gooien. Toen Beheshti gearresteerd werd, hebben ze hem gemarteld en in zijn gezicht geürineerd.'

Kourani stond op het punt met zijn vuist op tafel te slaan, maar hij stopte. Omdat hij zich realiseerde dat hij uit zijn tent werd gelokt, stak hij zijn hand in de binnenzak van zijn jasje en vroeg: 'Vindt u het erg als ik rook?'

Matt ging weg zonder een woord te zeggen. Drie minuten later kwam hij terug met een asbak. Toen Kourani een sigaret opstak, zei hij: 'Vertel me over de dood van Beheshti.'

De Iraniër was even onzichtbaar in een grote wolk witte rook. 'Het was juni 1981. We waren in oorlog met de Irakezen. Ayatollah Beheshti woonde een vergadering van de Islamitische Republikeinse Partij bij, toen er een bom ontplofte, die hem en zeventig anderen doodde. Dat was het werk van de oppositie, de Mujahideen al-Khalq, de radicale studenten, misschien met hulp van Irak.'

'Waar was u toen u hoorde dat hij dood was?'

'Ik was in Abadan, waar we onze raffinaderijen hebben. Mijn Pasdaran-eenheid weerstond de Irakezen. Zesduizend van hun soldaten kwamen om het leven. Later dat jaar begonnen we de operatie Samen-ol Aemeh en voerden een tegenaanval uit op Irak.'

'Hoe lang hebt u gevochten?'

Kourani trok aan de sigaret zonder filter en stak vier vingers omhoog. 'Vier jaar. Toen kreeg ik de leiding over het aankoopbeleid.'

'Van wat?'

'Reserveonderdelen voor vliegtuigmotoren, radarsystemen, wapens. Al onze apparatuur was Amerikaans. We hadden aankoopkantoren in Dubai, Frankfurt, Singapore. Zelfs toen uw regering een internationaal embargo had ingesteld tegen ons, waren we in staat om genoeg reserveonderdelen te kopen.'

'Hoe hebt u uw arm verwond?'

'Napalm,' antwoordde Kourani, terwijl hij achteruitleunde en een stroom rook op het fluorescerende licht boven hen richtte. 'Ik leidde een groep Basiji's [vrijwilligers] door de moerassen in het zuiden, Irak in. Saddam had grote pompen laten aanrukken en zette het gebied onder water. Wij bouwden met de hand pontonbruggen. De Irakezen schoten op ons vanuit helikopters en bombardeerden ons met napalm. Als ze onze bruggen vernietigden, kwamen we terug en bouwden we die opnieuw.'

'Hoeveel man hebt u verloren?'

'Achttien procent van de brigade.' Hij drukte de sigaret uit en begon meteen aan een nieuwe. 'Jullie Amerikanen begrijpen de oorlog niet. Jullie kijken van een afstand toe. Jullie verliezen drie- of vierduizend man en willen dan naar huis. Wij verliezen er per dag zoveel.'

De arrogantie van de Iraniër begon Matt te steken. Hij zei: 'Khomeini had de oorlog kunnen beëindigen en een half miljoen levens kunnen redden.'

'Een wijs man laat de duivel niet op zijn deur bonzen.'

Het had geen zin om te gaan ruziën over Saddam Hoessein. Matt dacht: *Alles wat hij tot nu toe heeft gezegd, klopt. Ofwel deze kerel is wie hij zegt dat hij is, ofwel hij is fantastisch*

goed voorbereid. Spreekt hij de waarheid, of speelt hij met ons?
Wat zouden de Iraniërs in hemelsnaam voor motief kunnen
hebben om ons op te fokken met een nepplan van Al Qaida?
Matt vroeg: 'Wie heeft twee dagen geleden in Masqat generaal
Moshiri vermoord?'

Kourani leek oprecht stomverbaasd te zijn. 'Dat moet het
werk zijn geweest van het MVIV,' antwoordde hij, 'want het
was niet de Qods-strijdmacht.'

Matt wist dat de Qods-strijdmacht en MVIV als concurren-
ten werden beschouwd. De Qods-strijdmacht was het externe
veiligheidsapparaat van de Islamitische Revolutionaire Garde
en ontleende zijn macht direct aan de moellahs, terwijl het MVIV
een tak – een genadeloze en krachtige arm – van de Islamitische Republiek was.

'Naar mijn mening was het Tabatabai, hun chef speciale operaties.'

Matt dacht dat dit een redelijke conclusie was. Hij vroeg:
'Hoe bent u in Roemenië gekomen?'

Kourani keek even op zijn horloge. 'Meneer Freed, ik weet
dat u moet bevestigen dat ik inderdaad Moshen Kourani ben.
Maar we verliezen kostbare tijd.'

'Geef antwoord op de vraag,' zei Matt scherp.

'Ik ben hier twee dagen geleden aangekomen, Iran Air naar
Frankfurt, toen Lufthansa naar Boekarest. We reizen onder
commerciële documenten. Nadat u bent neergeschoten, is het
plan dat we naar het oosten rijden, naar de kust van de Zwarte Zee. Een boot zal ons naar Istanbul brengen, waar perso-
neelsleden van onze ambassade ons zullen voorzien van diplomatieke paspoorten. We reizen over land naar Iran, zodat we
niet getraceerd kunnen worden.'

'Waarom neemt u een lid van mijn dienst als doelwit?'

'Leiders in mijn land willen uw regering laten zien dat inmenging in het Midden-Oosten gevolgen zal hebben. U bent
toevallig een van de pakweg zes Farsi-sprekenden die voor deze aanpak in aanmerking komen.'

Matt keek naar de man die tegenover hem zat en knikte
waarderend. Kourani was duidelijk een getalenteerde en zeer

vertrouwde operationele kracht met inzicht in de manier waarop zijn regering werkte. Hij leek wel op Matt.

Kourani begon zachter te praten. 'Meneer Freed, ik moet u waarschuwen. U kunt dit gebouw vandaag en morgen onder geen enkele omstandigheid verlaten.'

'Is dat een dreigement?'

'Als u weggaat en ik vind u, dan zal ik geen alternatief hebben dan de uitvoering van de missie waarvoor ik ben uitgezonden.'

'Waarom beschrijft u niet iemand die niet bestaat?'

'Denkt u dat zoiets verstandig is, meneer Freed? Zou u willen dat ik de verdenking van mijn eigen mensen op me laadde?'

'Denkt u dat uw mensen de oorlog willen die zou kunnen voortkomen uit die terroristische aanvallen?'

'Velen van hen wel, ja. Ik beschouw ze als kortzichtig, of zelfs stom. Maar zij zien dit als een buitenkans. Een grote terroristische aanval door soennitische radicalen zal ongetwijfeld zorgen voor een sterke tegenaanval door de vs. Mijn regering en haar sjiitische bondgenoten zullen voordeel halen uit die situatie door hun eigen positie te verbeteren. Sommigen vinden zelfs dat we daarmee het woord van de Profeet zouden vervullen.'

Matt wist dat de scheiding tussen de soennieten en de sjiieten in de islam al snel plaatsvond nadat de profeet Mohammed in 632 stierf. De meeste van Mohammeds volgelingen wilden dat de moslimgemeenschap een opvolger koos om de eerste kalief te worden. Zij werden bekend als de soennieten. Een kleinere groep (de sjia, die momenteel slechts 10 tot 15 procent van de wereldwijde moslimbevolking uitmaakt) vonden dat iemand uit de familie van de Profeet de mantel moest aannemen en schoven zijn neef en schoonzoon Ali naar voren. Meer dan duizend jaar later waren de twee groeperingen nog altijd met elkaar in strijd om niet alleen de plaatselijke politiek in het Midden-Oosten te bepalen, maar ook de relatie tussen de islamitische wereld en het westen.

Matt vroeg: 'Wanneer is het voor mij veilig om te vertrekken?'

'Als we u morgen bij het vallen van de avond nog niet hebben gevonden, zullen we de missie afblazen. Als de missie mislukt is, kan ik teruggaan naar Iran en mezelf bij een team voegen dat naar New York afreist voor de opening van de algemene vergadering van de Verenigde Naties op 19 september.'

'Dan hebben we geen tijd meer over voor Eid al-Fitr.'

'Ik zal regelen dat ik op de middag van de achttiende in New York aankom. Dan ontmoeten we elkaar en zal ik u voorzien van alle details over de geplande aanval.'

'Ik zal de informatie eerder dan dat nodig hebben.'

Kourani sprak snel en negeerde hem. 'Acht dagen na vandaag zal ik naar Wenen reizen. Zorg ervoor dat uw ambassade ter plekke een visum regelt voor mijn reis naar de vs. Ik zal mijn paspoort persoonlijk afleveren en ophalen. Laat een van uw mensen op de één na laatste bladzijde van mijn paspoort in potlood het telefoonnummer opschrijven dat u wilt dat ik gebruik om u te bereiken. Zodra ik in New York aankom, zal ik de groep verlaten en bellen.'

'Hoe zit het met de informatie over de eerste aanslag?'

'Die zal ik nu opschrijven.'

Matt schoof een schrijfblok over de tafel. Kourani haalde een pen uit zijn jasje en begon te schrijven. 'Het zal plaatsvinden in Qatar, ergens op 17 december. Een vrachtwagen geladen met explosieven zal het terrein aanvallen van het hoofdkwartier van CENTCOM [de centrale commandopost van de Amerikaanse gewapende strijdkrachten] bij Doha International Air Base. Twee andere voertuigen zullen door de bres binnenrijden met kleinere explosieve ladingen. De operatie wordt geleid door twee Saoedische zakenlieden die werken bij handelsmaatschappij JAFA. Zij hebben al een kantoor gevestigd in Doha. De naam van de leider is Kahlid al Haznamwi.'

'En als het plan gewijzigd wordt?'

Kourani schoof het blok terug. 'Ik neem aan dat u deze mannen direct laat volgen.'

'We moeten contact hebben voordat u op de achttiende in New York aankomt.'

'Onmogelijk. Als ik mijn paspoort overhandig aan uw mensen in Wenen, zal ik daar een stukje papier in doen met een nummer, dat overeen zal komen met een geheime rekening. Als de informatie die ik u heb doorgegeven juist is, maakt u twee miljoen over op die rekening voor mijn aankomst in New York.'

Matt noteerde dat op het schrijfblok. 'En uw vrouw?'

'Ik heb al geregeld dat mijn vrouw en zoon haar familie in Toronto gaan bezoeken.'

'Kunt u uw aankomst in New York niet vervroegen?'

'Niet zonder verdenkingen te wekken.'

Matts bezorgdheid was te zien op zijn gezicht.

'Als u welke voorbarige actie dan ook onderneemt die mijn gezin in gevaar brengt, dan kunt u mijn medewerking vergeten,' voegde Kourani toe.

'Dat hebt u al gezegd.'

'Wees verstandig, meneer Freed. Het is belangrijk. Geen van ons beiden wil dat er miljoenen mensen worden gedood als vergelding voor het werk van een groep fanatici.'

Daar was Matt het mee eens. De Iraniër wees op zijn horloge. 'Ik moet gaan.'

'Voordat u vertrekt, Moshen Kourani, is er misschien nog iets anders wat u me kunt vertellen over de bedreiging van de Verenigde Staten?'

'Ik heb u alles verteld wat ik weet.'

Dat betwijfelde Matt. 'Weet u dat zeker?'

'Daar ben ik zeker van,' zei Kourani, terwijl hij opstond en zijn hand uitstak. 'We weten allebei wat u moet doen.'

Ze keken elkaar een laatste keer in de ogen. 'Ja.'

Nadat Bradley het paspoort van Kourani gekopieerd had en hem naar beneden had begeleid, kwam hij terug en vond Matt diep in gedachten verzonken.

'Hoe ging het?' vroeg de jongere man hem.

Matt antwoordde hem met een andere vraag: 'Kun je me een plezier doen en een matras voor me halen?'

'Tuurlijk,' antwoordde Bradley.

'Ik slaap vannacht hier.'

4

6-7 september

*N*u *begint de rotzooi,* dacht Matt. Voor zijn geestesoog zag hij een beeld voorbijflitsen van iemand die probeerde een 747 vol passagiers door een storm heen te sturen. Hijzelf.

Ik moet scherp zijn. Dit is te belangrijk. Geen sprake van dat ik me door bureaucraten die hier 3500 kilometer vandaan in het hoofdkwartier zitten ga laten vertellen hoe ik de zaken moet aanpakken.

Hij rukte zijn mobieltje van zijn riem en toetste een sms'je in: 'J.J. Klaar. Wegwezen.' Toen haalde hij diep adem.

Voordat hij begon met de beantwoording van de tientallen vragen die in zijn hoofd over elkaar tuimelden, wilde hij er zeker van zijn dat J.J. niet in haar eentje achter de Iraniërs aan ging.

Matt was niet de meest welbespraakte redenaar of de meest objectieve analist, maar hij kon bliksemsnel een probleem doordenken. Hij vertrouwde op zijn intuïtie, die hij als tiener had gevormd toen hij met de verkeerde types omging.

Zijn aangeboren intelligentie en enorme gedrevenheid hadden hem gebracht waar hij nu was. Hij was een van die uitzonderlijke combinaties van karakter, ervaring en genen. Zijn vader, een loodgieter, was een angstige, achterdochtige man die Matt had gewaarschuwd dat hij bij iedere gelegenheid falen en teleurstelling moest verwachten. Zijn moeder maskeerde grote onzekerheid met constant geklets, waarmee ze een vals beeld van de wereld schiep.

Hij moest wel realistisch zijn.

Was de man met wie ik gepraat heb echt Kourani?

Hij wist het niet zeker. Dus haalde Matt voorzichtig de peuken uit de asbak en deed die in een plastic zakje. Hij deed hetzelfde met het glas waaruit de Iraniër water had gedronken. Binnen twee of drie dagen zouden analisten vlak buiten Washington D.C., in het NCTS-hoofdkwartier, een antwoord kunnen geven. De kans bestond dat het niet te bepalen was. Zouden ze in staat zijn om er een duidelijke vingerafdruk af te halen? Hadden ze Kourani's vingerafdrukken in hun bestanden?

Matts intuïtie zei hem dat de man met wie hij gesproken had inderdaad een lid was van het Islamitische Revolutionaire Garde Corps. Waarom? Omdat hij zoveel leden van de IRGC had ondervraagd, kon hij ze op honderd meter afstand aanwijzen. De ouderen, zoals Kourani, waren meedogenloos en fatalistisch, trekken die zich fysiek toonden rond hun ogen en in de plooien rond hun mond.

Het zwemmen door rivieren van dode landgenoten en het klimmen over bergen kapotte lichamen en ledematen had delen van hun ziel doodgemaakt. Ze hadden hun hoop in de mensheid verloren. Sommigen werden niet aflatende huurlingen van Allah. Anderen kozen ervoor met hun gezinnen te ontsnappen en een klein hoekje anonieme vrede op te zoeken.

Matt deed zijn laptop open en opende een versleutelingsprogramma. Met een kopie van Kourani's paspoort als Fariel Golpaghani voor zich, vergeleek hij twintig pagina's binnenkomst- en vertrekstempels met de stempels die hij op zijn computer kon zien. Hij bevestigde dat de man die zich Golpaghani noemde twee weken geleden Roemenië was binnengekomen. Er was echter geen bewijs dat hij een tussenstop in Frankfurt had gemaakt, zoals hij beweerde.

De krachtig gebouwde Amerikaan werkte bijna een uur zonder pauze aan het bestuderen en identificeren van de data en stempels. Hij schonk geen aandacht aan de stijfheid die in zijn rug kroop en de dorst die in zijn keel kriebelde.

Er waren diverse binnenkomst- en vertrekstempels, waaronder die van Turkije, Syrië, Libanon, Egypte, Frankrijk, Groot-Brittannië, Afghanistan en Irak. Hij maakte zich zorgen over een serie reizen die begon in Afghanistan, eind april, en diverse in- en uitreizen behelsde van en naar Oezbekistan en de Russische Federatie, eindigend in midden juni.

Waarom stoort me dat? Hij wist het niet precies. Hij wist dat de Iraniërs honderden bronnen hadden langs de Perzische Golf en ook contacten hadden met extremisten in Centraal-Azië.

Terwijl het na zevenen werd, begon hij een eerste versie van zijn rapport te maken. Zijn doel was om het hoofdkwartier te waarschuwen voor de ophanden zijnde dreiging en tegelijkertijd een belangrijke rol voor zichzelf veilig te stellen in de reactie daarop. Hij verwachtte dat zowel de NCTS als de CIA meedogenloos en vastberaden zouden zijn. Er zouden bij beide agentschappen leiders zijn die de bedreiging zouden overdrijven.

Matt klikte door naar het standaardformulier en kruiste de desbetreffende velden aan om er zeker van te zijn dat zijn bericht gelezen zou worden door het NCTS-hoofdkwartier, Odysseus en sleutelfiguren in het Witte Huis en bij de CIA.

Hij ging voorbij aan zijn groeiende honger en schreef zonder hartstocht, gaf de feiten weer, onderstreepte dat de bron (Kourani) niet bevestigd was. Bij het bereiken van de laatste alinea, waarin hij een kopie opvroeg van een foto van Kourani, waarvan hij wist dat die aanwezig was op het hoofdkwartier, hoorde hij een klop op de deur.

'Binnen.'

Het was Bradley, die een stuk papier bij zich had. Hij leek nog gretiger dan tevoren. 'Dit kwam zojuist binnen, van J.J.'

In haar boodschap stonden beschrijvingen van drie 'Midden-Oosten-achtige mannen' die Kourani hadden begeleid naar de ambassade. 'Ik geloof dat ze de ambassade nog steeds in de gaten houden,' schreef ze. 'Ik raad je ernstig aan daar te blijven.'

'Bedankt,' zei Matt over zijn schouder.

'Wat is er aan de hand?'

'Denk je dat je me een broodje en een blikje frisdrank kunt bezorgen?'

'Wat voor broodje?'

'Ham, kalkoen, wat dan ook. En die matras.'

Weer alleen, met het geluid van nabije liften die op en neer gingen, begon Matt aan een dringend bericht aan zijn baas. 'Alan. Betreft: het bijgevoegde rapport. De dreiging, gekoppeld aan de korte tijd die ik had met Kourani, maakte het normale doorlichten onmogelijk.'

Hij wachtte even. *Nu generaal Moshiri dood is*, dacht hij, *hebben we geen rapportage of observaties van de* IRGC. *Hoe kunnen we, gezien de korte tijd, bevestigen wat Kourani gezegd heeft?*

De opties waren schaars. Natuurlijk zou het hoofdkwartier agenten het veld in sturen om alle NCTS-bronnen te controleren. En het National Security Agency (NSA) zou elektronische volgsystemen opzetten voor alle operatieve Qods-strijdkrachten in het hele Midden-Oosten.

De vraag die Matt zichzelf stelde was: *Hoe kan ik het beste gebruikmaken van mijn expertise?* Het laatste wat hij wilde, was de komende twee weken doorbrengen in vergaderzalen in Athene en Washington om voortdurend te praten over het bepalen van dreigingen en doelwitmatrices.

Zijn intuïtie zei hem dat het nalopen van Kourani's sporen de beste kans was die hij had op het vinden van nuttige aanknopingspunten. Dus besloot hij zijn dringende boodschap aan Alan Beckman met: 'Ik heb je toestemming nodig om naar Afghanistan en mogelijk Oezbekistan te reizen om vervolgonderzoek te doen. Ik denk een paar dagen Kabul en dan Tasjkent. MF.'

Matt stond op en rekte zijn armen uit, vol vertrouwen dat hij de toestemming van zijn baas zou krijgen. De twee mannen ruzieden regelmatig over bureaucratische onderwerpen, maar zaten meestal op dezelfde golflengte als het ging om operaties en het natrekken van aanknopingspunten.

Vijf minuten later, toen Bradley terugkwam met een oprolbare legerslaapmat, dacht Matt aan zijn vrouw Liz. Omdat hij onder een schuilnaam reisde, kon hij niet direct met haar communiceren. Dus ging hij weer naar zijn laptop en stuurde hij een tweede bericht naar Alan, waarin hij hem vroeg om Liz ervan op de hoogte te stellen dat hij zijn reis met een week verlengde.

Alan zat rechtop in bed te lezen over de dood van Brian Epstein, toen hij een rood lampje zag knipperen op zijn BlackBerry. Omdat zijn vrouw diep in slaap was, sloop hij zachtjes naar de badkamer, waar hij het bericht las: 'Starlite 12.43.'

Iets van Matt vroeg zijn onmiddellijke aandacht. Een kwartier later stond hij voor de deur van zijn kantoor in de stad en zette hij het alarm uit, terwijl 'Strawberry Fields Forever' in zijn hoofd speelde.

Er wachtten vijf dringende berichten van Matt op zijn computer. Terwijl hij las, gebruikte hij een potlood en gele plakbriefjes om aantekeningen te maken. 'Moshen Kourani. Mogelijke Al Qaida aanval op de 17e. Kabul, Tasjkent. Amerikaanse ambassade, Wenen. Vijf miljoen dollar. Openingszitting VN algemene vergadering, New York.'

Matt gaf geen details over de aanknopingspunten die hij wilde natrekken in Afghanistan, maar had de diverse in- en uitreisstempels genoemd in het paspoort van Kourani's dekmantel.

Dat was genoeg voor Alan, die in zijn baard krabde en met vlakke stem zong: *Let me take you down, 'cause I'm going to...*' terwijl hij de kluis opende, het telefoonboek eruit haalde en een nummer intoetste.

'Gebouw 9, Kabul,' antwoordde de vrouw aan de andere kant.

'Ik ga op veilig,' zei hij, drukte een knop in op de STU-III telefoon en luisterde terwijl de versleuteling van de lijn tot stand kwam.

'Ik heb u op veilig,' zei de vrouw.

'Dit is chef Odysseus-basis. Ik moet spreken met uw *jefe.*'

'Jefe?'

'Baas.'

Alan glimlachte bij zichzelf. 'Jefe' was een stopwoordje dat hij had opgepikt op zijn laatste standplaats: Buenos Aires. Voor zijn geestesoog zag hij tangobars, voetbalstadions vol met uit-

zinnige fans en een overvloedige stroom van prachtige vrouwen in strakke broekjes.

Een dringende stem haalde hem terug. 'Alan, dit is Burris in
Kabul. Wat is er?' Steve Burris was de afdelingsonderdirecteur
van de CIA. Hij legde uit dat zijn baas een opdracht uitvoerde
in de buurt van Islamabad, Pakistan.

'Een agent van mij, Matt Freed, zal de komende paar dagen
naar jouw regio reizen onder de naam John Paul Morgan. Het
is dringend. Hij heeft misschien hulp nodig.'

'Ik heb gehoord dat hij een goeie vent is, maar wel een beetje een cowboy. Waarom Afghanistan?'

'Dat kan ik je niet vertellen.' Hij moest Matt beschermen
door de kring van de operatie klein te houden.

Vervolgens belde hij de CIA-chef in Doha, Qatar – een grote, zeer uitgesproken man genaamd Mel McKinsey. Ze hadden
jaren geleden samen getraind op de Farm.

'Mel, dit is Alan.'

'Jouw man Freed kan hier maar beter gelijk in hebben. Anders geef ik hem een ongelofelijk pak slaag.'

'Mel...'

'Je weet hoe verdomd schichtig de Qatari's zijn sinds de aanslag in 2005. Als ik ze ga vertellen dat radicale soenni's het
weer op ze gemunt hebben, gaan ze helemaal door het lint.'

'Het lijkt me dat...'

Mel onderbrak hem weer. 'Ik weet het, ik weet het. Ik klink
als een zeikerige klootzak.'

'Het is niet persoonlijk, Mel,' zei Alan.

Mel grinnikte. 'Hoe komt het dat het wel altijd zo aanvoelt?'

'Omdat je zo gevoelig bent.'

'Reken verdomme maar van niet! Ik ben nu op weg naar
Camp Snoopy [Doha International Airport]. We hebben de
melding van de dreiging ontvangen en we zullen ernaar handelen. Denk dat we er niet onderuit komen het de Qatari's te
vertellen. Die kerel van jou kan maar beter gelijk hebben!'

Het was laat in de middag in een voorstad in Maryland, toen
Matts boodschap het NCTS-hoofdkwartier bereikte. De eerste

directeur van de eenheid, generaal Emily Jasper, was zojuist te-ruggekomen van een lunchafspraak bij het ministerie van Bui-tenlandse Zaken met de op staatsbezoek zijnde Afghaanse mi-nister van Buitenlandse Zaken Babur Qasim. Al een week had ze last van brandend maagzuur, dat de binnenkant van haar borst verschroeide. Een jonge mannelijke assistent met leuk blond haar kwam binnen met een mok kamillethee. 'Ik dacht dat ik je gevraagd had te kloppen.'

'Hier is uw thee en een dringend bericht van de Amerikaanse ambassade in Boekarest.'

Toen ze de naam Matt Freed onder aan het bericht las, ging ze rechtop zitten. 'Geef me generaal Ramsey in Tampa. En breng me Freeds dossier.'

Ze was een uitzonderlijk lange vrouw met een bos onhan-delbaar rossig blond haar. Aan de muur achter haar hing een foto waarop ze de president de hand schudde. Daarnaast hing haar meest gewaardeerde bezit, een foto waarop zij en haar echtgenoot naast de Colombiaanse schrijver Gabriel García Márquez stonden, genomen toen ze als militair attaché diende in Bogotá, in de vroege jaren tachtig.

Zij en generaal Ramsey, die nu de J2 bij CENTCOM was, had-den samen gediend in Fort Huachuca, voordat ze getrouwd was en kinderen had gekregen. Vijfentwintig jaar geleden had-den ze samen in een volleybalteam gespeeld dat met twee pun-ten verschil verloren had van de kampioenen van het basis-kamp.

'Paul,' zei ze op familiaire toon, toen de generaal aan de lijn kwam, 'zeg tegen je commandant te velde dat we hem tot op de minuut gedetailleerd bijgewerkte updates zullen geven uit Boekarest, zodra die binnenkomen.'

'Ik heb het verslag zojuist gelezen.'

'Wat denk je?'

'De aanval op Doha verbaast me niet. We hebben onze com-mandanten ter plekke instructies gegeven om de bewaking te verscherpen. Maar de aanval op middelgrote Amerikaanse ste-den maakt me een beetje misselijk.'

'Dat heb ik ook. Het is het burgeraspect dat je zo raakt.'

'Ik houd niet van dit soort oorlog.'

Ze zei: 'Als jouw mensen in het veld iets oppikken, wil ik dat onmiddellijk weten.'

'Maak je geen zorgen. We nemen de dreiging bijzonder serieus.'

Ze hoorde een vleugje angst in zijn stem, maar de knipperende lampjes op het telefoontoestel trokken haar aandacht. Haar assistent stak zijn hoofd om de deur en mimede: 'Het Witte Huis.'

Ze zei in de hoorn: 'Hou je haaks, Paul.'

Haar assistent klonk opgewonden. 'Witte Huis op lijn twee.'

'Wie?'

Hij stamelde: 'N-n-nationale Veiligheidsdirecteur, Stan Lescher.'

'Zeg hem dat ik over vijf minuten terug ben.'

'Maar...'

'Bel Alan Beckman op. Nu!'

'Ja, mevrouw.'

Ze nam een teugje uit haar favoriete 'Go Blue Devils'-mok en voelde dat ze de zaken onder controle kreeg. Twee minuten later bladerde ze door het persoonlijk dossier van Matt Freed. Alans diepe stem kwam aan de lijn.

'Goedemorgen, Alan. Het is ongeveer 06.00 uur lokale tijd, is dat juist?'

'Morgen, generaal. Dat klopt.'

'Ik had al het gevoel dat je op je kantoor zou zijn.'

'Ik slaap licht.'

'Na al die bronnen die worden doodgeschoten in hotels, schietpartijen op snelwegen en nu dit nieuws waarvan de president beslist een torenhoge bloeddruk krijgt, verbaast me dat niks. Als je goed sliep, zou ik achterdochtig zijn.'

Alan grinnikte welgemoed. 'Dat hoort allemaal bij het werk.'

'Vertel me eens over die Freed,' zei ze, terwijl ze een foto bekeek van Matt, die enigszins spottend naar de camera lachte. 'Hebben we hier een personeelsprobleem?'

'Helemaal niet, generaal. Hij is zo betrouwbaar als een rots.'

'Ik heb andere geluiden gehoord.'

'Nee, hij is te vertrouwen.'

'We zitten allemaal diep in de bah-bah als je het mis hebt.' Generaal Jasper was een diepreligieuze vrouw die niet van grove taal hield.

'Onze bewakingsdienst heeft bevestigd dat er zich een Iraans team buiten de ambassade ophield, dat daar misschien was om hem neer te schieten. Een groter probleem vormen natuurlijk de bedreigingen van onze strijdkrachten in Qatar en de steden in ons land.'

'We zullen alle voorzorgsmaatregelen nemen. Ik voorspel dat de Binnenlandse Veiligheidsdienst de alarmfase vóór het einde van de dag naar Rood zal hebben verhoogd.'

'Wij moeten aanvullende bronnen natrekken.'

'Daarom heb jij het commando daar, Alan. Ik reken erop dat jouw mensen dit onafhankelijk bevestigen. Kijk onder elke steen. Hou me op de hoogte.'

'Ja, mevrouw.'

'Nu moet ik het een en ander gaan uitleggen aan de president.' Generaal Jasper hing op, haalde diep adem en greep weer naar de hoorn.

Haar assistent verscheen in de deuropening. 'Generaal...'

Ze onderbrak hem. 'Geef me het Witte Huis. En zoek de groepschef van de Iraanse operaties. Ik wil hem spreken. Nu!' De bureaucratische cirkel werd snel wijder.

Matt lag op zijn rug en droomde dat hij in het donker een 747 door een straat in een stad vloog, waarbij hij koelbloedig langs daken van huizen en hoogspanningskabels stuurde.

Toen hij een deur hoorde dichtslaan, keek hij op. Tegelijkertijd scheen er sterk fluorescerend licht in zijn ogen.

'Wat?' vroeg hij, knipperend naar de schaduwachtige figuur in de deuropening. 'Ben jij dat, Bradley?'

'Ik ben Steve Danforth,' antwoordde een raspende stem. 'CIA-chef hier in Boekarest. Ik heb een paar vragen voor je, Freed. Je bent op mijn terrein.'

Matt wachtte tot de mist in zijn hoofd was opgetrokken, trok toen zijn broek aan en liep stijf naar de tafel. Danforth stond aan de andere kant daarvan met een grijns op zijn rode gezicht.

'Je hebt verdomme een donderstorm ontketend,' snauwde hij. 'Ik hoop dat je dat beseft.'

Matt nam de tijd om zijn positie te bepalen. 'En dus?'

'Een ophanden zijnde aanslag op het vooruitgeschoven hoofdkwartier van CENTCOM aan de Perzische Golf. De dreiging van een nog vernietigender aanslag op doelen in de VS.'

'Dat klopt.'

'Je bent hier mijn gast, Freed. Ik had je verslag graag gezien voordat het werd verzonden.'

Matt schermde zijn ogen af voor de glans van Danforths geschoren hoofd. 'Ik begrijp niet wat je bedoelt.'

'Heb je ooit gehoord van beleefdheid?'

'Waar hep je het over?' Hij stond op het punt om Danforth eraan te helpen herinneren dat de NCTS in zaken van terrorisme jurisdictie had boven de CIA, maar besloot in plaats daarvan zijn overhemd dicht te knopen. Pas toen merkte hij de man en de vrouw op die aan weerszijden van de CIA-chef stonden, als boekensteunen.

De vrouw schudde haar hoofd. De Zuid-Europees ogende man rechts van Danforth mompelde: 'Hij zou hier niet eens zijn als u daar niet mee had ingestemd.'

Matt voelde woede opwellen in zijn maag.

'Ik heb een paar lastige vragen voor je, Freed,' begon Danforth. 'Nummer één, waarom heb je je niet gericht op waar Kourani hier in Boekarest verblijft? En waarom heb je ons niet in een positie gebracht van waaruit we Kourani en zijn team vanavond hadden kunnen oppakken?'

Matt dacht nog niet helder, door de slaap en de woede. Hij antwoordde: 'De enige dreiging die hier is geuit was tegen mij.'

'Wie geeft er nou een reet om jou?' snauwde Danforth. 'Ik heb het over de potentiële miljoenen die hierdoor kunnen sterven.'

Dit keer sprak Matt duidelijk en scherp. 'We willen niet dat Kourani denkt dat we van plan zijn iets tegen hem te ondernemen. Hij is een slimme man. Hij zou de minste insinuatie direct oppikken. Als dat zo is, horen we misschien nooit meer iets van hem.'

'Je zou op zijn minst hebben kunnen proberen om ons in de gelegenheid te stellen om zijn hotelkamer in te gaan. Heb je ooit gehoord van technische operaties?'

'En dan het risico lopen de Iraniërs op een idee te brengen, waardoor ze misschien zo achterdochtig worden dat ze voorkomen dat Kourani naar New York afreist? Fout.'

'Je wordt geacht de boel onder controle te hebben,' repliceerde Danforth. 'Iemand die hier zomaar komt binnenlopen bepaalt niet de teneur van het verhoor.'

'Met alle respect, meneer,' onderbrak Matt hem, 'het ligt een beetje gecompliceerder.'

De vrouw in het zwarte broekpak deed 'tsk'. De Zuid-Europees ogende man mompelde bijna onhoorbaar 'onprofessioneel'. Matt onderdrukte de neiging om hen allebei te vertellen dat ze hun kop moesten houden.

Danforths gezicht kreeg een almaar dieper rode kleur. 'Ik heb tien jaar bij de Sovjetdivisie gewerkt en heb tientallen verhoren afgenomen,' beet hij Matt toe. 'Jouw werk is onder niveau.'

Matt sloeg meteen terug. 'De Sovjetdivisie is meer dan tien jaar geleden uiteengevallen. En terroristische informanten zijn een stuk gecompliceerder dan Sovjetoverlopers.'

'Jij hebt verdomme wel lef.'

'Dat heb ik wel vaker gehoord. Ik heb ook tientallen vergelijkbare zaken succesvol afgehandeld.'

Danforth begon harder te praten. 'Als ik dit afhandelde, zou ik Kourani hier hebben zitten, waar hij hoort! Ik zou hem niet hebben laten vertrekken voordat hij alles verteld had wat hij wist.'

'Dan zou je falen en tienduizenden levens in de waagschaal stellen.'

Dat bracht Danforth even tot zwijgen. 'Ik weet in ieder geval wel dat, als je op iemand anders terrein werkt, je de verantwoording hebt om rekening te houden met hun belangen. Dat heet verdomme gezond verstand.'

Nu viel de vrouw hem bij. 'Als je ooit nog een keer in Boekarest komt, verwachten we het hele operatieplan van tevoren te krijgen, met alle puntjes op alle i's.'

Matt keek haar aan alsof ze zojuist een wind gelaten had.

'Morgenochtend,' voegde Danforth daaraan toe, 'zal ik moeten gaan rapporteren aan de ambassadeur. Hij zal willen weten of je van plan bent nog meer gesprekken met Iraniërs te hebben op deze ambassade.'

'Nee.'

'Goddank gaat er ook iets goed,' kreunde de vrouw.

Danforth kwam een stap dichterbij en vroeg: 'Wat gaat er nu gebeuren?'

Matt duwde zichzelf langzaam omhoog. 'Je doet het licht uit als je weggaat en ik probeer nog wat te slapen.'

'Je kunt maar beter hopen dat die Iraniër maar wat lulde.'

'Dat betwijfel ik.'

Danforth bleef staan bij de deur om nog één scherp antwoord te geven: 'Gebruik dan in godsnaam je verstand.'

5

8-9 september

Liz was de sokken van de meisjes aan het sorteren toen, 350 kilometer noordelijker in Boekarest, de auto waarin haar echtgenoot reed plotseling remde en naar rechts slipte, waardoor zijn middel hard tegen het paneel tussen de stoelen kwam.

Ze voelde een lichte pijnscheut in haar linkerhand en keek naar haar trouwring. *Matt*, dacht ze. *Gaat het goed met je?*

Hij had haar gezegd dat hij uiterlijk donderdag thuis zou zijn, en het was donderdagmorgen. Vijftien minuten later, toen de telefoon ging, voelde ze een koude rilling onder aan haar ruggengraat. Alan Beckmans stem aan de andere kant van de lijn verhoogde haar bezorgdheid alleen nog maar.

Voordat hij een woord had kunnen uitbrengen, zei Liz: 'Alan, vertel me dat alles goed met hem is.'

'Het gaat prima met Matt, Liz.'

Een zorgelijk gevoel in haar borst werd veel minder. 'Hoe laat komt hij aan?'

'Ik bel je, Liz, omdat er iets gebeurd is. Hij komt een paar dagen later. Misschien zelfs wel een week.'

'O…' kreunde ze teleurgesteld. Ze wist wat dat inhield: Matt kon zelf niet bellen. Hij was op de een of andere manier in gevaar.

'Kun je me zeggen waar hij is?'

'Sorry, Liz.'

Ze stelde geen vragen meer, omdat ze wist hoe het was. *Tijd om je te richten op je gezin en de mantra te herhalen: Matt weet wat hij doet. Het komt in orde met hem.*

Matt lag op zijn rug achter in de vierdeurs Ford en luisterde hoe Bradley zich vanaf de chauffeursstoel verontschuldigde:

'Verdomde Roemenen, ze denken allemaal dat ze aan de grand prix meedoen.'

Hij lag tenminste niet in de kofferbak. 'Zorg nou maar dat je me er heelhuids krijgt.'

Ze waren op weg naar het vliegveld. Die morgen was er een melding gekomen van J.J. dat de Iraniërs de vorige avond om tien uur Boekarest hadden verlaten. Matt had zijn haar en baard zwart geverfd en verborg zich voor alle zekerheid achter in de auto.

Terwijl Bradley zich met het verkeer bezighield, gingen Matts gedachten terug naar het vertrouwelijke bericht dat hij een paar uur tevoren ontvangen had van het hoofdkwartier. NCTS-technici hadden de paspoortfoto die Max had doorgefaxt vergeleken met de foto die ze in hun archief hadden en gezien dat die overeenkwam. Daardoor werd bevestigd dat de man met wie hij gesproken had inderdaad Moshen Kourani was, de onderdirecteur van de Qods-strijdkrachten.

Hooggeplaatste analytici op het hoofdkwartier tekenden daarbij aan dat het ongebruikelijk was voor een man van Kourani's hoge rang om deel te nemen aan een operatie. Niettemin hadden ze toegestemd in de toewijzing van vijf miljoen dollar om Kourani te betalen en hadden ze de ambassade in Wenen opdracht gegeven om het visum voor zijn reis naar de Verenigde Staten goed te keuren.

Tegelijkertijd had Matt via Alan Beckman toestemming van generaal Jasper gekregen om Kourani's spoor door Afghanistan en Oezbekistan na te trekken.

Waarom Afghanistan? vroeg hij zich af, vooruitlopend op zijn eerste halte. Hoewel het een merendeels soennitisch land was, hadden de Iraniërs er jarenlang steun gegeven aan de sjia Hazara-minderheid. De Hazara's waren afkomstig uit het bergachtige midden van Afghanistan en waren directe afstammelingen van Dzjengis Khan en zijn Mongoolse horden, die in de dertiende eeuw waren binnengevallen.

Ik ben aan het vissen. En dat weet ik. Het zou best kunnen zijn dat Kourani daar voor andere zaken van de Qods-strijdkrachten is geweest. Als dat zo is, verspil ik mijn tijd.

Matt zweette door zijn katoenen shirt tegen de tijd dat Bradley de auto tot stilstand bracht.

Bradley zei: 'Ik ben vergeten u te vragen of u geld nodig hebt.'

'Ik heb tienduizend bij me. Bedankt.'

Bij de terminal betaalde hij met een creditcard op naam van John Paul Morgan: Turkish Airlines naar Istanbul, Emirates Airlines naar Dubai, Ariana Afghan Airlines naar Kabul.

Interessant, dacht hij, *dat de Iraniërs me voor het eerst identificeerden in Kabul.*

Zijn laatste bezoek aan Afghanistan was eind 2002 afgerond, ruwweg een jaar nadat de taliban uit hun macht waren ontzet met hulp van kleine teams van de CIA en de Special Forces van de Amerikaanse landmacht en steun van de Amerikaanse luchtmacht. Sinds die tijd had de regering Bush de mogelijkheid laten lopen het land weer tot ontwikkeling te brengen. De gehergroepeerde taliban hadden een uitvalbasis gevestigd aan de zuidelijke grens met Pakistan, die de Verenigde Staten en de NAVO nu probeerden te ontmantelen.

Matt voelde dat er ogen op hem gericht waren. Hij boog zich voorover om zijn veters opnieuw te strikken. Bij het wachtgebied naast de ingang van de *duty free shop* zag hij twee mannen uit het Midden-Oosten met zwarte pakken. Zijn lichaam spande zich een seconde lang, maar ontspande zich weer toen hij besefte dat hij aan de andere kant van de vliegveldcontrole was. Als de twee mannen onderdeel vormden van een team dat op pad was gestuurd om hem te vermoorden, konden ze nu weinig doen.

Twaalf uur later – om tien uur 's avonds lokale tijd – stapte hij eindelijk uit het vliegtuig in Kabul. De hoogtepunten van zijn dag bestonden uit verse baklava in Atatürk International Airport en de serene schoonheid van de Perzische Golf vanaf 900 kilometer hoogte.

Een koele bries vanaf de Afghaanse Shomali-vlakten verwelkomde hem toen hij uit de terminal kwam en een taxi wenkte. 'Heetal Plaza Hotel in Wazir Akbar Khan,' zei hij tegen de chauffeur, in het Farsi, wat genoeg op het Dari leek om hem dat te laten begrijpen.

Toen Matt eind 2002 uit Kabul was vertrokken, lag de stad door twee decennia oorlog in puin. Aan de hand van wat hij kon zien door de wazige straatverlichting, was er weinig veranderd – spookachtige ruïnes, hopen stenen en troep. Geüniformeerde soldaten met AK-47's stonden op wacht bij rotondes. Grauwe barrières van zandzakken blokkeerden sommige straten.

Hij werd om 5.45 uur 's ochtends wakker, met de herinnering aan Danforth nog in zijn hoofd. *Stomme betweter*, mopperde hij, terwijl hij het hotel uit liep. *Ik vraag me af wat Danforth denkt nu de bevestiging van Kourani's identiteit de mogelijkheid heeft vergroot dat de dreiging echt is.*

Zijn in Nikes gestoken voeten brachten hem langs zijn favoriete Indische restaurant en door de rokerige mist die over de stad hing – het resultaat van vuilnis dat op straat verbrand werd. Verderop, gehuld in walgelijk witte wolken, waren de tijdloze toppen van de Hindoe Kushi. Ze deden hem eraan denken dat Alexander de Grote hier vóór hem te gast geweest was, net als het Britse Rijk, de Sovjet-Unie en Dzjengis Khan.

Twee uur later, na een ontbijt van verse yoghurt, eieren, vijgen, groene thee en naan, keek hij vanaf de achterbank van een taxi toe hoe winkeliers de aluminium deuren open deden, die hun waren beschermden. De ochtendspits van auto's, witte SUV's, motoren, fietsen en karren die getrokken werden door ossen, paarden en mensen, ging traag vooruit langs straatverkopers die van alles aanboden, van ballonnen en granaatappels tot mobiele telefoons.

Matt betaalde de ernstig kijkende chauffeur in dollars, toen ze bij de Jameh-yi Fatemieh-moskee waren aangekomen. Het oude bakstenen gebouw gaf onderdak aan een sjiitische gebedsplaats die vooral door Hazara-stamleden gebruikt werd. Het was ook het roddelcentrum voor alle informatie over Iraniërs die in Kabul op doorreis waren. *De moellah is de beste kans die ik heb om te ontdekken waarom Kourani hier geweest is.*

Matt liet zijn schoenen op de trap staan en ging naar een overloop, waar een oude man met een handgemaakte bezem aan het vegen was. 'Ik zou met sjeik Hadi Zadeh willen spreken,' zei hij in het Farsi. Matt had de moellah begin 2002 ontmoet via diens zoon, Tariq.

De oude man stak zijn hand op, verdween om de hoek en kwam een minuut later terug met een zelfs nog oudere, kleine man met platte Mongoolse gelaatstrekken en een dunne grijze snor en baard. Hij droeg *shalwar kameez* – een donkere pyjamabroek en een bruine tuniek tot op zijn knieën.

'We hebben de sjeik al meer dan een maand niet gezien,' bromde de oude man.

'En zijn zoon, Tariq?'

De oude man haalde zijn schouders zo ver op dat zijn hoofd bijna werd verzwolgen door zijn romp.

'Ik ben een vriend van sjeik Hadi Zadeh, zijn zoon werkte in 2002 als vertaler in mijn team.'

De oude man keek schuin langs een wilde bos wenkbrauwhaar omhoog. 'Een maand geleden reisde sjeik Zadeh naar Khost om een paar Hazara's te helpen, die onterecht gearresteerd waren door de plaatselijke autoriteiten,' zei hij triest. 'Ze werden ervan beschuldigd slechte zaken te hebben gedaan met een paar Pashtuns. Toen de sjeik ging praten met de districtscommissaris, kregen de twee mannen ruzie. De districtscommissaris werd zo boos dat hij de sjeik, een moellah, sloeg. De lijfwacht van de sjeik hief zijn geweer en schoot de districtscommissaris ter plekke dood. De plaatselijke autoriteiten hebben hen allebei in de gevangenis gezet.'

'Helaas,' antwoordde Matt. Het was in Afghanistan niet ongebruikelijk dat een geschil over eer beslecht werd met vuurwapens.

De bejaarde Hazara knikte. 'We zijn naar de Amerikaanse ambassade gegaan. We hebben de Amerikanen verteld dat de sjeik hen geholpen heeft tijdens de oorlog. Zij zeiden dat het een interne Afghaanse kwestie was en dat ze niet tussenbeide konden komen. We hebben een bericht gestuurd naar Dr. Karim Khalili, die een van onze vicepresidenten is. Maar de districtscommissaris is familie van een zeer machtige Pashtun-stam.'

'Weet u waar sjeik Zadeh wordt vastgehouden?' vroeg Matt.

'Nee.'

'Is hij uit Khost weggebracht?'

'Dat weten we ook niet. Sommige mensen zeggen dat hij in Pul-e-Charkhi is.'

Pul-e-Charkhi was de grootste gevangenis in het land, gelegen op ongeveer veertig minuten ten oosten van Kabul.

'En Tariq?'

'Hij is ongeveer een maand geleden op zoek gegaan naar zijn vader. We hebben hem sindsdien niet meer gezien.'

Matt was op Tariq gesteld. Ze hadden in 2002 samen verschillende avonden doorgebracht in een *safehouse* in Kabul, terwijl ze luisterden naar het Kabul Ensemble op de radio en praatten over de toekomst van Afghanistan, de wereldeconomie en de films van Angelina Jolie.

Op weg naar de Amerikaanse ambassade, ontdekte Matt dat de straat geblokkeerd was door een militaire controlepost. Dus betaalde hij de taxichauffeur in dollars en belde hij met zijn mobiel.

'Ik zou graag Steve Burris willen spreken.'

'Spreekt u mee.'

'Ik ben John Paul Morgan. Ik geloof dat u mij verwacht.'

'Waar ben je nu, *Johnnie boy?*'

'Buiten de ambassade.'

'Ik had overleg verwacht. Je timing is klote.'

'Ik had geen tijd om vooraf te bellen.'

'Ik zal de hoofdingang bellen en zeggen dat ze je binnen moeten laten.'

De bewaking was streng. Eerst Amerikaanse mariniers bij de barricade, toen nog meer Amerikaanse soldaten bij de hoofdingang. Terwijl hij het moderne gebouw van vier verdiepingen binnenging, zag Matt een korte, kalende man met het hoofd van een gewichtheffer ongeduldig wachten bij Post Een. Naast hem stond een jongere, langere man met een bril en rood haar.

'Bent u Morgan?' vroeg de menselijke dwerggorilla.

'Ja, dat ben ik.'

'Ik ben hier de adjunct,' zei Burris met een zware stem, die echode door de ontvangsthal. 'Ik heb uw verslag uit Boekarest gezien over de dreiging. Waarmee kan ik u van dienst zijn?'

Voordat Matt de kans kreeg om te antwoorden, keerde Burris zich naar zijn roodharige assistent en voegde daaraan toe: 'Laten we hopen dat hij niet een van die verdomde terreurtoeristen is, die onze tijd komen verdoen.'

Niet bepaald, dacht Matt, terwijl hij wat dichterbij kwam. 'Kunnen we hier ergens praten?'

'Ik zit tot mijn nek in de rotzooi. Vertel me kort waarom u hier bent.'

'Er is een zekere moellah, een Hazara, van wie ik denk dat hij me gegevens kan verschaffen over de achtergrond en de activiteiten van de informant.'

'Weet u waar die moellah op dit moment is?'

'Hij is ongeveer een maand geleden gearresteerd in Khost, tijdens een aanvaring met de districtscommissaris.'

'Waar is hij dan, verdomme?'

'Dat moet ik proberen uit te zoeken.'

Burris bromde, met zijn handen op zijn heupen: 'Als je denkt dat ik tijd heb om zo'n verdomde moellah te gaan zoeken, ben je niet goed bij je hoofd. Ik heb te maken met aanslagen door het hele land. Meer dan zesduizend ton opium geoogst, alleen vorig jaar al. Over twee dagen heb ik een controlecommissie van het Congres op m'n nek. Dus neem het niet persoonlijk, Morgan, als ik je zeg dat ik niet je hand ga vasthouden.'

'Ik vraag niet om je tijd, Burris. Ik vertel je alleen maar waarom ik hier ben.'

'Ik ga over twee uur met de ambassadeur naar Jalalabad. Waarom blijf je niet rustig zitten tot ik terug ben?'

'Ik heb een deadline.'

De kaaklijn van de kleine man verstrakte. Toen draaide hij zich op zijn hielen om en blafte: 'Volg mij.' Ze gingen met een lift naar de derde verdieping, toen een hal door en langs een doolhof van kantoren, tot ze bleven stilstaan bij het bureau van een donkerharige kolonel van de landmacht.

'Luitenant-kolonel Russo,' zei de menselijke dwerggorilla, 'deze man, John Paul Morgan, is een collega. Heeft hulp nodig om een gevangene te vinden.'

De slanke luitenant-kolonel leek perplex. 'Sir?'

'Ga met hem mee; bescherm die man; houd me op de hoogte.'

Matt dronk zwarte koffie en luisterde hoe luitenant-kolonel Russo zijn telefoontjes afhandelde. Matts Dari was goed genoeg om te bevestigen wat hij al vanaf het begin had verwacht: de bureaucratie van de Afghaanse regering was een puinhoop, met dossiers die over het hele land verspreid waren.

Luitenant-kolonel Russo gaf een wat gedetailleerdere uitleg: 'De gevangenissen vielen vroeger onder het ministerie van Binnenlandse Zaken. Toen werden ze doorgeschoven naar Justitie. Niemand wil er de verantwoordelijkheid voor. Ze hebben tienduizenden gewone gevangenen opgesloten samen met leden van de taliban en Al Qaida. Klinkt als een vruchtbare rekruteringsmogelijkheid, denkt u niet?'

Matt had geen tijd om daar nu over na te denken. 'Kunt u me bij Pul-e-Charkhi binnen brengen?' vroeg hij.

Russo trok een gezicht. 'Ergste godverdomde plek waar ik in mijn leven geweest ben.'

'Kunt u me daar binnen krijgen?'

'Ikbal Bakshi, de directeur, is een vriend. Twee maanden geleden heeft het bureau van de attaché voetballen en tenues gedoneerd voor het team van zijn club.'

'Ik heb haast. Laten we gaan.'

Een uur later reden Matt en luitenant-kolonel Russo, met geladen Glocks in hun broekriem gestoken, in een jeep die om een gapend gat ter grootte van een zwembad heen reed. Russo, die reed, stuurde rechtsom door een groot grasveld, dat bezaaid lag met vuilnis. 'Volgens de geruchten liggen hier duizenden gevangenen begraven,' zei hij.

'Leuke plek om te eindigen.'

Een lang, afbrokkelend gelig bouwwerk doemde op uit de mist. Het had een ronde wachttoren, die eruitzag alsof hij geleend was van een Sovjetvliegveld uit de jaren veertig. In Pul-e-Charkhi waren recentelijk een aantal gevangenisopstanden en uitbraken geweest. Ergens in dit enorme complex woonden terroristen uit de Filippijnen, uit Tsjetsjenië, Pakistan, Jemen en Rusland, samen met een hoeveelheid Amerikaanse huursoldaten die veroordeeld waren wegens marteling.

Terwijl ze dichterbij kwamen, vroeg Matt zich af: *Ben ik mijn tijd aan het verspillen? Is er in Kabul niemand anders die ik ken, die contact kan hebben gehad met Kourani?* Het antwoord: onwaarschijnlijk.

Ze parkeerden de Cherokee buiten de enorme gietijzeren poort en waadden door een opeenvolging van Tadzjikische wachters, allemaal bewapend met AK-47's. Een man met een korte zwarte baard en hazelnootkleurige ogen wenkte hen naar binnen.

Water en rioolvocht druppelden uit het plafond van de lange, donkere gang. Russo hield zijn neus dicht, de hele tijd tot aan het kantoor van de directeur op de tweede verdieping.

De directeur was er niet, maar een adjudant genaamd Samad wel. Hij leidde hen door nog meer klamme gangen naar een cel vol boze taliban-gevangenen.

'Sjeik Zadeh is een Hazara,' zei Matt. 'Dit kan niet de goede cel zijn.'

Maar Samad liet zich niet van zijn stuk brengen.

Bij het zien van Matts westerse trekken en zijn GORE-TEX-vest, begonnen de taliban-gevangenen door de tralies te spugen. 'Wij gaan je doden! We haten alle Amerikanen!'

Gewapende bewakers gebruikten lange metalen stokken om zich een weg te banen door de schreeuwende mannen. Minuten later kwamen ze uit de duisternis met een oude man, die een lange, sneeuwwitte baard had die op zijn borst hing.

'Sjeik Zadeh,' verklaarde Samad.

'Nee, Samad, dit is de verkeerde man.'

'U zei sjeik Zadeh. Bent u niet sjeik Zadeh?'

De witharige man knikte.

'Dan moet er nog een andere sjeik Zadeh zijn,' zei Matt. 'Want degene naar wie ik op zoek ben, is een Hazara.'

De gevangenen schreeuwden nog meer beledigingen. Samad

voegde daar een luid 'Hmpf' aan toe, waarbij hij zijn vinger voor Matts gezicht heen en weer zwaaide. 'Dit is de enige sjeik Zadeh. Er is geen andere, sir. De man naar wie u zoekt, bestaat niet.'

Hij sprak trots over komende vernieuwingen en aangekondigde hervormingen, terwijl hij hen beneden over een binnenplaats leidde waar vrouwen rond vuurtjes rijst, linzen en stukjes vlees aan het koken waren. Sommigen hadden kinderen bij zich.

'Wonen hier ook kinderen?' vroeg Matt.

'Sommigen zijn hier geboren,' antwoordde Samad. 'Sommigen kiezen ervoor bij hun moeders te zijn.'

Het was koud voor de vroege septembermaand. Matt zag zijn adem veranderen in een dikke witte mist, terwijl hij zichzelf uitschold omdat hij tijd had verspild aan een gerucht dat nergens naartoe leek te leiden. Te midden van het bonte mengsel aan gezichten op de binnenplaats (Tadzjieken, Hazara's, Pashtuns, Arabieren), zag hij een bekende met brede Mongoolse gelaatstrekken. Hij rekte zijn nek uit om hem beter te kunnen zien. 'Tariq!'

De korte, stevig gebouwde jongeman hief zijn hoofd op en riep: *'Agha Matt, khali vaght-i-nadidametun.'* (Meneer Matt, zo lang geleden dat ik u gezien heb.)

De twee mannen omhelsden en kusten elkaar.

'Het is goed je te zien,' riep Matt in het Engels uit.

'Sinds de laatste keer dat ik u gezien heb, heeft God me een vrouw en twee kinderen gegeven. Hij beloont en straft me met dezelfde hand.'

'Hoe komt het dat ze je hier vasthouden?'

De jongeman keek snel naar Samad, toen naar de grond. 'Ik kwam mijn vader zoeken. Omdat ik een Hazara ben, werd ik slecht behandeld door een paar bewakers. Ik vocht terug.'

'Hij heeft de gevangenisautoriteiten beledigd,' voegde Samad daar in het Dari aan toe.

'Ik wil dat deze man onmiddellijk wordt vrijgelaten,' beval Matt, terwijl hij zijn hand in zijn zak stak.

'Daar zijn de juiste juridische kanalen voor!'

De Amerikaan telde tien nieuwe biljetten van honderd dollar uit. 'Stuur het papierwerk naar mijn collega hier, luitenant-kolonel Russo op de Amerikaanse ambassade.'

Het geld verdween snel in Samads zak. 'Zoals u wilt.'

Matt liet Tariq een foto van Kourani zien, toen ze elkaar twee uur later in zijn hotel spraken. 'Heb je deze man ooit bij de moskee gezien?'

Tariq knikte. 'Een paar maanden geleden, denk ik. Hij was samen met een andere man. Ook een Iraniër. Ze hebben met mijn vader gesproken.'

'Heeft je vader je verteld wat ze wilden?'

'Ik denk dat ze naar iemand op zoek waren.'

'Naar wie?'

'Ik weet het niet.'

'Denk na, Tariq.'

'Mijn vader vertelt me niet alles.'

Matt deed de foto terug in zijn zak. 'Waar is je vader nu?'

Tariqs ogen lichtten op. 'Mijn bronnen zeggen me dat hij nog altijd wordt vastgehouden in de gevangenis in Khost.'

Khost was een van de gevaarlijkste gebieden van het land, het podium van voortdurende aanvallen van de taliban vanaf de grens met Pakistan.

Matt dacht even na. *Misschien lukt het me om een helikoptervlucht daarheen voor elkaar te krijgen, maar toestemming krijgen om met een moellah terug te vliegen kan even duren. En ik kan me niet veroorloven om te wachten.*

Hij wendde zich tot Tariq. 'Als ik een helikopter daarnaartoe regel, kun jij dan een escorte organiseren om ons er weer vandaan te halen?'

'De wegen zijn vol taliban,' antwoordde de jonge Afghaan.

'Dan hebben we gewapende mannen nodig.'

Anderhalf uur later was Matt in het kantoor van luitenant-kolonel Russo aan het proberen een lift te krijgen op een bevoorradingshelikopter, toen Burris kwam binnenlopen. De menselijke dwerggorilla, die net terugkwam uit Jalalabad, was in een slecht humeur.

'Wat wil hij nou weer?' snauwde Burris naar Russo.

De slanke luitenant-kolonel scheen dat wel amusant te vinden. 'Een heli om hem naar Khost te brengen.'

Burris keek Matt aan alsof die gek was geworden. 'Gaat niet gebeuren.'

'Ik heb een Afghaan die met me meereist omdat hij misschien...'

Burris onderbrak hem. 'Hoe heet hij?'

'Hij is de zoon van een moellah.'

'Waar heb je die verdomme voor nodig?'

'Hij kan me helpen zijn vader te vinden.'

'Waarom?'

Matt vond het niet prettig om te worden afgesnauwd. 'Dat is mijn zaak. Ik weet wat ik doe.'

Hun gezichten waren nu vlak bij elkaar. De gedrongen man keek Matt aan met een messcherpe blik. 'Blijf nou maar in dit verdomde reservaat,' zei hij op zijn hoede. 'Dit hele kutland gaat naar de kloten.'

'Ik heb geen advies van jou nodig,' zei Matt.

'Geen rare dingen. Begrepen?'

'Neem een paar Midols en ga even liggen.'

De dwerggorilla grijnsde bijna. Hij richtte zich tot de roodharige adjudant, die zijn hoofd om de hoek van de deur stak. 'Tim, geef Rambo hier een satelliettelefoon, een geweer, Glock, vest en wat hij aan ander materiaal nodig heeft. Zorg ervoor dat hij een reçuutje tekent.'

'Ja, sir,' antwoordde Tim. 'De ambassadeur wil u spreken in zijn kantoor.'

'Ik kom eraan.' Burris keerde zich weer naar Matt. 'Neem contact met me op zodra je in Khost aankomt, hoe laat het ook is, dag of nacht. Ik slaap niet. Ik kan je niet garanderen dat je er meteen een lift vandaan krijgt. En val me niet lastig met twintig verdomde telefoontjes per dag. Het kan zijn dat je daar een week vastzit. En raak die verdomde satelliettelefoon niet kwijt. Begrepen?'

In alles wat hij zei klonk een vleugje vijandigheid door. Maar dat kon Matt niet schelen. 'Ik heb je luid en duidelijk verstaan.'

'Veel plezier.'

Terug in zijn hotel ramde Matt een magazijn in de Glock en testte hij de satelliettelefoon die Tim hem had gegeven, waarbij hij het omhulsel twintig graden omhoog liet steken om als antenne te dienen. In de rugzak vond hij een tweede accu, nog twee 9mm-magazijnen voor het pistool en een paar landkaarten.

Na een avondmaal van lamskebab en couscous belde Tariq: 'Ik heb drie auto's met negen Hazara-mannen,' rapporteerde hij. 'Een van hen spreekt Pashtu. Maar de rit duurt zestien uur.'

Matt kon zich voorstellen hoe de wegen zouden zijn. 'Laat ze vannacht vertrekken,' instrueerde hij. 'Ik wil dat ze daar klaarstaan om ons eruit te halen.'

'Ja.'

'We zien elkaar hier morgenochtend om zes uur,' zei Matt. 'De vlucht duurt ongeveer anderhalf uur.'

'Hebt u de vrijlating van mijn vader rond gekregen?' vroeg de jongeman.

'Daar werk ik nog aan.'

Meteen toen Maggie en haar zusjes uit de groene schoolbus kwamen, zag Liz dat haar oudste dochter niet in haar normale stralende, zelfbewuste doen was. 'Wat is er aan de hand?' vroeg ze.

'Pijn in mijn buik,' klaagde de achtjarige.

Liz besloot dat het waarschijnlijk kwam door het snoep dat de kinderen op school ruilden. 'Hoe vaak heb ik je wel niet gezegd dat je eerst je lunch moet opeten en dan pas het toetje?'

'Dat is het niet.'

Drie uur later, toen Liz pasta en gehaktballen op tafel zette, gaf Maggie over. 'Kruip maar in bed, liefje. Ik ruim dit op.'

Ze zette de twee anderen voor *101 Dalmatiërs*, ging naar Maggies kamer en nam haar temperatuur op. Ruim 38. *Geweldig moment om de griep te krijgen*, dacht ze.

'Het doet overal pijn,' kreunde Maggie, met haar handen op haar buik.

Liz keek toe hoe ze Pepto-Bismol en kinderaspirine slikte en zei toen: 'Probeer wat te slapen.'

Twintig minuten later ging Liz weer bij haar kijken. Maggie wees een scherpe pijn aan tussen haar rechterheup en haar navel.

Liz sloeg haar armen om haar heen. 'Maar je geen zorgen, liefje. Het komt goed.'

Terug in de woonkamer belde ze Sally Keaton, de verpleegster van de ambassade, liet een boodschap achter op haar mobiel en belde daarna de Beckmans.

Alan nam op.

'Alan, Liz hier. Is Celia er?'

'Tuurlijk. Wacht even.'

Alans vrouw was een rustige, belezen vrouw met kort grijs haar. Ze begreep de situatie direct.

'Heb je Sally gebeld?' vroeg Celia.

'Ze neemt haar mobiel niet op.'

'Ik ben er over tien minuten om op Samantha en Nadia te passen, terwijl jij met Maggie naar het ziekenhuis gaat. Wil je dat Alan rijdt?'

'Dat red ik wel, bedankt.'

Maggies gezicht had een vreemde groene teint; ze kon niet staan. Dus droegen Liz en Celia haar naar de achterbank van de Corolla, waar ze haar op neerlegden.

'Blijf er maar de hele nacht, als dat nodig is,' zei Celia. 'Ik breng de meisjes naar school.'

Ze omhelsden elkaar als zussen. Het Mellision-ziekenhuis was er maar twaalf minuten vandaan.

De portier achter de balie keek op van zijn boek. 'De dokter is er binnen een paar minuten,' zei hij in het Grieks. 'Gaat u zitten.'

Liz had tijdens haar studie een parttimebaantje gehad bij het University of Virginia Medical Center. Zij wist uit eigen ervaring hoe het er op een eerstehulppost aan toeging.

Onder de felle lampen schreeuwde ze in het Engels: 'Mijn dochter heeft een dokter nodig!' Het kon haar niet schelen dat er mensen naar haar keken alsof ze gek was. Ze rende een gang in en greep de eerste verpleegster die ze kon vinden.

De Griekse dokter met de grote borstelige zwarte snor nam

kalm Maggies temperatuur op en duwde toen met zijn vingers op haar buik.

Het meisje schreeuwde het uit van de pijn. 'Mam!'

Terwijl hij Liz de gang in trok, zei de dokter in perfect Engels: 'Het ziet ernaar uit dat uw dochter een blindedarmontsteking heeft. Het was heel verstandig van u om haar hierheen te brengen.'

Liz' stijgende bloeddruk maakte haar huid warm. Ze dacht aan Matt en wenste dat hij er was. Verpleegsters waren rondom Maggie bezig met het uittrekken van haar kleren, het afnemen van bloed en het insmeren van haar buik met jodium.

Maggie begon te huilen. 'Gaan ze me pijn doen, mammie? Ga ik dood?'

Liz raapte al haar moed bij elkaar en keek haar dochter recht in de ogen. 'Het komt helemaal goed met je, schat, dat beloof ik je. Ik laat je niet alleen.'

6

10 september

Hoewel hij uitgeput was na een lange dag reizen, werd Matt elke veertig minuten wakker om op de klok te kijken. Om 4 uur 's ochtends nam hij een douche, kleedde zich aan en ging naar de lobby, waar hij de portier achter de balie om een pot thee vroeg.

Matt besteedde niet veel tijd aan introspectie. Maar dat betekende niet dat hij de subtiliteiten van schoonheid, kleur, klank en kunst niet waardeerde. Hij zat in een leren leunstoel de kleurrijke schilderingen en Zuid-Aziatische decors te bewonderen, toen hij wegdroomde.

Het laatste wat door zijn bewustzijn dreef was het beeld van hem en Liz, die met zijn vader achter in een taxi zaten en door de straten van Washington D.C. reden. Zijn vader uitte een gestage stroom klachten over Matt – zijn slordige denken, zijn gebrek aan discipline, zijn onvermogen om een opdracht naar tevredenheid van zijn vader uit te voeren. Toen Liz Matts vader 'een bullebak' noemde, liet de oude man de taxi stoppen.

Matt keek zwijgend toe hoe zijn vader wegliep met een wandelstok.

'Je had iets moeten zeggen,' mopperde Liz.

Mijn vader gebruikt negativiteit als wandelstok, dacht Matt. *Dat helpt hem zijn eigen falen te verklaren.*

Zijn zwijgen was moeilijk te rechtvaardigen en werd gecompliceerd door gevoelens van liefde, frustratie en woede. Eerder al had hij de onbewuste beslissing genomen om niet in te gaan op twijfels of verklaringen over zichzelf.

Was dat een reactie op zijn vader?

Ja, in de zin dat hij zich gericht had op actie. Nee, omdat

Matt de hardhoofdigheid van zijn vader had omgezet in zijn eigen blinde toewijding.

Maar er bleven twijfels. Twijfels die door zijn vader waren gezaaid. Die nog eens versterkt werden door zijn moeder, die over hen tweeën gezegd had dat ze 'als twee kanten van een ruwe munt waren'.

Matt geloofde dat hij een kracht ten goede was. Hij zag zijn leven in de context van een eenvoudige stelling: mensen hebben een politieke orde nodig die hun dromen en ambities toestaat om tot leven te komen in het grote geheel. Het was zijn werk om die orde te beschermen tegen degenen die chaos wilden creëren als middel om zelf macht te verwerven.

Het was die helderheid die hem in staat stelde om zijn werk te doen. En tot op bepaalde hoogte was het zijn woede op zijn ouders die hem voorwaarts dreef.

Matt herinnerde zich dat zijn vader militair piloot had willen worden, maar daar niet in geslaagd was. Een slecht oog had hem uitgeschakeld. 'Allemaal doordat dat jochie van Cowan me halfblind geslagen heeft met een stok, toen ik met zijn oudere broer aan het vechten was,' legde zijn vader uit. 'Daar komt het allemaal door.'

Toen kwam de portier met de zwarte bos haar hem een dienblad met thee brengen.

Er bleef een laatste zin van zijn vader hangen: 'Eén zo'n stom ding en je bent de pisang.'

Nog meer negatief gezeik. Ik ben met veel bezig. Mag me niet laten afremmen.

'Sir, wilt u het hier of in uw kamer?' vroeg de portier.

Matt keek snel op zijn horloge: 5.15 uur. *Heeft het zin dat ik helemaal naar Khost ben gereisd? Zou ik hebben overwogen om hierheen te gaan als Hadi Zadeh niet Tariqs vader was geweest? Misschien moet ik contact opnemen met Alan. Bekijk het maar. Eén vader was genoeg.*

Hij keek naar de klerk en zei: 'Ik neem het hier. Bedankt.'

Vierduizend kilometer westelijker, in Athene, stond Liz buiten de limoengroene verkoeverkamer van het Mellision-ziekenhuis te luisteren naar de Griekse dokter. 'Agressieve bacterie heeft de wand van de appendix gepenetreerd... Het kleine, buisvormige orgaan is verwijderd... Er is infectiegevaar... Uw dochter rust nu. Ze krijgt antibiotica.'

Liz' geest was afgestompt door slaapgebrek en bezorgdheid. 'Zeg me alstublieft dat het goed gaat met Maggie,' zei ze botweg.

'Ja,' antwoordde dokter Angelopoulos. 'Ze slaapt. Ik zal de zuster vragen of ze een bed voor u klaarmaakt in een kamer ernaast.'

'Dank u...' Ze kon de rest van de woorden niet uitspreken voordat haar ogen zich vulden met tranen. Een enorme hoeveelheid angst, opluchting en woede kwam tot uitbarsting. 'Ooo,' kreunde ze. 'O, dokter. Het spijt me. Ik ben... ik ben boos, denk ik. Boos op mijn man.'

'U moet rusten.'

Ze begon te ratelen. 'Als hij hier was, als ik zijn gezicht kon zien, zou alles duidelijk worden. Omdat ik zijn gedachten kan lezen, als dat ergens op slaat. En weten wat hij denkt, maakt dat ik me beter voel.'

'Het grootste gevaar is voorbij,' ging de dokter verder, terwijl hij haar arm beetpakte.

'Ja.' Ze veegde haar tranen af en herinnerde zich de pijn op Maggies gezicht. 'Ze weet het niet eens.'

De dokter had andere dingen te doen.

'Wat moet er gebeuren voordat hij er aandacht aan besteedt?'

Hij klopte haar op haar elleboog. 'U zult me moeten excuseren.'

Ze had het koud, zoals ze daar stond in het felle, fluorescerende licht, vechtend tegen het gevoel van verlatenheid. Ze herinnerde zichzelf eraan dat Matt zijn land op een belangrijke manier diende. Maar zelfs dat leek er op een moment als dit niet toe te doen.

Vastbesloten om van die gedachtelijn af te stappen, haalde ze een mobiel uit haar tasje en belde Celia, die vertelde dat Samantha en Nadia bijna klaar waren met hun ontbijt en al gauw naar school zouden gaan.

'Ha, mammie,' klonk het stemmetje van de driejarige Nadia. 'Hoe gaat het met Maggies buik?'

'Heel veel beter.'

'Mevrouw Beckman heeft ons Frosted Flakes gegeven.'

Liz voelde iets in haar borst samentrekken en raakte een moment in paniek, maar dat ging voorbij. Het leven was kostbaar, het kon ieder moment ophouden. De meisjes en Matt waren haar wereld.

'Ik kan je niet vertellen hoeveel ik je hulp waardeer,' zei ze tegen Celia, toen die weer aan de lijn kwam.

'Ik blijf hier zo lang als je me nodig hebt,' antwoordde Celia.

'Kun je je man vragen of hij het Matt vertelt? Laat hem alsjeblieft tegen Matt zeggen dat ik van hem houd en dat het nu goed gaat met Maggie.'

'Natuurlijk.'

Een koele wind trok aan hun haren en kleren terwijl Matt en Tariq de Amerikaanse soldaten hielpen dozen materiaal, munitie, kant-en-klaarmaaltijden en water achter in de CH-47D Chinook te dragen.

Het is een risico dat ik moet nemen, dacht Tariq, *een kans om mijn vader te zien.*

De jonge Hazara was geestelijk uitgeput door de eindeloze interne gevechten in zijn land. Krijgsheer tegen krijgsheer, etnische groep tegen etnische groep, allemaal probeerden ze in het voordeel te komen, zodat ze de anderen konden neerslaan.

Amerikanen waren nu het doelwit van de voornamelijk uit Pashtuns bestaande taliban, omdat de Amerikanen zich inzetten voor een poging een politieke orde te installeren die de belangen van de verschillende stammen liet versmelten. Met hulp van hun fundamentalistische islamitische bondgenoten in Pakistan vochten de taliban een guerrillaoorlog.

Sommigen van Tariqs vrienden noemden de Amerikanen 'kinderen' en 'naïef'. Hij vroeg zich af hoe lang het nog duurde voordat hij het geduld met zijn land zou verliezen en vertrok.

'Jullie zijn OGA, toch?' vroeg een van de soldaten aan Tariq en Matt, bij het uitladen van de laatste dozen uit de truck.

Matt knikte. OGA stond voor *other government agency*, oftewel veiligheidsdienst in burger.

'Hou je proppenschieter bij de hand,' riep de soldaat. 'En als je honden hoort blaffen, duiken.'

Tariq deed Matt na, die zich met een gordel vastmaakte op een van de stoelen aan de wand van de helikopter, terwijl de dubbele motoren op gang kwamen. De Afghaan hield een AK-47 met een dwarsgreep vast tussen zijn knieën; Matt had een glanzend nieuwe M4 vast. De grote groene heli kwam van de grond en vloog voorwaarts over een *wadi* (een droge rivierbedding).

'Daar gaan we!'

Tariq zou de voorkeur hebben gegeven aan een dag lang Rumi-poëzie lezen in de schaduw van een granaatappelboom.

Het pijnlijke geluid hield op toen een copiloot hun een aantal pakken oordopjes toewierp en Tariq de zijne inbracht. Kijkend naar het modderkleurige Kabul vanuit de achterdeur, zuchtte hij.

De stad was ooit een weelderige oase van tuinen en met bomen bedekte heuvels geweest. Een frons sneed diep in het gezicht van de Afghaan.

'Wat is er mis?' vroeg Matt.

'Geen bomen meer!' riep Tariq over het lawaai heen.

'Waarom?'

'De Russen hebben bomen omgehakt. De Afghanen hebben bomen omgehakt als brandstof. De taliban hebben ze verbrand, omdat ze niet geloofden in het mooi maken van Kabul.'

Matt knikte. 'We zullen nieuwe bomen planten!'

Vijftienhonderd kilometer westelijker landde een glanzende DC-10 van Iran Air op de noord-zuid landingsbaan van het Mehrabad International Airport van Teheran. Twee mannen in donkergrijze pakken met badges van de Iran Air Security op hun revers gespeld, hielden de passagiers nauwkeurig in de gaten, terwijl die de terminal in kwamen. Zodra ze de vermoeide Moshen Kourani en zijn vier metgezellen in het oog kregen, liepen ze erheen en stelden zichzelf voor.

'Welkom thuis, Agha Kourani.'

'Het is goed om terug te zijn op heilige grond.'

De mannen van de veiligheidsdienst leidden hen door de douane en de immigratiedienst. Kourani haalde zijn mobiel tevoorschijn en belde.

'Ali, dit is Kourani. Zo God het wil, nemen we de volgende.'

'Wat ging er mis?'

'Ik denk dat ze misschien mijn mannen hebben gezien. Sommigen van hen waren niet zo discreet.'

'De generaal is bezorgder over die kwestie in Irak.'

'Zeg hem dat het onder controle is. Mijn agent spreekt het contact over twee dagen. Dan moeten we alles weten.'

'Hij maakt zich nu zorgen.'

'Morgen zal ik alles beantwoorden.'

'Het spijt me. Hij wil u nu spreken.'

Een zwarte Mercedes uit de 500-serie stond bij de stoeprand te wachten. Een paar minuten later zoefde die met Kourani erin naar het IRGC-hoofdkwartier voor een gesprek met majoorgeneraal Yahya Rahim Safavi.

Kourani zat op het geelbruine leer en liet jaden gebedskralen tussen zijn vingers doorgaan, terwijl hij 'Subhan Allah' en 'Alhamdulillah' herhaalde, elk vijfendertig keer.

Voorbij de eerste bergrug keek Matt uit over kilometers en kilometers bergen en ongastvrij terrein, en hij probeerde zich voor te stellen wat er in Kourani's hoofd omging.

Hij speelde met twee veronderstellingen. In het eerste geval sprak de Iraniër de waarheid. Matt construeerde een man die uitgeput was door de religieuze rechtlijnigheid van de moellahs, die hun hoofdkwartier hielden in Qom. Deze versie van Kourani was werkelijk bang voor een oorlog tussen sjiieten en soennieten, en gaf om zijn volk en, vooral, zijn gezin. Hij geloofde dat hem een betere, zekerder toekomst wachtte in de Verenigde Staten.

De tweede Kourani was een religieuze fanaticus die optrad als een geslepen agent en probeerde de Grote Satan te slim af te zijn, in de hoop dat Iran op een dag de Perzische Golf zou overheersen en invloed zou hebben over de hele wereld.

Sjeik Zadeh zal me helpen om de lege plekken op te vullen, hoopte hij.

Na twee uur daalde de CH-47D af in stofwolken, die werden opgeworpen door de twee rotors. Een rij van twintig soldaten liep hen voorbij toen ze uit de achterkant van de heli stapten. Meteen waren zowel Matt als Tariq verblind door het zand. De Amerikaan pakte de Hazara bij zijn jas en trok hem mee naar een Hummer die zeventig meter verderop stond geparkeerd.

Dikke wolken stof zwierden over ruw, hard, grijsbruin terrein. Ze hadden net zo goed op de maan kunnen zijn.

'Welkom in Forward Operating Base Salerno,' zei een vrouwelijke sergeant, die in gevechtstenue en met een stofbril vanachter de auto tevoorschijn kwam. 'U moet meneer Morgan zijn.'

'Correct.'

Ze was bijna 1.80 meter lang, met een sterke kaak en kastanjebruin haar, dat onder een kevlar helm was getrokken. Matt kon haar bloedgroep (A) lezen op de dunne plastic band die om de onderkant ervan heen was gespannen.

'Deze meneer is Tariq, mijn vertaler.'

'Aangenaam, Tariq. Ik ben sergeant Flynn uit Beaver, Oklahoma, de plek met de ergste stofstormen in Amerika. Daarom heb ik totaal geen last van dat beetje stof dat door de heli wordt opgewaaid.'

Tariq glimlachte. Hij had geen idee waar ze het over had.

'Heb je ooit de binnenkant van een tornado gezien, Tariq? Ben je ooit opgezogen en meegevoerd naar de tovenaar van Oz?'

'Oz?'

Achter hen steeg de helikopter brullend op en vloog over de eerste rij bergen heen. 'Ik heb gehoord dat jullie een stel gekke gasten zijn,' schreeuwde de sergeant tegen Matt.

'Wat?'

'We hebben verschillende TIC's in het gebied van de gevangenis. Er zijn verslagen dat er nu vijanden in de buurt zijn.'

'TIC's?'

'Troepen in contact. Wilt u een kop hete koffie voordat we vertrekken?'

Onder normale omstandigheden zou Matt een paar minuten hebben besteed aan het uitwisselen van kletspraatjes met haar, maar nu niet. 'We kunnen maar beter meteen doorgaan.'

Ze wees naar een insigne op haar schouder. 'Ik ben van burgerzaken. We moeten even wachten op onze escorte.'

Matt wilde geen aandacht trekken. 'Waarom twee voertuigen, als eentje genoeg is?'

'Algemene order nummer één: ga nergens heen zonder twee voertuigen, geweren, communicatie.'

Ze waren net klaar met het inladen van hun spullen, toen er een Humvee kwam aanrijden met een zwarte Amerikaanse korporaal genaamd Randal achter het stuur, een soldaat in de geschutskoepel die een 50-kaliber machinegeweer bemande, en drie anderen beneden. Flynn controleerde of de radiozender het deed; daarna reden de beide voertuigen langs een aantal aarden huisjes, aftandse winkels, heuvels en bosjes.

'Dit is de stad,' zei sergeant Flynn, terwijl ze remde voor een grote Jinga-vrachtwagen die probeerde te keren. De felgekleurde vrachtwagen draaide achteruit een parkeerterrein op, ging toen met veel gekrijs over in de eerste versnelling en liet een zwarte rookwolk achter.

'Ben je eerder in de gevangenis geweest?' schreeuwde Matt boven de motor uit.

'Tien dagen geleden. Eerste keer. Heb de nieuwe gevangeniscommandant ontmoet. Khurram. Spreekt een beetje Engels.'

Matt vatte dat op als een goed teken. 'Waar bestaat de gevangenis uit?' vroeg hij.

Ze stak drie vingers op. 'In gebouw één zit het kantoor. Twee is voor de gevangenen. Drie is de bewapening.'

Vijf minuten later zette ze de auto stil op een opgehoogd stukje land voor een ommuurd complex dat bekroond was met prikkeldraad. Tariq sprong eruit en rende naar de andere kant van het terrein, waar negen Afghaanse mannen rondhingen bij drie geparkeerde suv's.

'Wie zijn dat?' vroeg Flynn.

'Mijn mannen, Hazara's,' antwoordde Matt. 'Ze hebben de hele nacht doorgereden.'

'Zeg tegen hen dat ze alert blijven. Die heuvels daar zitten vol met taliban-grotten.'

Er vloog een AH-64 Apache voorbij, op weg om raketten te herladen. Tariq overlegde met de bewakers bij de hoofdingang en kwam toen terug. 'We mogen van hen onze wapens niet meenemen de gevangenis in,' zei hij.

Matt, sergeant Flynn en Tariq legden hun vuurwapens en munitie af en liepen toen naar de ingang. Korporaal Randal en de escorte van de Amerikaanse landmacht wachtten, samen met de Hazara's.

Flynn ging hen voor door een betonnen gang naar een klein kantoortje.

'Waar is Khurram?' vroeg ze aan een nerveus ogende mannelijke receptionist.

'Gebed.'

'Wanneer verwacht u hem terug?'

'Vijf minuten,' antwoordde hij, wijzend op zijn Sovjet-horloge.

Aan de muur hing een oude poster van de film *Grease*. Sergeant Flynn ging ervoor staan, met haar handen op haar heupen. 'Wat vind je daarvan, Morgan?' vroeg ze.

'Aardige film; ik vond de musical beter.'

'Wat is er eigenlijk van Olivia Newton-John geworden?'

'*Xanadu*,' antwoordde Matt.

Ze stond op het punt om 'O ja,' te zeggen, toen een zware klap het gebouw liet schudden. In plaats daarvan vroeg ze: 'Wat, verdomme?'

Die woorden waren nog maar nauwelijks haar mond uit, toen de muren opnieuw daverden door wat klonk als een zware explosie binnen in het gebouw, gevolgd door het geluid van automatische wapens.

'De taliban,' zei Matt.

'Of een opstand.'

De receptionist kroop onder zijn bureau.

'Wat nu?' vroeg sergeant Flynn.

Matt greep haar bij haar arm. 'Laten we teruggaan naar de auto's om onze wapens te pakken.'

Ze liepen langs een eenzame wachter bij de hoofdingang en drie anderen die verderop bij een hoek oude M1-karabijnen afvuurden.

'Ze vallen ons aan vanaf de overkant,' riep Tariq, terwijl hij wees op de bergachtige heuvels buiten de muren. Een explosie deed de muur schudden van waarachter de bewakers aan het schieten waren waardoor Flynn op de grond werd geworpen.

Matt hielp haar opstaan. Ze zei: 'Muilezels schoppen harder.'

Matt, korporaal Randal en de andere Amerikanen pakten hun wapens en namen posities in achter een uitgebrand voertuig dat verderop bij de muur stond. De Hazara's haatten de taliban en lagen al op hun buik terug te schieten.

Flynn hurkte vijftien meter achter hen bij de Humvee en riep de vooruitgeschoven basis op. 'Salerno Vier- één, dit is Flynn. We zijn bij de gevangenis. Ziet eruit als een vrij grote aanval.'

Ze richtte haar verrekijker op de heuvels en zag flitsen uit de vuurmonden van ten minste een tiental verschillende wapens. Mannen in zwarte Punjabi-kleding en met zwarte tulbanden op renden naar een klein gat dat in de muur was geslagen.

'We hebben een positie ingenomen aan de noordwestelijke kant, samen met negen gewapende Afghanen. We lopen geen direct gevaar.'

'Blijf daar,' kraakte de stem in de radio terug. 'QRF [*quick reaction force*, snelle interventiemacht] onderweg.'

Ik moet de moellah eruit halen voordat hij gedood wordt, dacht Matt, toen er nog meer raketaangedreven mortiergranaten (RPG's) tegen de muur van het complex terechtkwamen.

Vanaf zijn positie achter de uitgebrande truck, schakelde

korporaal Randal twee talibans uit met zijn speciaal gemaakte M4. Vlak bij hem praatte Tariq opgewonden met een jonge Hazara, die een brede grijns en een erg dunne baard had, en wild gebarend op de heuvels wees.

'Wat wil hij?' vroeg Matt.

'Om hen heen naar boven klimmen.'

Voordat Matt de kans kreeg om zijn mening te geven, slaakte de jonge Hazara een kreet en klauterden hij en zijn kameraden tegen de heuvels op, terwijl ze dekking zochten.

'Laten we gaan!' riep Tariq en rende de gevangenis in. Matt volgde, met zijn M4 paraat, vlak op de hielen van Tariq, die bij elke hoek stopte. Het bewakingspersoneel had posities ingenomen en vuurde terug.

Door de eerste gang, terug naar de receptie. De kamer zag er leeg uit en was stil, afgezien van het *klak klak klak* van het geweervuur, dat van de muren af echode. Ze hoorden geschreeuw komen van binnen.

'Ga daar eens kijken.'

Matt wees op twee Afghanen, die dekking zochten in het kantoor van de directeur. Een van hen was de graatmagere receptionist die ze eerder hadden ontmoet.

'We moeten toegang hebben tot de gevangenen,' zei Matt in het Farsi tegen hem.

De andere Afghaan pakte een grote sleutel, die hij gebruikte om een stalen deur te openen, die naar een grote binnenplaats voerde. Aan de andere kant werden ze begroet door een pandemonium – paniek, explosieven, stof. Bewakers renden heen en weer om de westelijke muur te versterken. Anderen drongen langs hen heen, hopend om daarbuiten een toevlucht te vinden.

Matt greep een van de terugtrekkende mannen beet. 'Wie heeft hier de leiding?'

Toen de man zijn mond opendeed om antwoord te geven, deed een explosie de binnenplaats schudden, zodat de grond waarop ze stonden hen liet stuiteren als op een trampoline. Matt ging neer toen een heet stukje metaal van de ijzeren deur afvloog en zijn voorhoofd schampte.

'Verdomme!'

Zijn oren suisden, toen hij weer opstond. Iemand riep in het Dari: 'Ontsnappen! Ontsnappen!' Zijn gezicht was donker van het stof.

Matt en Tariq renden met hun hoofden laag diagonaal over de binnenplaats. Ze gingen een donkere gang aan de andere kant binnen en werden getroffen door een zware stank. Ogen staarden van links en rechts naar hen. Honderden mannen, die met twintig of dertig tegelijk in een cel waren gepropt, stormden naar voren en staken hun armen door de tralies, schreeuwend om te worden vrijgelaten.

Tariq zocht steun bij Matt, terwijl woede en wanhoop van de muren af spatten. 'Vrienden of taliban?' schreeuwde Matt.

Op dat moment kwamen er twee bewakers met wilde ogen de hoek om, naar hen toe. Een van hen richtte een pistool op Matts hoofd.

'Hij is een Amerikaan!' schreeuwde Tariq zo hard mogelijk. 'Niet schieten!'

De bewaker glimlachte met zijn zilveren tanden en klopte Matt op zijn schouder. 'Mijn broe-der. Mijn broe-der. Kan-sas City.' Seconden later raakte een mortiergranaat het dak, met een verschrikkelijke regen van metaal en beton.

De gang vulde zich snel met stof, terwijl de gevangenen aan beide kanten smeekten om hulp van Allah. Matt veegde een dikke klont bloederige modder weg, die zijn neusgaten verstopte. 'Waar is de Hazara-moellah?' vroeg hij aan een van de bewakers.

De man met de zilveren tanden ging hen voor een gang in die scherp naar rechts voerde.

'Hier!' schreeuwde de bewaker. 'Hierheen!'

Het kostte even om het vreemde beeld te verwerken: drie mannen die kalm op de vloer van hun donkere cel zaten te bidden, te midden van het geweld en de paniek. Toen hij zijn zoon zag, legde Tariqs vader zijn gebedskralen neer en liep hij naar de tralies. Vader en zoon grepen elkaars handen.

'Doe de cel open,' beval Matt de bewaker.

Hij mompelde iets over dat hij een sleutel moest gaan halen. Matt blafte: *'Zud bash!'*

In het warme, plakkerige Athene stelde Alan Beckman de ventilatoren van de raamairco bij terwijl hij wachtte tot de verpleegster Liz naar de telefoon had gebracht. Toen kwam zijn Libanese adjudant Bashir binnenrennen met een dringend bericht van generaal Jasper.

'Wat wil ze?'

'Iets over terugkeren naar het hoofdkwartier.'

Het laatste wat Beckman vandaag wilde doen, was naar Washington vliegen. 'Vraag haar even te wachten.'

Alan noemde dat 'de huifkarren in een cirkel zetten' – de neiging van het hoofdkwartier om alle belangrijke functiedragers bij elkaar te roepen als er een crisis was. Hij was er klaar voor om met kracht staande te houden dat hij in het veld nodig was om zijn agenten en bronnen te ondersteunen, die probeerden Kourani's waarschuwing te bevestigen en de dreiging te identificeren.

Een zeer slaperig klinkende vrouw kwam aan de lijn. 'Liz, ben jij dat?'

Het was de Griekse verpleegster, die hem vertelde dat mevrouw Freed nog aan het rusten was.

Alan zei: 'Vertel mevrouw Freed alstublieft dat ik gebeld heb.'

Generaal Jasper kwam duidelijk en zeer bepalend over. Ze wilde Alan op de volgende vlucht naar Washington hebben en was bereid om ook een vliegtuig naar Kabul te sturen om Matt Freed op te halen.

'Hij is niet in Kabul,' zei Beckman.

'Is hij bij jou?'

'Nee, hij ging naar Oost-Afghanistan om te zoeken naar een sjia-moellah van wie hij denkt dat die contact heeft gehad met Kourani.'

'Met welk doel?'

'Dat weet hij nog niet.'

'Ik hoop dat hij geen problemen gaat veroorzaken voor Kourani. Het laatste wat we willen is de Iraniërs op een idee brengen.'

'Freed is een professional. Hij weet wat er op het spel staat.'

'Alan, we zullen de bedreiging van begin tot het eind moeten evalueren. Het Witte Huis wil dat we alle eventualiteiten ondervangen. Het zou een groot voordeel zijn als we Freed hier hadden.'

'Ja, generaal, maar...'

'Zeg hem dat dit voorrang heeft. Als hij anderhalve dag kan vrijmaken, vliegen wij hem meteen terug.'

'Ik weet niet of ik het daarmee eens ben.'

'Ik vertrouw op jouw oordeel, Alan. Om een van mijn helden aan te halen, generaal George S. Patton: Als iedereen hetzelfde denkt, denkt er iemand niet na.'

'Dat begrijp ik, generaal.'

Alan Beckman probeerde Matts satelliettelefoon verschillende keren – twee keer vanaf zijn kantoor, een keer vanaf huis, toen hij zijn koffer aan het pakken was. Matt nam niet op. Alan kuste zijn vrouw gedag en ging naar het vliegveld. 'Ik hoop morgen terug te zijn,' zei hij.

'Goede reis.'

7

10-12 september

Matt ging langzaam vooruit langs de betonnen muur met Tariq, moellah Hadi Zadeh (Tariqs vader) en de bewaker op zijn hielen. In hun oren echoden de geluiden van de chaos: explosies, geweerschoten, geschreeuw, bewakers die dekking zochten, gevangenen die Amerika vervloekten en anderen die om genade smeekten.

Aardig van de taliban om nu aan te vallen, dacht hij. *Is het toeval, of heeft iemand in de gevangenis hun verteld dat ze de kans hadden om wat Amerikanen te doden?*

Met zijn m4 in de aanslag gluurde Matt om de hoek, naar de binnenplaats. Wat hij zag, was niet goed. Mannen met tulbanden en baarden, met kalasjnikovs en granaatwerpers hadden posities ingenomen achter bomen en omgegooide vaten, en leken de situatie meester te zijn. Een stuk of vijf stonden aan de andere kant bij een poort die leidde naar een kleiner gebouw.

Matt trok de trillende bewaker dichter naar zich toe. 'Wat is dat?' vroeg hij in het Dari.

'Het wapenarsenaal.'

Er sloeg een salvo kogels in het beton rondom hen, wat een stofwolk opwierp. De bewaker begon te rennen. Matt greep hem bij zijn tuniek. 'Ik zal je beschermen als je ons laat zien hoe we hieruit komen!'

De bewaker leidde hen door een doolhof van gangen. Hij gebruikte een grote sleutel om een metalen deur te openen die naar de keuken leidde. Ze ontdekten zeven mannen die zich verscholen in een voorraadkamer.

'We doen jullie niets,' zei Matt in het Dari tegen hen. 'Help ons hieruit te komen.'

Een oudere man met één oog wees op een roestige deur achter een stapel kratten. Maar die was op slot en niemand had de sleutel.

Matt rukte de kratten weg en probeerde de deur open te trappen. De deur gaf geen krimp.

'We kunnen hier maar beter snel weg,' zei Tariq. 'Anders zitten we straks in de val.'

Buiten had sergeant Flynn een commandopost opgezet aan de westkant van het parkeerterrein, achter de Humvee. 'De taliban hebben de gevangenis onder controle. Ik heb de QRF nodig!' schreeuwde ze in de radio.

De meeste gevechten vonden plaats aan haar rechterzijde, in de heuvels boven de gevangenis. De Hazara's hadden posities ingenomen achter een groot stuk uitstekende rots dat eruitzag als de kop van een stier. Vanuit dat voordelige punt hadden ze vrij zicht op het gat dat de taliban in de muur hadden geslagen en op een deel van de binnenplaats. Met zorgvuldig geplaatste schoten hadden ze vijf vijanden uitgeschakeld.

Voor hen was het een persoonlijke kwestie. Als sjiieten namen ze wraak voor de verschrikkelijke misdaden die op hen waren gepleegd tijdens het soennitische taliban-regime, inclusief de slachtingen in Bamiyan en Mazar-e Sharif.

'Nee, sir, ik kan geen verantwoording nemen voor de burger die de gevangenis is binnengegaan, sir,' legde sergeant Flynn via de radio uit aan een majoor op de Forward Operating Base Salerno. 'Ook denk ik niet dat het verstandig is mijn mannen achter hem aan te sturen.'

De majoor was het daarmee eens. 'Als hij eraan gaat, is dat zijn eigen stomme schuld.'

Flynns hart sloeg over bij het eerste salvo van het 50-kaliber machinegeweer. Toen ze zich omdraaide, zag ze vijf Humvees snel in haar richting rijden, voluit schietend. In elk van de Humvees zat een bemanning van drie man, plus zes aanvullende infanteristen.

Binnen enkele seconden stond een eerste luitenant met camouflagekleuren op zijn gezicht naast haar.

'We hebben een groep bevriende Afghanen op twee uur zitten, die de vijand in de flank aanvalt,' legde Flynn uit, wijzend op de heuvels.

'Wie zijn dat, verdomme? Waar?'

'Hazara's,' zei ze, terwijl ze hem een verrekijker overhandigde en hem op de stierenkoprots wees.

'Wat is dat nou weer?'

De zes taliban die Matt buiten het wapenarsenaal had gezien, gebruikten een granaatwerper om de stalen deur uit zijn scharnieren te blazen, waardoor aan weerszijden anderhalve meter puin kwam te liggen. Hun plan was de bewakers te doden, de gevangenen te bevrijden en het wapenarsenaal leeg te roven. Maar nu ze het geraas van het 50-kaliber machinegeweer dichterbij hoorden komen, gaf hun leider zijn mannen opdracht om c4-explosieven te leggen tussen de mortiergranaten, munitie en RPG's die in het arsenaal waren opgeslagen.

Drie mannen met lange zwarte baarden werkten snel, gebruikmakend van een niet-elektrische ontsteking met lont en slaghoedjes. Ze pakten elk een armvol RPG's, staken toen de lont aan en renden weg.

Matt stond in de keuken te proberen de buitendeur open te breken met een koevoet, toen het arsenaal ontplofte. Hij werd omvergeblazen en tegen een paar houten planken geworpen. Met suizende oren en een gevoelloos gezicht stond hij op en ging de deur nog heftiger te lijf. Terwijl achter hem secundaire explosies opklonken en het stof zijn keel vulde, kreeg hij eindelijk die verdomde deur open.

'Hup! Hup! We gaan!'

Hij hielp de moellah overeind en vond toen Tariq, die verdwaasd rondjes liep en bloed ophoestte. Ze persten zich door de opening, langs twee doodsbange geiten die aan een paal waren vastgebonden. Vlammen schoten door het dak omhoog, puin vloog overal rond, ze renden.

'Hoofden laag!'

In de frisse lucht gingen ze langs de oostelijke muur naar de ingang die Matt en Tariq eerder gebruikt hadden. Eenmaal voorbij de hoofdingang stuurde Matt hen naar de Humvee, waar korporaal Randal schreeuwde: 'De hufters ontsnappen aan de andere kant. Ik dek deze kant van de muur met de Hazara's. Ga met die verdomde 50-kalibers daarheen!'

Gehelmde Amerikanen in volle strijduitrusting renden langs hen heen en vuurden M4's af. Matt zakte in elkaar tegen het voertuig, nat van het zweet en het bloed dat langs de zijkant van zijn hoofd naar beneden liep en zijn shirt doordrenkte. Secundaire explosies deden de gevangenis schudden, gevolgd door geschreeuw dat door de heuvels echode.

Hij wou dat de machinegeweren stopten met bulderen in zijn hoofd. Toen werd hij zich ervan bewust dat Tariq naast hem op de grond gehurkt zat te hyperventileren. Er stroomde bloed uit een wond in zijn schouder. Zijn vader, de moellah, knielde naast hem en praatte zachtjes in zijn oor.

Het gezoem in zijn oren maakte het voor Matt onmogelijk om te horen wat de moellah zei. Maar hij keek verbaasd naar de verandering op Tariqs gezicht.

'Goed werk.'

'Wat?' vroeg Matt in de richting van de zon.

Sergeant Flynn wierp een schaduw over hem. Ze wees naar de gevangenis achter haar. 'Ik zei: goed werk.'

'Graag gedaan.'

Ze hoestte en spuugde op de grond. 'Mijn superieur gaat me helemaal aan de ketting leggen. En hij wil ook weten of jij al voor aankomst wist dat die aanval zou gaan plaatsvinden.'

Matt lachte half. 'Zeg hem maar dat ik mijn kristallen bol in Kabul heb achtergelaten.'

'Ik wed dat de helft van die verdomde gevangenen dood is. Aan de positieve kant: we schieten de vijand helemaal aan gort. Tot nu toe hebben we al twintig doden aan de taliban-kant geteld.'

Matt hapte naar adem en voelde een stekende pijn aan de rechterkant van zijn borst. Hij pakte zijn rugzak, liep naar de oostkant van het parkeerterrein, vond een rotsblok en gebruikte een kompas om de zuidelijke hemel te vinden. Na de

satelliettelefoon eruit gehaald te hebben, richtte hij het omhulsel op het zuiden. Hij wachtte tot het schermpje aangaf dat
hij een satelliet had bereikt; vervolgens toetste hij een nummer
in.

'Burris,' zei hij. 'Dit is Morgan. Neem dit rapport op.'

Een halve aardbol verderop keek Alan Beckman hoe grijze han-
gars en rijen militaire vliegtuigen voorbijschoven. De Gulfstream v waarin hij zat, landde op de Andrews Air Force Base,
buiten Washington. Terwijl ze taxieden, keek hij het rapport,
dat hij even later zou gaan afleveren bij zijn baas, nog een keer
over.

Allereerst zou hij generaal Jasper vertellen hoe hij zijn mensen erop uit had gestuurd om hun bronnen in het hele Midden-Oosten te controleren. Hun missie: iets te vinden wat een
bevestiging zou kunnen zijn of meer licht zou kunnen werpen
op de door Kourani voorspelde Al Qaida-aanval. Hij zou be-
nadrukken dat de kans klein was dat zijn mensen met iets belangrijks aankwamen. Al Qaida was bijzonder zwijgzaam en
gefragmenteerd in cellen. Geen van de ncts-bronnen ging diep.

Ten tweede zou hij haar vertellen dat de Qatari's grondig
op de hoogte waren gesteld over de ophanden zijnde aanslag
op Camp Snoopy in Doha. Er was bewaking ingesteld bij de
jafa Trading Company. Hij en zijn luitenants hadden een plan
opgezet om de terroristen in de nacht van 16 september uit te
schakelen.

Een jonge ncts-agent begroette Beckman op de landingsbaan en leidde hem naar een zwarte Ford. Zodra Alan plaats
had genomen op de achterbank, overhandigde de jonge agent
hem een bruine envelop. 'Voor u, sir.'

Het was een vertrouwelijk rapport van Burris in Kabul,
waarin gemeld werd dat Matts aanwezigheid in de gevangenis
te Khost een taliban-aanval had uitgelokt, die geleid had tot
de vernietiging van de gevangenis en minstens honderd slachtoffers.

'Goeie God!'

Dertig kilometer noordoostelijker herlas de lange generaal met het rossig blonde haar hetzelfde rapport, haalde diep adem en keek toen op naar haar adjudant Shelly Mauser – een vrouw met kort, stekelig zwart haar en een agressieve houding. 'Waar is Freed nu?'

'Nog steeds in Khost, voor zover wij weten. Heeft wat lichte verwondingen opgelopen. Burris verwacht hem binnen de komende twee dagen terug in Kabul.'

De afgelopen drie dagen was generaal Jasper non-stop bezig geweest. Teleconferenties met het ministerie van Buitenlandse Zaken, de CIA, de Binnenlandse Veiligheidsdienst en het ministerie van Defensie, zelfs een verslag aan de president in het Oval Office. De morgen was begonnen met een lange analyse van Kourani, inclusief zijn achtergronden en mogelijke motieven.

Jasper en haar adviseurs hadden vastgesteld: (1) De CIA had kunnen bevestigen dat Kourani onderdirecteur was van de Qods-strijdmacht. (2) De onstabiele toestand van de interne Iraanse regeringspolitiek van het moment verhoogde de geloofwaardigheid van Kourani's aanbod. (3) Rapporten uit Qatar gaven aan dat Kourani's waarschuwing van een ophanden zijnde aanslag op de Doha International Air Base accuraat was.

Het volgende punt op haar agenda was een vergadering met de Binnenlandse Veiligheidsdienst over verdedigingsmaatregelen die genomen moesten worden in een tiental middelgrote Amerikaanse steden tegen een mogelijke terroristische aanval.

Sinds het rapport uit Afghanistan die morgen was binnengekomen, hadden haar topassistenten (inclusief Shelly) erop aangedrongen dat ze Freed terug moest roepen.

'Het is duidelijk dat Kourani intern op eieren loopt,' legde Shelly uit. 'Freed is een risico.'

'Misschien is het een risico dat we moeten nemen.'

'Stel dat hij iets doet wat argwaan wekt bij de Iraanse regering en Kourani schrikt terug. Als Kourani niet opnieuw verschijnt en wij niet in staat zijn om meer te weten te komen over de dreiging, zal het Witte Huis door het dolle heen zijn. Drieduizend Amerikaanse slachtoffers waren onaanvaardbaar op

9/11. Stel dat het er nu miljoenen zijn.'

De manier waarop Shelly doordramde over voor de hand liggende dingen, irriteerde generaal Jasper mateloos. 'Laten we proberen creatief te denken.'

'Het is mogelijk dat we meer weten als we de terroristen in Qatar te pakken hebben,' ging Shelly verder. 'Dat is op de zestiende.'

De generaal keek op de septemberkalender, die haastig op de muur was geplakt. Vandaag was het 10 september. Eid al-Fitr begon bij zonsondergang op de achttiende. 6, 7, 8 en 9 september waren al met een rode pen doorgekruist. 'We hebben acht dagen,' zei ze, voordat ze onderbroken werd door een andere assistent.

'Het is Dr. Stalworth.'

Weer een taak die van haar lijstje af kon. Ze pakte de telefoonhoorn en zag tegelijkertijd dat ze een e-mail had binnengekregen. 'Dokter,' zei ze, 'we hebben een achtjarige dochter van een ondergeschikte op de Odysseus-basis, bij wie zojuist met spoed de blindedarm verwijderd is. Ik wil een rapport over de toestand van dat meisje.'

'Jazeker, mevrouw.'

'Bedankt.'

Matts dijen wilden niet stoppen met trillen, toen hij de medische afdeling van Forward Operating Base Salerno binnenkwam. Door het prefabraam zag hij de rode zon achter de bergen zakken.

'Meneer Morgan?'

Voorbij de bergen zijn nog meer bergen, dacht hij, terwijl hij in een straal zonlicht keek die van het geschoren hoofd van de hospik af kaatste.

'Uw Afghaanse vriend is geraakt door een granaatscherf. Die heeft een lelijke snee in zijn schouder gemaakt en zijn sleutelbeen gebroken. Hij zal een paar dagen niet dansen.'

Matt had een kneuzing aan de rechterkant van zijn borst, plus snijwonden op zijn voorhoofd, borstkas en armen. Hij vroeg: 'Waar is de rest van mijn spullen?'

In plaats van te antwoorden, stak de kaalhoofdige hospik zijn hand in zijn zak en haalde er een plastic medicijnflesje uit, dat hij schudde als een sambabal. 'Ibuprofen. Morgenochtend zul je me dankbaar zijn.'

Matt trof Tariq en diens vader alleen in een slaapzaal voor twintig man. Hij luisterde hoe de moellah met het maanvormige gezicht zachtjes bad tot een zachtaardige, vergevende Allah, tot zijn zoon in slaap viel. Buiten in de hal vroeg de moellah aan Matt of hij geld had om de andere Hazara's van voedsel en onderdak te voorzien.

Freed was ze vergeten. 'Waar zijn ze nu?'

'Ze wachten bij de ingang.'

Onvast in zijn plastic slippers staand en met een ziekenhuisochtendjas aan deed Matt zijn best om de negen mannen te bedanken voor hun moed. In ruil voor driehonderd dollar beloofden ze bij zonsopgang terug te komen.

In de ziekenboeg bracht een hospik voedsel op dienbladen. Matt luisterde hoe de sjiitische moellah aan de overkant zachtjes praatte over zijn projecten om de armen te helpen.

'Dit werk is noodzakelijk om ons dichter bij heiligheid en bij Allah te brengen,' legde sjeik Zadeh uit.

Toen Matts eigen vader nog leefde, sprak die soms ook met invoelingsvermogen. Maar hij had ook een donkere, paranoïde kant, die hem verlamde.

'Dit land heeft meer mensen zoals u nodig,' zei Matt, terwijl hij hoopte dat een goede nachtrust de mist in zijn hersenen zou laten optrekken.

De moellah boog zijn hoofd om de Amerikaan eraan te herinneren dat hij een nederig mens was. Toen leende hij een kleedje uit de wachtkamer en bad.

Tegenover generaal Emily Jasper zaten Alan Beckman en de NCTS-chef van Iraanse operaties, Stanley Volpe, die een doctoraat in Midden-Oostenstudies had behaald aan Johns Hopkins University. Jaspers adjudant Shelly Mauser zat oplettend aan haar zijde.

Volpe had een zorgvuldige, kleurloze stem. 'We hebben de

in- en uitgaansstempels in Kourani's paspoort bestudeerd en alle gerapporteerde activiteiten op die locaties.'

'Goed.'

'We beginnen met de moord op een lid van de Mujahideen al-Khalq in Turkije, vier jaar geleden.'

'Asad Zandi?' vroeg Alan.

Volpe knikte. 'Kourani leidde die operatie.'

Zandi was een hartstochtelijk criticus van het islamitische regime geweest. Alan had Zandi gerekruteerd als bron, hoewel de man in 1979 had deelgenomen aan de inname van de Amerikaanse ambassade in Teheran door studenten.

Volpe vervolgde: 'De moord op een Saoedische diplomaat in Bangkok, achttien maanden geleden, een mislukte aanslag op de Israëlische ambassade op Cyprus, zeven maanden geleden.'

'Allemaal geleid door Kourani?'

'Ja,' antwoordde Volpe. 'Er is hier een patroon, generaal. De man verschijnt een week of twee voor een aanslag ter plekke en verdwijnt weer voordat het gebeurt.'

'Dus u zegt dat die aanslagen verbonden zijn aan de reizen in het paspoort dat gekopieerd is door agent Freed van de Odysseus-basis?' vroeg Shelly.

'Precies,' antwoordde Volpe. 'En ik verwacht dat meneer Kourani ook andere reisdocumenten heeft, die we niet kunnen natrekken, die waarschijnlijk zouden leiden naar andere geheime activiteiten.'

'U zegt dus eigenlijk dat hij veel bloed aan zijn handen heeft,' concludeerde generaal Jasper.

'Laten we maar zeggen dat we onze advocaten maar beter klaar kunnen hebben staan als wij hem asiel geven in de vs.'

Jasper keek naar Beckman en wreef haar knokkels. 'Als hij in een positie is om honderdduizenden van onze landgenoten te redden, betalen we die prijs. Toch?'

Ze waren het daar allemaal mee eens. 'Ja.'

Ze was klaar om verder te gaan. 'Is er nog iets wat ik moet weten over Kourani?'

'Bij zijn laatste reis naar Oezbekistan kwam hij het land binnen met een tweede Iraniër, een man genaamd Amin Kasem-loo.'

De naam Amin Kasemloo klonk bekend. Alan Beckman ging rechtop zitten.

Volpe zette zijn stalen bril recht en vervolgde: 'We hebben bericht gehad van HUMINT [*human intelligence* – persoonsge-bonden informatie] dat Kasemloo tijdens die reis gestorven is. Blijkbaar was hij betrokken bij een soort verkeersongeluk in Tasjkent.'

'Dat kwam van ons,' voegde Alan daaraan toe. 'Freed hoor-de dat van een bron die hij had.'

'Vertel ons daar meer over.'

Dat kon Beckman niet. 'Ik zal het aan Freed vragen.'

Volpe, die met zichzelf leek ingenomen, had nog meer. 'Het interessante is dat Kasemloo als toerist naar binnen ging, maar na zijn dood kwamen de Iraniërs met een diplomatiek paspoort op de proppen. Ze namen de moeite om een vliegtuig van Ira-nian Air Force in te zetten om het lichaam te laten vervoeren.'

Ineens wist Alan het weer. 'Generaal Moshiri,' riep hij uit.

'Wat?'

'Generaal Moshiri was de bron van die informatie. Hij is de-gene die het aan Freed gerapporteerd heeft.'

'Dus?'

'Generaal Moshiri is de man die zes dagen geleden vermoord is in Oman.'

'En?'

'Er kan een verband zijn.'

Volpe vouwde zijn handen op de tafel. 'Kunt u uitleggen wat dat is?'

Alan schudde zijn hoofd. Shelly fronste haar wenkbrauwen en zei: 'We hebben antwoorden nodig, z.s.m.!'

Beckman wilde haar wel over de tafel heen een klap geven, maar grijnsde in plaats daarvan. Niemand hoefde hem te ver-tellen hoe hij zijn werk moest doen, ook zij niet.

Generaal Jasper wendde zich tot Volpe. 'Stuur iemand naar Tasjkent. Werk samen met de CIA om deze informatie na te trekken.'

Beckman onderbrak haar. 'Matt Freed is onderweg. Hij heeft al een visum.'

Generaal Jasper leek ongeduldig. 'Ik dacht dat hij nog steeds in Khost was.'

'Nee, hij is op weg terug naar Kabul.'

'Wanneer heb je voor het laatst met hem gesproken?'

'Gisteren.'

'Voor of nadat hij die gevangenis vernietigde?' sloeg ze terug.

Beckman hield voet bij stuk. 'Omdat ik hem ken zoals ik hem ken, ben ik er zeker van dat hij onmiddellijk in Oezbekistan zal aankomen.'

'Bel de CIA-afdeling,' beval Jasper. 'Zet hen hierop.'

'Maar hoe zit het dan met Freed?'

'Roep hem terug. We hebben geen tijd te verliezen!'

Matt werd op de morgen van de elfde vroeg wakker door het geluid van mannenstemmen, dat door zijn hoofd tolde. Het was het eerste gebed van de dag, Fajr. 'In de naam van Allah, de welwillende, de genadevolle. Bij de naam van Allah en zijn heilige schepping...' De ochtendlucht was dik en grijs.

Toen hij zijn ogen weer opendeed, zag hij de zon. Tegenover hem zat de moellah, die bezig was een bruine tuniek over Tariqs borst te trekken. Matts hoofd voelde aan alsof het gevuld was met piepschuim en zijn hele lichaam deed pijn. Het constante gebonk van de Nissan Pathfinder, waarin ze reden, hielp niet mee.

Ik droomde over vliegen in een vliegtuig. Hij herinnerde zich het doorklieven van wattige witte wolken. Vreemd.

Ze waren het tweede voertuig in een konvooi van drie, elk vol geweren, die met 35 kilometer per uur in noordwestelijke richting over snelweg 157 reden. Bestemming Kabul.

Tariq, die er gespannen uitzag, zei: 'Deze weg wordt voortdurend aangevallen.'

Matt verstevigde zijn greep op de M4 en stond zichzelf toe de vragen te stellen die gesteld moesten worden.

'Sjeik Zadeh, u hebt ooit in Hamburg gewoond, klopt dat?'

De gebaarde geestelijke gluurde met zijn speelse Mongoolse ogen naar hem. 'Dat was vijfendertig, veertig jaar geleden, mijn vriend. De Beatles speelden aan de overkant van de straat. Ik was bezig met studeren en besteedde er geen aandacht aan.'

'Ik begrijp dat u een student was van het Islamitische Centrum?'

'Dat klopt.'

'Herinnert u zich ayatollah Beheshti?'

'Inderdaad.'

'En een man met de naam Kourani?'

De moellah fronste zijn voorhoofd in concentratie. 'Geen onpopulaire naam... Er *was* een Kourani!' Hij glimlachte en hield vier vingers omhoog. 'Dochters! Alle vier. Hoe kan Allah dat een man aandoen?'

Matt bedacht hoe gezegend hij was zelf drie dochters te hebben. 'Was er nog een Kourani, die nauw contact had met ayatollah Beheshti?'

'Beheshti. Beheshti...' De moellah wreef over zijn ronde voorhoofd als over een lamp. 'Ik herinner me vaag nog een Kourani. Serieus, erg vroom.'

'Was hij misschien een moellah? Met drie zoons?'

Zadeh glimlachte. 'Als dat zo was, zou hij een gelukkiger man zijn dan de eerste.'

Sjeik Zadeh sprak over Beheshti's tijd in Hamburg, voordat hij een belangrijk figuur in de Iraanse Revolutie werd. Maar hij kon zich de andere Kourani niet herinneren.

Matt haalde de paspoortfoto van Moshen Kourani tevoorschijn, die hij in zijn zak bij zich had. 'Dit is een van zijn zoons.'

Zadehs ogen werden groter. 'Deze man ken ik. Maar ik geloof niet dat zijn naam Kourani is.'

'Misschien noemde hij zichzelf Fariel Golpaghani.'

'Dat is zo, geloof ik.'

'Heeft hij uw hulp gevraagd om iemand te vinden?'

'Hij kwam twee maanden geleden bij me, samen met een zwaardere man. Ze identificeerden zichzelf als gezagdragers van de Iraanse regering. Ze waren op zoek naar een Oezbeek genaamd Juma Khuseinov.'

'Kon u hen helpen?'

'Ik hoorde dat Khuseinov in verband stond met mensen die chemicaliën gebruikten om honden te doden. Slechte mensen. Terroristen.'

'Hebben de Iraniërs hem gevonden?'

'Ik weet het niet.'

'Hebben ze u verteld waarom ze hem zochten?'

'Nee.'

Voordat de avond viel parkeerden de voertuigen aan de kant van de weg en werden slaapzakken uitgerold op de grond. Terwijl de wind aanzwol, klom Matt naar de top van een heuveltje, waar hij de satelliettelefoon opzette.

'Burris, ik moet je zo snel mogelijk spreken als ik in Kabul aankom.'

'Je zit diep in de stront, Freed. Ik moet jou ook spreken.'

Pauwen krijsten bij een naburig huis, toen Matt bij Burris' hoofdingang aankwam. Tariq, in de voorste auto, vroeg Matt of die wilde dat ze zouden wachten.

'Breng je vader naar de moskee,' antwoordde Matt. 'Mijn vriend zal me naar het vliegveld rijden. Neem alsjeblieft contact met me op via meneer Steve Burris op de ambassade, als jij of je vader iets hoort over Kourani.'

'Agha Matt, ja. We staan voor eeuwig bij je in het krijt.'

Het licht begon juist de hemel boven de lindebomen te kleuren op het moment dat Burris in een blauw gewaad naar buiten schuifelde. 'Zeg me dat dit geen nachtmerrie is,' kreunde de kale man. 'Je ziet er beroerd uit.'

'Leuk om jou ook weer te zien, Burris.'

In de keuken, waar een huisknecht water kookte voor koffie, begon de adjunct-chef van de CIA-afdeling vragen af te vuren over de aanval op de gevangenis in Khost. Matt kapte hem af. 'Ik zal een volledig rapport schrijven als ik weer op adem ben.'

'Als je niet wilt dat je hoofd je op een blaadje wordt aangereikt, kun je dat maar beter nu doen.'

'Ik heb iets belangrijkers te doen.'

'Kijk, Morgan, of hoe je jezelf verdomme noemt...'

Matt verhief zijn stem. 'Juma Khuseinov.'

'Wat?

'Juma Khuseinov. Vertel me wat je weet.'

De adjunct-chef van de CIA-afdeling schudde zijn hoofd. 'Dat kan ik niet.'

Matt leunde ver genoeg naar voren om zijn slechte adem te ruiken. 'Ik ga over twee uur naar Oezbekistan. Ik heb geen tijd voor kat-en-muisspelletjes.'

Burris zag eruit alsof hij gedwongen werd een rat op te eten. 'Ga je vliegtuig halen, Morgan. Rot hier zo snel mogelijk op. Laat me met rust.'

'Wil je dat ik het via de officiële kanalen uitzoek en de levens van duizenden mensen op het spel zet?'

'Vertel me maar waarom niet.'

'Omdat het je een reet kan schelen dat je je land helpt. Omdat je onder deze ruwe laklaag een goeie kerel bent.'

Burris probeerde er een grijns uit te knijpen. 'Khuseinov is een fulltimehufter, parttimewapenhandelaar en narco-terrorist.'

'Hoe zit het met hem en experimenteren met het doden van honden?'

'Hij heeft een soort training gehad van Midhat Mursi, een chemische en biologische expert die voor de oorlog een terroristentrainingskamp leidde buiten Jalalabad.'

'Enig idee waar Khuseinov nu is?'

'Het laatste gerucht dat we hebben opgevangen, is dat hij probeerde een biologisch wapen in handen te krijgen. We zijn begin juli zijn spoor kwijtgeraakt bij de Oezbeekse grens.'

'Wat voor specifiek soort?'

'Het zou een vuile zakdoek kunnen zijn. De man is nergens vies van.'

'Heb je er iets over gehoord dat hij zou samenwerken met de Iraniërs?'

'Waar heb je dat vandaan?'

'Mijn grootmoeder. Waarom doet dat ertoe? Denk je dat hij van Al Qaida is?'

De adjunct-chef van de CIA-afdeling sneerde: 'Ik zie hem meer als een freelancer. Een opportunist.'

'Doe me een lol, Burris. Zet iedereen die je hebt op Khuseinov en stuur het door naar Alan Beckman op de Odysseus-basis in Athene.'

'Zolang jij belooft me van je kerstkaartenlijst te schrappen.'

'Laten we hopen dat onze paden elkaar nooit meer kruisen. *Vaya con dios.*'

Vanaf Kabul International Airport belde Matt met Alan Beckman in Washington. Het was 7.45 uur in Kabul, maar 23.15 uur de vorige dag in Alans hotelkamer in Silver Spring, Maryland. 'De generaal wil je terug op het hoofdkwartier,' kondigde het hoofd van de Odysseus-groep van NCTS aan.

'Zeg haar dat dit te belangrijk is,' antwoordde Matt, terwijl zijn vlucht werd omgeroepen. 'Zeg haar dat Kourani in Afghanistan heeft gezocht naar Juma Khuseinov, die probeert de hand te leggen op een biologisch wapen. Zeg haar dat Khuseinov in juli voor het laatst gezien is bij de Oezbeekse grens. Kourani was in juli ook in Oezbekistan.'

'Juma Khuseinov? Wanneer heb je dit gehoord?'

'Geen tijd om uit te leggen. Ik moet aan boord van mijn vlucht. Ik neem contact met je op zodra ik in Tasjkent aankom.'

'Wacht, Matt. Ik heb liever dat je nu naar de ambassade in Kabul gaat en een rapport uitbrengt.'

'Dat kan niet.'

'We hebben een CIA-afdeling in Tasjkent die we kunnen inschakelen.'

'Leg aan generaal Jasper uit dat het van cruciaal belang is dat ik zo snel mogelijk naar Oezbekistan ga.'

'Verdomme, Matt, je luistert niet!'

'Ik moet nu aan boord gaan, baas. Ik bel je als ik land.'

8

12 september

Moshen Kourani staarde uit het raam van de zilveren Mercedes uit de 500-serie, die zich haastte door middenklassestraten, omzoomd met hoge betonnen muren en vijgenbomen. De sprankelende stad Teheran lag achter hem.

Zodra de auto stilhield bij een roestig ijzeren hek, vulde zijn hart zich met nostalgie. Hij herinnerde zich zijn broers, Abbas en Hamid, en zag voor zich hoe hij hen achternazat over het grindpad. Abbas, met zijn borstelige haren, lachte, terwijl hij moeiteloos goochelde met een voetbal. Het ene moment was de bal op de punt van zijn voet, vervolgens was die op zijn hoofd, zijn borst en weer op zijn voet. *'Moshen! Moshen, schiet op! Je rent als een meisje!'*

De chauffeur onderbrak hem door zich om te draaien en te vragen of hij moest wachten.

Kourani liet een hand over de leren bekleding van de bank glijden en zei: 'Nee. Ga maar wat eten. Ik bel wel.'

'Dank u, meneer.'

Een jongeman deed het hek open voordat Kourani zijn sleutel kon gebruiken. Hij keek naar de sleutel die vastzat aan een ring met een stierenkop en dacht: *Ik heb deze sleutel al tientallen jaren.* Toen hoorde hij het geknerp van de stappen van de tuinman op het grind.

Darius was nu een oude man, met kromme benen en gekromde schouders. Moshen dacht eraan hoe hij er vijfendertig jaar geleden had uitgezien, toen hij een bijl gebruikte om een kersenboom in de achtertuin om te hakken, met golvende spieren en een rug die sterk en recht was.

Hij trof zijn moeder, die in de keuken thee stond te maken,

bijna alsof ze hem niet verwachtte. Ze omhelsden en kusten el-kaar. 'Ik ben zo blij dat je me de afgelopen paar maanden va-ker bent komen opzoeken.'

De lijnen in haar gezicht spraken van ontberingen en zor-gen. Ze was bijna als een boek. De diepe rimpels rond haar mond waren verschenen toen Hamid stierf in Afghanistan. De diepe cirkels rond haar ogen vertelden over de plotselinge dood van haar echtgenoot. Ze leek eenzamer dan tevoren.

'Zeg tegen Abbas dat hij me vaker moet bezoeken,' mop-perde ze.

Moshen hield ervan om haar te plagen. 'Dat is omdat Ab-bas altijd je favoriet geweest is, moeder.'

Ze pakte hem meteen terug. 'Nee, Hamid was mijn favoriet, Moshen.'

'Hij was ook mijn favoriet.'

Ze glimlachte, en een ogenblik lang herinnerde hij zich haar toen ze jong en vol hoop was, en nog niet in het zwart gekleed ging.

'Waarom bedreigen de Amerikanen en de Israëli's ons toch zo? Waarom zijn we vervloekt?'

Hij pakte haar hand en hield die vast. 'Moeder, de wereld is complex. Allah stelt ons voortdurend op de proef. Hij vraagt ons om dat te begrijpen, zelfs als we dat niet kunnen. Hij vraagt ons om dingen te doen, zelfs als anderen, van wie we houden, die dingen niet begrijpen.'

'Je had filosoof moeten worden, Moshen, geen soldaat.'

Dit was de opening waar hij op wachtte. 'Moeder, Abbas en ik moeten iets doen voor ons land.'

Ze zuchtte zwaar. 'Ik zeg je: volg je eigen hart, niet de wil van andere mensen.'

Haar gezicht betrok van de zorgen, ze kneep in zijn onder-arm. 'Mijn zoon, een man van de elektriciteitsdienst kwam on-langs ons huis inspecteren. Misschien gedraag ik me als een oude vrouw, maar ik was achterdochtig.'

'Wat wilde hij?'

'Darius zei dat hij alleen maar rondkeek.'

Nadat zijn moeder naar bed was gegaan, ging Moshen terug naar de kleine gele kamer waarin hij als kind had geslapen. Hij deed de deur op slot, schoof het bed weg van het raam en gebruikte een schroevendraaier aan zijn zakmes om een stuk van de vloer te verwijderen. Uit een ruimte daaronder haalde hij een kleine sporttas. Daarin zat het zwarte boek met de adressen die hij voor zichzelf hield. Hij zou het spoedig verbranden.

Hij legde het stuk hout terug, schoof het bed op zijn plek en haalde de deur van het slot. *Deze kamer zie ik misschien nooit meer*, zei hij tegen zichzelf. De kamer leek vol herinneringen, die in een mystieke stilte waren gevat. Hij zuchtte en keek toen op zijn horloge.

Zes dagen voor het begin van Eid al-Fitr, dacht hij. *Alles loopt volgens schema.* Daarna sloot hij de deur zachtjes.

Een sterke wind blies Matt bijna omver, toen hij op de landingsbaan van Tasjkent International Airport stapte. Terwijl de motoren van de DC-10 van Uzbekistan Airways tot stilstand kwamen, worstelde hij zich naar de moderne terminal.

Waar ben ik naar op zoek? vroeg Matt zich af, te midden van enorme landingsbanen en onttakelde gebouwen in de Sovjet-stijl van de jaren vijftig. *In ieder geval naar een helderder idee van wat Kourani in juli gedaan heeft in dit deel van de wereld. Heeft hij Juma Khuseinov gesproken? Gebruikte hij hem als bron naar Al Qaida? Of rekruteerde hij hem voor iets anders?*

De gevaarlijke tweeslachtigheid van de missie zou de meeste mensen hebben afgestoten. Maar Matt niet.

Hij grinnikte in zichzelf toen Oezbeekse veiligheidsbeambten met grimmige gezichten en stijve bruine uniformen hem vanaf de deur in de gaten hielden. Hij genoot van de snelheid waarmee hij zijn eigen operatie uitvoerde, vertrouwend op geluk en zijn intuïtie, zonder bij iedere stap te hoeven stilstaan en te wachten op goedkeuring van het hoofdkwartier.

Al even stugge immigratiebeambten zaten in glazen hokjes en gingen in slakkentempo te werk, ondanks de lange rijen. Nadat hij Matts paspoort had doorgebladerd, de eerdere in- en uitreisstempels had bekeken en zijn foto had gecontroleerd, wuifde een man met een enorme dubbele kin dat Matt kon doorlopen, langs borden waarop Marlboro-sigaretten, Beefeater-gin en diverse merken lingerie werden aangeprezen. De lange, blonde, van scherpe gelaatstrekken voorziene, modellen leken hongerig en ruig.

Ik moet dit succesvol afronden.

Matts gedachten gingen terug naar een groep agressieve dansers die hij in 2002 in een nachtclub had ontmoet, waar ze zich zwetend door 'At the Copa' heen hadden gewerkt, en daarna Matt en zijn mannen hadden uitgenodigd mee te gaan naar hun kamers. Uit eerbied voor Liz was Matt toen niet gegaan. Maar zijn collega's waren teruggekomen met verhalen van seksuele activiteiten die ze nog nooit eerder hadden gezien.

Nadat hij zijn tas van een oeroude bagageband had geplukt, ging hij een grote hal in die vol stond met zwaargebouwde mensen die op de binnenkomende vluchten wachtten en in een mengsel van talen namen riepen. De meeste mannen droegen glimmende, versleten pakken, vrouwen droegen veelal zwarte en marineblauwe rokken tot op hun knieën. Te midden van deze sprong terug in de tijd stond een vrouw van in de veertig met een modieuze Burberry-regenjas, opgestoken haar en minimale make-up.

'Meneer Morgan, ik ben Rachel Stack-Heinz,' zei ze, met kalm zelfvertrouwen.

Twee gretig ogende jongemannen wilden Matts tassen overnemen. Ze weerhield hen daar beleefd van in perfect Russisch en de mannen liepen verder.

Matt volgde het geklik van haar hoge hakken door de mêlee bij de hoofdingang, naar een Nissan Patrol. Zonder een woord te zeggen deed ze de achterklep open en wees ze waar hij zijn spullen moest neerzetten.

Twee scherpe bochten later zaten ze op een doorgaande weg. Grote flatgebouwen in Sovjetstijl verrezen op de achtergrond. Aan de rechterkant passeerden schaapherders met tulbanden en hun kuddes. Rachel zei: 'Ik ben hier de afdelingschef, Morgan.'

'Daar ben ik blij om,' antwoordde hij, omdat hij aanvoelde dat hij haar mocht. Ze had een breed gezicht met hoge jukbeenderen en een sterke kin, die haar een wat strenge uitdrukking gaf. Donkerbruine ogen waarin ironische humor en intelligentie dansten, verzachtten dat effect.

Ook op veel andere plekken dan Oezbekistan zou ze lang gevonden worden. Hier leek ze op een wat oudere, beschaafdere versie van de aantrekkelijke jonge vrouwen die hij zag wachten bij bushaltes en achter kinderwagens zag lopen. Als ze veertig werden, leken ze in alle richtingen uit te dijen en hun belangstelling in hun uiterlijk te verliezen.

'Uw vriend Kourani is behoorlijk druk geweest,' begon ze in het Engels met een licht accent.

Matt gokte dat ze een geboren Duitse was.

Rachel reed met één hand en controleerde al pratend haar sms'jes. 'Wij hebben ontdekt dat hij de belangrijkste planner en bevelhebber in het veld is geweest bij een tiental aanslagen in de afgelopen paar jaar. Hoe was hij?'

'Zeer gericht, erg beheerst. Achter in de veertig, zou ik zeggen. Intrigerend.'

'Dat geloof ik graag,' zei ze, terwijl ze een wenkbrauw optrok en ze langs een enorm ruiterstandbeeld van Amir Tamur zoefden. Tamur, ook bekend als Tamarlane, had het grootste deel van West- en Centraal-Azië veroverd in de veertiende eeuw. 'Ik heb de indruk dat hij een hands-on manager is.'

'Ik denk erover hem in te schakelen om wat leiderschapscursussen te geven, als hij overloopt.'

Ze glimlachte. 'Er zijn wel vreemdere dingen gebeurd. Maar op dit moment slaat Washington op tilt.'

Hij kreeg weer een onbestemd gevoel in zijn maag, dat daar bleef tot ze begroet werden door de geur van biefstuk stroganoff, toen ze het netjes bijgehouden huis in Engelse tudorstijl binnengingen. 'Mijn echtgenoot kookt altijd. Hij is professor in de Russische literatuur.'

De man die de wodka aanbood zag er jonger uit dan zijn vrouw, met een verweerd westers gezicht, leren vest en cowboylaarzen. Beslist niet wat Matt had verwacht. 'Neem een glaasje,' donderde hij. 'Maakt de smaakpapillen wakker.'

Terwijl zijn echtgenote zich 'aan het opfrissen' was, vertelde de professor dat hij afkomstig was uit Bishop, Californië, en dat hij twee seizoenen universiteitsfootball had gespeeld op Berkeley voordat hij zijn enkels had vernield. 'Dacht dat ik wel in San Francisco zou gaan wonen. Nooit verwacht dat ik op dit stukje aardbol terecht zou komen.'

Als hij niet onder de naam John Paul Morgan gereisd had, had Matt ook wel wat over zichzelf willen vertellen. Dan zou hij bijvoorbeeld gezegd hebben dat hij *defensive back* was geweest op de Quantico High School en dat de naam op zijn geboorteakte Matthew Mattaponi Freed was. Wat zou hebben geleid tot het verhaal hoe zijn ouders elkaar ontmoet hadden bij een viswedstrijd op de Mattaponi-rivier, waar zijn moeder, een Iers meisje uit het noorden van de staat New York, de eerste prijs had gewonnen.

Rachel kwam terug in een zwarte lange broek en een katoenen topje. Ze zag er fris en fit uit en had het laatste nieuws over Kourani. Haar man mompelde iets over dat hij een 'huisman' was en ging met een knipoog terug naar de keuken.

'Het lijkt erop dat Kourani het land op 14 juli is binnengekomen onder de naam Fariel Golpaghani, met een collega genaamd Kasemloo, die op mysterieuze wijze om het leven is gekomen en in een stalen kist is teruggestuurd naar de Iraanse ambassade,' zei ze. 'We hebben uit goede bron vernomen dat de kist is dichtgelast voordat die is teruggebracht naar Teheran.'

'Dichtgelast?'

'Ja. Er zijn mensen omgekocht.'

'Heb je enig idee wat ze hier deden?'

'Ze logeerden in het Bumi Hotel, in het stadscentrum.'

'Dat bedoelde ik niet.'

Allebei waren ze van het type dat gewend was de leiding te nemen. 'Ik vertel je dat we daar kunnen beginnen,' zei Rachel.

'Ik neem aan dat je al hebt gecontroleerd of er geheimzinnige sterfgevallen of verdwijningen hebben plaatsgevonden tijdens hun verblijf?'

'Dank je. Ik weet hoe ik mijn werk moet doen.'

Matt dacht dat er een goede kans was dat de Iraniërs naar

Oezbekistan waren gekomen om het een of ander aan te kopen. Na de ineenstorting van de Sovjet-Unie hadden de Qods-strijdkrachten Tasjkent gebruikt als basis voor het opzetten van façadebedrijven.

Rachel deed een cd van Segovia in de stereo en nam een slokje Pinot Grigio. 'Er is niet bar veel gebeurd sinds het einde van de Sovjet-Afghaanse oorlog. LUKOIL, de Russische energiegigant, heeft de gasvelden van Kandym, Khauzak en Shady in het zuiden ontwikkeld. Een ander Russisch bedrijf, Gazprom, werkt op het Ustyurd-plateau, dat in het noordwesten grenst aan het Aralmeer. De Oezbeken hebben de Russen zover gekregen dat ze transportvliegtuigen inzetten en de grondstoffen van de Aktau exploiteren. Ze hebben meer dan 4500 ton aan uraniumreserves.'

Matt wachtte even voordat hij wat cashewnoten in zijn mond deed. 'Uranium?'

'Al deze zuidelijke, voormalige Sovjet-landen hebben het moeilijk, maar er worden voortdurend meer natuurlijke grondstoffen ontdekt.'

Ergens in zijn achterhoofd viel iets op zijn plek. 'Heb je ooit gehoord van Juma Khuseinov?'

'Narco-terrorist. Wapensmokkelaar. Waarom?'

'Kourani was naar hem op zoek in Afghanistan.'

'Weet je waarom?'

'Burris in Kabul heeft een gerucht opgepikt dat het te maken had met de aankoop van een biologisch wapen. Hij is hun spoor kwijtgeraakt toen ze begin juli Oezbekistan binnen gingen.'

Rachel stond op, haalde haar haarband uit haar haren en schudde met haar hoofd, zodat haar haardos over haar schouders viel. 'Kourani en Kasemloo kwamen op de veertiende aan.'

'De drie K's. Wat denk je? Heb je een archieffoto van Juma Khuseinov?'

'Ik zal er een opvragen bij de Binnenlandse Veiligheidsdienst.'

'Kan nuttig zijn.'

Ze ging verder met hardop denken. 'Biowapenprogramma's van de Sovjets zijn bijna twee decennia geleden beëindigd. De regering van Oezbekistan heeft niets wat erop lijkt. Dat zou ik weten.'

Zodra haar echtgenoot verscheen, veranderden ze van onderwerp. Bij lichte jazz en kaarslicht luisterde Matt hoe de Stack-Heinz's trots praatten over hun geadopteerde zoon, die in Boston deelnam aan een schermtoernooi. 'Hij is bijna zestien en wordt nu al gerekruteerd door Ivy League-universiteiten,' pochte de echtgenoot.

Voor de eerste keer in dagen stond Matt zichzelf toe aan de meisjes te denken. Hij wilde heel graag Liz bellen, maar hij wist dat het niet mogelijk was zonder hun veiligheid en die van hemzelf in gevaar te brengen.

Dus vulde hij zijn bord en dronk hij nog wat Pinot Grigio en discussieerde hij met zijn gastheer en gastvrouw over favoriete Russische auteurs en daarna over de moellahs in Iran. 'Midden-Oosten-nazi's,' noemde professor Stack hen.

Matt was het daarmee eens. Hij was presbyteriaans opgevoed en was altijd wars geweest van georganiseerde religie, vooral van mensen die geweld predikten in naam van God.

Kourani genoot van de vrijheid die het rijden in zijn eigen Mercedes bood. En de omhoog en omlaag schietende stem van Ustad Nusrat Fateh Ali Kahn op de cd-speler joeg rillingen over zijn ruggengraat. Zijn collega's zouden niet blij zijn als ze ontdekten dat hij luisterde naar *qawali* – devote soefimuziek – maar dat kon hem momenteel geen donder schelen.

Hij had al heel vaak door zijn kale, vlakke land gereisd. Aan zijn rechterkant kwam het zoutmeer voorbij waarin de geheime politie van de sjah de lichamen van hun politieke tegenstanders had gegooid, zodat die oplosten en geen sporen achterlieten.

Hij bewonderde de schoonheid van de roze en gele groeven in de rotsen. Terwijl hij het laatste stukje *soban* (krokante pistachenoten) in zijn mond liet smelten, vervaagden de golvende koepels en minaretten van Qom achter hem. Een daarvan was het van een gouden koepel voorziene altaar van Fatima, de Onfeilbare – zuster van imam Ali bin Musa Al-Ridha, de achtste imam, en dochter van de zevende imam, Musa al-Khadim.

Het lijkt alsof ze dansen. De gedachte schonk hem vreugde. In plaats van verder te rijden over de geplaveide weg, sloeg Kourani af naar een parkeerplaats bij een groot kerkhof. Hij reed langs een bord met het opschrift Behest-e-Zahra (Paradijs van Zahra) en passeerde kinderen met blote voeten die leurden met verschrompelde aubergines en gebedskralen. Aan weerszijden van de hoofdboulevard sproeiden fonteinen ontzaglijke hoeveelheden vers water de lucht in. Het kerkhof was in segmenten opgedeeld. Het ene was voor het gewone volk, het andere voor martelaars van de revolutie, en weer een ander deel voor martelaars van de oorlog met Irak.

Hij passeerde de beroemde Fontein van Bloed – een cementen bouwwerk van verschillende lagen, met in het midden een sproeier waaruit een dunne rode vloeistof kwam, die kleine rimpelingen veroorzaakte – die het gebied aangaf dat voor martelaren was bestemd, en vond het graf dat de naam van zijn broer Hamid droeg. Hij zat in de witte plastic stoel die iedere week gebruikt werd door zijn moeder en wachtte tot hij overweldigd werd door de bekende droefheid. Dat vond hij troostend.

Het leven deed wreed en kort aan, met zo weinig tijd voor liefde, vriendschap, vreugde en gelach – allemaal dingen die hij associeerde met Hamid. Hij herinnerde zich hoe zijn broer ervan gedroomd had een platenzaak te openen en een blond meisje met lange benen te trouwen. Er rolde een traan over zijn wang, wat hem verbaasde, omdat hij in geen jaren gehuild had.

'*Salaam aleikum*,' zei een zachte stem achter hem.

Hij keek op, in donkere, medelijdende ogen. Ze behoorden toe aan een jonge moellah die een zwarte tulband droeg. '*Waaleikum es-salaam*,' antwoordde Kourani.

De moellah hurkte naast hem neer. 'Mijn twee oudere broers zijn hier ook begraven,' zei hij. 'Gods pad kan moeilijk zijn. We zullen beloond worden.'

De oudere man knikte. 'Ja.'

'De leider wilde dat ik ging kijken hoe het met je is.' De moellah sprak snel, met gedempte stem. 'Zijn schema is erg zwaar en er zijn veel conflicten en problemen. Je moet weten dat er mensen zijn die vraagtekens plaatsen bij je bedoelingen en... je loyaliteit.'

Kourani's mond trok strak. 'De mensen die vraagtekens plaatsen bij mij, kunnen mijn schoenen niet vullen van hier tot de parkeerplaats.'

'Wees niet boos, mijn broeder.'

'Ik verontschuldig me niet. Ik ben klaar voor Gods oordeel.'

'We moeten ons allemaal onderwerpen aan Gods wil.'

Kourani's mond trilde, terwijl hij vocht tegen een mengsel van emoties – woede, angst, verdriet. Hij zei: 'Breng mijn hoogachting over aan de *rabhar* [de leider] en zeg hem dat ik hand in hand loop met de Profeet, waarheen hij me ook leidt.'

'Zelfs de beste mensen zijn maar mensen.'

'Salaam.'

9

13 september

Matt werd de volgende morgen vroeg wakker door het ge-kwetter van vogels en begon zichzelf meteen verwijten te maken. *Ik moet sneller vooruitgang boeken. Het is vandaag 13 september.*

Kourani zou morgenochtend in Wenen aankomen om zijn visum op te halen, vierenhalve dag voor de geplande aanslag op de Verenigde Staten.

Matt zat tijdens de hele rit naar het Bumi Hotel zwijgend en gefrustreerd te denken: *Wat ben ik nou echt te weten gekomen? Misschien was de reis naar Afghanistan tijdverspilling. Waarom heb ik dat hele eind naar Khost gereisd? Om te ontdekken dat Kourani op zoek was naar Juma Khuseinov? Hoe belangrijk is dat?*

Niet erg belangrijk, volgens Alan Beckman, met wie Matt voor het ontbijt gesproken had. Matts baas leek zich meer zorgen te maken om de aanval op de gevangenis in Khost.

Kourani kan een tijdlang naar Khuseinov op zoek zijn geweest om redenen die niets te maken hadden met de waarschuwing die hij in Boekarest gaf. Misschien ben ik een stijfkop. Misschien heb ik het helemaal mis.

Hij stelde zich voor hoe zijn moeder de was opvouwde en mompelde: 'De appel valt in ieder geval niet ver van de boom.'

Matt hield zichzelf voor dat hij niet irrationeel moest denken, terwijl een teleurgesteld ogende Rachel Stack-Heinz de auto voor het hotel stilzette. 'Weet je zeker dat je dit wilt doen?' vroeg ze.

Het was ongebruikelijk warm voor de maand september in Tasjkent. Alles leek een beetje van slag te zijn. Hij zei: 'Ja.'

'Laat mij de manager bewerken. Hij is een vriend.'

Ze kende Matt niet goed genoeg om te kunnen inschatten of hij een kater had, depressief was of gewoon een ochtendhumeur had. Maar ze liet zich er niet door van de wijs brengen.

De manager van het Bumi was een zwaarlijvige man van vijftig met Mongools bloed. Matt probeerde Rachels Russisch te volgen, terwijl ze geduldig uitlegde wat ze wilde. Zijn anderhalf jaar Russische conversatie en literatuur aan de Universiteit van Virgina hielp enigszins.

De manager ging hen voor naar een kantoor dat was omgebouwd tot voorraadkast. Zachtjes mompelend werkte hij handgeschreven registers en stapels fotokopieën door. Een getatoeëerd dienstmeisje met een rode strik in haar haren maakte een reverence en serveerde citroenthee.

Omdat alles geschreven was in het cyrillisch, kon Matt niet veel hulp bieden. In plaats daarvan hield hij zichzelf bezig met het opstapelen van dozen die al waren doorgekeken, onder een Pirelli-kalender met naaktfoto's van Naomi Campbell. Zijn gedachten gingen terug naar Tariq en moellah Zadeh, tot hij een glimlach van herkenning zag verschijnen op Rachels gezicht.

'Ik denk dat we het hebben.'

'Wat?'

'Gastengegevens van 14 juli.' Ze wees naar twee haastig geschreven namen in het register: Kasemloo en Fariel Golpaghani.

De manager haastte zich naar buiten om kopieën te maken en kwam terug met een jonge vrouw met een breed gezicht en gele linten in haar haren. 'Vasha herinnert zich de mannen die de auto gehuurd hebben.'

'Hoeveel mannen?' vroeg Rachel in het Russisch.

'Twee.'

Rachel liet haar de foto van Juma Khuseinov zien. 'Was dit een van de mannen?'

Het meisje schudde haar hoofd.

Toen hield Matt een foto van Kourani omhoog.

'Ik denk het wel,' antwoordde het meisje in het Russisch.

'Wat was het voor auto?'

Ze vertrok haar gezicht in een vreemde glimlach en hield toen haar handen omhoog.

'Herinner je je de naam van het bedrijf?'

Vasha keek naar haar verschoten blauwe Adidas-schoenen. 'Het enige bedrijf dat waar voor zijn geld biedt, ABTA.'

'ABTA. Goed.'

De manager beloonde haar met een klopje op haar achterwerk. 'Nu beschrijf je de twee mannen en vertel je hun wat je gezien hebt in hun kamer.'

Ze schudde haar hoofd. 'Ik neus niet door de spullen van gasten.'

'Lieg niet tegen me!' Hij gaf haar een klap op de billen die hard genoeg was om haar omhoog te laten springen.

'Plastic handschoenen, een cd-speler, geld uit Duitsland en wat cd's van Andrea Bocelli. Ik hou van de manier waarop hij zingt.'

'Weet je dat zeker van die plastic handschoenen?' vroeg Rachel.

'Ja.'

De vrouw in de strakke rode rok en de roze sweater achter de balie van autoverhuurbedrijf ABTA weigerde te helpen. Dus gebruikte Rachel haar mobiel om met een voorkeurtoets iemand te bellen bij de staatsveiligheidsdienst. Ze overhandigde de weinig spraakzame dame het mobieltje, waarna deze al snel heftig begon te knikken en zei: *Da, panimayu. Da. Znayu.*

Ze gaf de telefoon terug aan Rachel met een sneer. 'Ik kon u de gegevens niet laten inzien zonder officiële goedkeuring.'

'Natuurlijk.'

Ze nam hen mee naar een privékantoor, waar ze inlogde op een oude Wang-computer. Stomverbaasd stond ze snel op en heupwiegde langs Matt heen naar een dossierkast.

'Ik herinner me duidelijk,' zei ze in het Russisch, 'dat een meneer Kasemloo twee auto's heeft gehuurd. Eén daarvan moest worden opgehaald. Die had motorproblemen in Muynoq. We moesten twee man sturen om hem op te halen.'

Ze overhandigde de papieren aan Rachel. 'De Russen vragen nooit om een vervangende auto, een schadeloosstelling of een terugbetaling. De motor had een zuiger opgeblazen, toen hij vastzat in het zand.'

Rachel vertaalde alles voor Matt, die vroeg: 'Vastzat in het zand? Waar?'

De CIA-chef keerde zich weer naar de vrouwelijke manager, die uitlegde: 'Meneer Kasemloo had twee voertuigen met vier-wielaandrijving gehuurd omdat hij een of ander landbouwtech-nisch onderzoek deed.'

'Waar precies?'

De manager gebruikte een lange rode vingernagel om de rou-te na te lopen op een kaart, tot een punt in het meest weste-lijke deel van het land en een stad aan het Aralmeer.

'Dank u,' zei Rachel, waarna ze Matt mee naar buiten trok en uitlegde dat de Iraniër achter iemand aan moest hebben ge-zeten, omdat er niets was in Muynoq en niemand daarheen ging.

Matt zei: 'Ik ga alleen.'

'Dat kan niet.'

'Waarom niet?'

'De Oezbeken zijn heel gevoelig, omdat het hele gebied ver-giftigd is door de Sovjets.'

'Ik ga toch,' zei Matt.

Meteen hing ze aan de telefoon met iemand die Phil heette en die haar in twintig minuten op het vliegveld een satelliette-lefoon en twee HazMat-pakken moest brengen.

'Ga je met me mee?' vroeg Matt.

'Muynoq is prachtig in deze tijd van het jaar,' antwoordde ze spottend. 'Er staat je iets geweldigs te wachten.'

Generaal Jasper voelde zich steeds slechter op haar gemak toen de grote man die door zijn Amerikaanse douane-uniform heen zweette wees op de grote rij containertrucks die stonden te wachten om de haven te verlaten. 'We proberen een manier te vinden om dit allemaal sneller te laten verlopen,' schreeuwde hij naar haar, Shelly en de andere vips van de NCTS, die bij het VACIS (*vehicle and cars inspection system* – autocontrolesysteem) stonden. Het was een groot, roestvrijstalen toestel, dat eruitzag als een onttakeld tolhuisje.

Douanier Bob Acosta legde uit dat, voordat een vrachtwagen verder mocht, hij eerst vrijgegeven moest worden door het gebouwtje ernaast, waar de technici gammabeelden bestuurden op een computermonitor. Als de lading van een bepaalde container niet overeenkwam met de laadbrief, moest er een fysieke inspectie plaatsvinden.

'Wij verwerken meer dan 600.000 containers per jaar. Staan op plek nummer één van de doorvoerladingen aan de oostkust.'

Generaal Jasper had vele verslagen gehad over de aantallen en de geavanceerde technologie, maar vanwege de dreiging die was aangekondigd door Kourani, stond ze erop de huidige detectiecapaciteit persoonlijk te zien. Het was de taak van haar bureau om terroristen op te sporen en te neutraliseren voordat ze Amerikaanse doelen aanvielen. De FBI, de Binnenlandse Veiligheidsdienst en de plaatselijke politie waren verantwoordelijk voor de verdediging van de Verenigde Staten.

Acosta legde uit dat de vertraging bij de Seagirt Marine Terminal in Baltimore twee dagen geleden begonnen was met de afkondiging van Code Rood. Sindsdien was alles wat de haven verliet zorgvuldig gescand met gammastralen en geigertellers. Vergelijkbare inspecties vonden plaats bij alle lokale vliegvelden.

Vervolgens luisterden generaal Jasper en haar assistenten naar Barbara Collins van de veiligheidsafdeling van de Maryland Port Administration, die kort de verschillen tussen chemische en biologische wapens besprak. De strekking was dat biowapens moeilijker te traceren waren en bestaan uit kleine, makkelijk verspreidbare vormen. Aan de andere kant kon iedere student chemie een effectief chemisch wapen improviseren.

'Ik ben hier eigenlijk om het verschil te zien tussen het werkelijke en het theoretische,' zei de generaal, terwijl ze haar zonnebril rechtzette. 'Laat me zien wat we hebben op het gebied van detectie.'

'We boeken grote vooruitgang aan de chemische kant met geavanceerde röntgenanalyse, gaschromatografie en zelfs akoestische golfsensors.'

'En de biologische kant?'

'Momenteel hebben we nog geen pasklare oplossing,' legde Barbara Collins uit. 'We gebruiken regelmatig handapparatuur voor polymere kettingreacties, PCR's, die van dezelfde makelij zijn als de apparatuur die gebruikt werd door de VN-inspecteurs in Irak. Die onderzoeken de lucht met regelmatige intervallen, maar kunnen een bepaalde stof pas onderkennen op het moment dat die wordt verspreid.'

'Die heeft u hier nu in werking?'

'Correct.'

'Maar als er nu een verzegelde biologische stof langs zou komen, heeft u in feite geen manier om dat te merken?'

'Ik ben ervan op de hoogte dat het DOD [Department of Defense – ministerie van Defensie] collectoren met een hogere efficiëntie aan het ontwikkelen is, maar ook die onderkennen stoffen pas nadat ze zijn verspreid.'

'Dat is geen antwoord op mijn vraag.'

'Er is veel onderzoek en ontwikkeling op het gebied van droge detectietechnologie. Bijvoorbeeld optische apparatuur, zoals LIDAR [Light Detection and Ranging – lichtdetectie en rangschikking] dat radarsignalen faseert met een intelligent waarschuwingsalgoritme.'

'Maar daar hebt u ter plekke niets van.'

'Helaas is de biologische detectietechnologie in een veel minder vergevorderde staat van ontwikkeling dan chemische detectiemethoden.'

'Daar was ik al bang voor,' zei generaal Jasper, terwijl ze zweetdruppels van de brug van haar sproetige neus afveegde. En toen tegen Shelly: 'We gaan.'

Matt beschermde zijn ogen tegen het felle licht dat van de tweemotorige Cessna af kaatste, terwijl Rachel Stack-Heinz haar laatste instructies gaf aan haar adjudant. 'Phil, trek alle namen na van iedereen die in het Bumi logeerde toen Kasemloo en

Kourani, alias Fariel Golpaghani, daar waren. Vraag Yuri naar de namen van de gasten in andere grote hotels op en rond 14 juli. En controleer hun vluchten.'

Matts vader had ook Phil geheten. Hij stelde zich het gezicht van zijn vader voor, dat moe en achterdochtig terugkeek. Hij had ooit tegen zijn zoon gezegd: 'Houd je ogen wijd open en verwacht het ergste.'

Wat zou hij hiervan vinden?

De Phil van Rachel was van gemiddelde lengte, had een reflecterende zonnebril, kort blond haar en een lichtbruine baard. 'Dat meen je niet serieus, Rachel,' protesteerde hij. 'Dat zijn er honderden.'

Daar raakte ze niet door van haar stuk. 'Ik heb het over bezoekers met buitenlandse paspoorten, vooral Russen, en Duitsers, Fransen, Pakistanen, Noord-Koreanen.'

'Dat is beter,' antwoordde Phil. 'Buitenlanders kunnen we aan.'

Ze zei: 'Ga op je eigen oordeel af.'

Terwijl Matt de dagen telde dat hij al weg was bij zijn gezin, dacht Phil na over verschillende manieren van aanpak. 'Als we hiermee naar Washington gaan, kan het hele proces wekenlang duren.'

Rachel klopte haar adjudant op zijn arm. 'Daarom stelde ik je voor om eerst Yuri te bellen.'

Phil was aangekomen met materiaal – een satelliettelefoon, twee Glock-pistolen met elk drie magazijnen, en twee in aktetassen verpakte HazMat-pakken.

Matt klikte de zijne open en vond een merkwaardig uitziend ademapparaat, een plastic ontsmettingspak, plastic zakken, wattenstokjes en reageerbuisjes. Hij draaide zich om naar Rachel en vroeg: 'Wat is dit allemaal?'

'Gewoonlijk kom ik niet in de buurt van de grens met Kazachstan zonder geigerteller. Noord-Oezbekistan heeft het hoogste percentage doodgeboren kinderen ter wereld.' De motoren van de Cessna begonnen te draaien, waardoor de rest van haar uitleg verloren ging.

Haar aandacht richtte zich op een Oezbeekse man met enorme oren. Matt keek hoe ze hem een envelop gaf en voegde zich bij haar toen ze naar haar plaats liep.

'Op die manier hoeven we niet door de douane,' schreeuw- de Rachel in zijn oor.

'Ik mag jouw stijl wel.'

Haar amandelvormige ogen stonden verdedigend. 'Ik hoop dat je klaar bent voor een nieuw avontuur.'

'Altijd.'

'We zouden voor zonsondergang in Muynoq moeten kun- nen landen.'

Rachel bracht het eerste uur door met het lezen van *The Bookseller of Kabul*, terwijl Matt wegdommelde. Opnieuw droomde hij dat hij in een commercieel vliegtuig laag over een nachtelijke stad vloog, waarbij hij vaardig boomtoppen, ge- bouwen en hoogspanningsmasten ontweek. Toen hij zich re- aliseerde wat voor enorme risico's hij aan het nemen was, werd hij met een schok wakker.

Nooit in paniek raken! Beheers je! Hij schold zichzelf uit, omdat hij zich herinnerde dat hij mensen door paniek had zien veranderen in wrede, niet-nadenkende dieren – een massa pro- testerende boeren in Bolivia die hun eigen kinderen vertrapten; Amerikaanse mariniers in Guam die elkaar te lijf gingen bij hun poging om uit een brandend filmtheater te komen.

Rachel, die half zat te slapen aan de andere kant van het gangpad, glimlachte raadselachtig door halfopen ogen. Hij boog zich naar haar toe en hielp haar de rode deken tot aan haar kin omhoog te trekken. Onder hen zag hij een eindeloos ruw bruin landschap met slechts af en toe een boom, weg of ander teken van leven.

Waarom hem dat deed denken aan het voetbalkamp in Quantico High School in Virginia, wist hij niet. Zo helder als- of het gisteren gebeurd was, zag hij zijn moeder voor zich in de keuken, uien schillend en kletsend met zijn zus. Door het doorgeefluik zag hij zijn vader kwaad naar de tv zitten staren.

De herinnering was levendig. Zestien jaar oud stond hij daar te kijken naar zijn noppen en zijn modderige broek.

Zijn moeder hield hem tegen: 'Ga daar niet naar binnen.'

'Ik wil papa vertellen over de wedstrijd van vrijdag.'

'Hij is bezig, schat.'

'Het is een avondwedstrijd tegen de Crusaders.'

'Hij is moe. Laat hem met rust.'

Het gevoel van eenzaamheid, woede en falen drong in zijn hart naar binnen en zonk in zijn botten. Het hinderde hem dat zijn moeder zijn vader beschermde, hoewel ze toegaf dat hij haar in de steek liet.

'Waarom komt papa nooit naar wedstrijden kijken?' had hij zijn moeder gevraagd.

'Omdat hij weet dat hij zich rot voelt als je verliest.'

Wat Matt ook probeerde of hoe hij zijn ouders ook benaderde, hij leek het altijd verkeerd te doen – tijdens zijn hele middelbareschooltijd, toen hij voortdurend in de problemen kwam wegens het vernielen van frisdrankapparaten, het aanzetten van de brandblussers op school, spijbelen, tot laat in de avond wegblijven met zijn vrienden, waarbij ze dronken werden van goedkope wijn; toen hij ging voetballen in plaats van basketballen, de sport waar zijn ouders het meest van hielden; toen hij een vakantiebaantje nam bij een plaatselijk verpleegtehuis en tien dollar per uur verdiende, in plaats van gratis voor zijn vader te werken.

Ze gaven hem het gevoel dat hij een slecht kind was. Andere ouders waarschuwden hun zoons en dochters dat ze bij hem uit de buurt moesten blijven. Ja, hij had stomme dingen gedaan als hij dronken was, zoals die keer toen hij om 2 uur 's nachts bij het huis van zijn vriendinnetje op de voordeur had geklopt en haar vader hem had weggejaagd met een geweer. Op een oudejaarsavond had hij zoveel gedronken dat hij een dag lang een black-out had en slapend werd gevonden bij de Rapidan-rivier.

Dat was een van de weinige keren dat hij de aandacht van zijn vader getrokken had. Matt herinnerde zich dat hij bij zijn bed stond met het litteken op zijn neus en zijn volle kop haar achterover geborsteld, en zei: 'Dit keer heb je het helemaal gedaan.'

'Wat heb ik gedaan?'

'Bewezen dat je een stommeling bent, met al twee slagen uit,' legde zijn vader uit. 'Voeg daar een derde uit aan toe en dan word je net als ik.'

'Wat houdt dat in?'

'Dat houdt in dat ik ook jong ben geweest en dacht dat ik iets was.'

'Ik *ben* iets.'

'Iets wat ongeveer net zo slim is als een baksteen.'

'Je zult nog wat zien.'

'Ik *ben* het al aan het zien. Dat is het probleem.' Hij was een goed uitziende man, ondanks zijn afgebroken tand, die te zien was als hij glimlachte. 'Het zou kunnen zijn dat ik weet hoe het afloopt.'

Matt was in een lastige situatie terechtgekomen, waarin hij nergens heen kon met zijn frustratie. Hij nam het zijn moeder niet kwalijk dat ze dronk en neurotisch was. 'Ik ben overal vreselijk bang voor,' had ze hem gezegd op een zeldzaam rustig moment. 'Je vader was de best uitziende, gladst pratende man die ik ooit had ontmoet. Ik dacht dat hij de tijger bij de staart had.'

'Ik zal u beschermen.'

'Ik maak me zorgen om je, Matt,' zei ze, voordat ze terugkeerde naar haar eeuwige geklets over buren, tv-programma's, het weer, het nieuwste Hollywood-schandaal, de prijs van de melk, et cetera, waarmee ze haar angsten kon bezweren.

Hij kon niet wachten tot hij uit Quantico weg was en hield er niet van om terug te kijken. Maar een deel van hem was nooit weggegaan. Onder zijn harde, zwaar getrainde uiterlijk schuilde een jongen die geprogrammeerd was om te verwachten dat hij zou falen.

Om de een of andere reden kwam hij tevoorschijn als Matt vloog en uitkeek over de langsglijdende wolken. Zijn vader had ervan gedroomd piloot te worden. *Moet een verband zijn*, dacht Matt.

Hij kon nu niets met die jongen. *Er staat te veel op het spel om aan mezelf te twijfelen of mijn concentratie te verliezen.* Dus deed hij iets waarvan hij zich niet kon herinneren dat hij het gedaan had sinds zijn grootmoeder ziek werd. Hij bad.

'Alstublieft God, help me. Houd me sterk. Help me die aanslag te voorkomen.'

In de diepten van zijn ziel hoopte Matt nog altijd dat, als hij de mensen liet zien dat hij een goed iemand was en hun lof waardig, de stem van zijn vader in zijn hoofd en alle negatieve stempels die daarmee vergezeld gingen, zou verstommen.

Uit zijn ooghoek zag hij iets wat hem deed knipperen en nog eens kijken. Het was een vrachtschip dat in het zand lag. *Vreemd.* Toen zag hij een grote vissersboot, en nog een. Hij telde er achttien of twintig, als grafstenen.

'Waar is het water?' vroeg hij, terwijl hij zijn nek naar rechts boog. Het Aralmeer was nog een goede zestig tot vijfenzeventig kilometer verderop.

Een van de Oezbeekse piloten wees op een groot, zeilvormig stalen bouwwerk, dat de voormalige haven aangaf. 'Monument van de Grote Oorlog,' riep hij sarcastisch in het Russisch.

Rachel verklaarde, met haar donkere ogen vlak boven de deken uit: 'Het Aralmeer was ooit de op drie na grootste binnenzee ter wereld. Nu is er zo'n zestig of zeventig procent daarvan verdwenen. De Sovjets hebben twee grote kanalen gegraven in een poging om de woestijn te irrigeren, en rijst en katoen te verbouwen. Dat was de vernietiging van Muynoq, ooit een welvarende vissershaven, en het veroorzaakte een ecologische ramp. Ongeveer twintig van de vierentwintig soorten vis zijn verdwenen. Er is een dertigvoudige toename van gevallen van chronische bronchitis, tyfus en kanker.'

'Fijn.'

De Cessna vloog over bouwvallige schuren en verlaten betonnen gebouwen. Muynoq leek op sterven na dood te zijn.

Alan Beckmans geest was afgestompt na anderhalve dag eindeloos vergaderen bij de Nationale Veiligheidsraad, het ministerie van Buitenlandse Zaken, de CIA en het Pentagon. Steeds waren dezelfde vragen en argumenten opnieuw aan bod gekomen. Is Kourani wie hij zegt dat hij is? Wat waren zijn motieven? Is de dreiging reëel? Wat zijn de waarschijnlijke doelen?

Hoe kunnen we ons het beste verdedigen? Hebben andere bronnen de mogelijke aanval van Al Qaida bevestigd?

Alan had elke vraag geduldig beantwoord. Ja, Kourani is de tweede man van de Qods-strijdkrachten. Hij drukte zijn bezorgdheid uit over een mogelijke uitbraak van een oorlog in het Midden-Oosten en het welzijn van zijn gezin. Op basis van wat we tot dusver ontdekt hebben in Qatar geloven we dat hij de waarheid spreekt. Kourani heeft gewaarschuwd voor een aanval op middelgrote Amerikaanse steden. Er zijn speciale FBI-teams ingezet; plaatselijke autoriteiten zijn in de hoogste staat van paraatheid gebracht; de modernste opsporingsapparaten zijn ingezet en dag en nacht operationeel. Nee, we zijn nog niet in staat geweest om de aanslag te bevestigen vanuit andere bronnen, maar het past in een patroon van aanslagen waarvan we weten dat Al Qaida die heeft voorbereid.

Hij had met afgrijzen geluisterd toen experts van NCTS het destructieve potentieel uitlegden van verschillende nucleaire, chemische en biologische stoffen, waaronder sarin-gas, ricine, *dirty bombs*, antrax, brucellosis, kwade droes, tularemie en *melioidosis*, plus virale dreigingen als pokken, het ebolavirus en Boliviaanse bloederziekte. Hij hoorde dat een raket gevuld met honderd kilogram antrax-sporen onder de juiste atmosferische omstandigheden wel drie miljoen mensen kan doden.

Gebaseerd op het feit dat de Irakezen tijdens de heerschappij van Saddam Hoessein twaalf ton als wapen inzetbare antrax hadden geproduceerd en opgeslagen – informatie die vergaard was in veroverde Al Qaida-kampen in Afghanistan en Pakistan – en op Kourani's mogelijke contact met Juma Khuseinov, concludeerden NCTS-analisten dat antrax een potentieel wapen was. Daar was Alan Beckman het mee eens.

Het enige wat hij nu wilde, was teruggaan naar Athene en ervoor zorgen dat zijn mensen alle steun kregen die ze nodig hadden.

Terwijl hij zijn aktetas aan het inpakken was, verscheen Jaspers adjudant Shelly bij de deur en zei: 'De generaal wil u spreken.'

'Prima, maar mijn vliegtuig vertrekt over een halfuur vanaf Andrews.'

Generaal Jasper wilde ook weg uit het kantoor. Het was 22.35 uur; ze had vreselijke last van haar rug; haar echtgenoot lag in bed met bronchitis; en hun dochter, die net begonnen was met haar eerste semester op Johns Hopkins Medical School, had hulp nodig. Maar Stan Lescher, de directeur van de Nationale Veiligheidsraad, had er sterk op aangedrongen dat ze eerst nog met iemand van Human Rights International zou praten.

Tamara Hall, een korte, zwarte vrouw die lid was van de public relationsstaf van het Witte Huis, zat naast een lange Noorse vertegenwoordiger van HRI, genaamd Oluf Brunner, toen Beckman en Jasper de van eiken lambrisering voorziene vergaderzaal binnenkwamen.

Brunner, die met een zwaar accent sprak, kwam meteen ter zake. 'Onze vertegenwoordigers in Afghanistan zijn naar Khost gereden en hebben een verontrustend rapport opgesteld over wat er met de gevangenis is gebeurd.'

'Wij stellen het op prijs dat u die informatie met ons deelt,' zei generaal Jasper gladjes, 'voordat u die aan de pers vrijgeeft.'

'Onze vertegenwoordigers hebben drie overlevende gevangenismedewerkers gesproken,' vervolgde Brunner. 'Tot dusver hebben ze honderdveertig dode gevangenen geteld.'

'Zoveel?' Jasper keek bezorgd.

Alan voelde waar dit heen ging en greep in. 'Hebben de bewakers u verteld dat het de taliban waren die het wapenarsenaal hebben opgeblazen?'

'Inderdaad,' wierp Tamara Hall tegen, 'maar ik ben bang dat het wat gecompliceerder ligt.'

'Hoezo?'

Iedereen stopte toen Shelly binnenkwam, meteen doorliep naar generaal Jasper aan het hoofd van de tafel, en zonder zelfs maar 'neem me niet kwalijk' te zeggen in haar oor fluisterde. Ze had zojuist een spoedrapport van de NSA ontvangen over een elektronische onderschepping uit Bahrein die verwees naar de aanstaande Al Qaida-aanslag.

'Zo een krijgen we elke week,' fluisterde Jasper terug. 'Waarom is deze anders?'

'Ik weet het niet.'

'Zoek het uit.'

Shelly vertrok op dezelfde manier waarop ze binnen was gekomen, en alle ogen werden gericht op Brunner, wiens grote oren dieprood waren gekleurd.

'Generaal, zoals u weet, nemen we deze dingen erg serieus,' zei de Noor met stemverheffing. 'Ik ben hier niet om iemand aan te klagen, maar alleen om te delen wat we hebben ontdekt.'

'Dat waarderen we.'

'Onze mensen zijn bijzonder grondig te werk gegaan. Ze hebben de bewakers gevraagd: hoe verklaart u dat er zoveel gevangenen in hun cellen waren opgesloten? Heeft niemand eraan gedacht de gevangenen eruit te laten, zodat ze niet op een gruwelijke manier om het leven zouden komen? En de bewakers antwoordden: We hebben eraan gedacht hen eruit te laten, maar we kregen orders van een Amerikaanse gezagsdrager dat niet te doen.'

Generaal Jasper vouwde haar handen voor zich. 'Welke Amerikaanse gezagsdrager was dat?'

'Dezelfde die moellah Zadeh heeft vrijgelaten. Een lange donkerharige man in burgerkleding, die daar was met een vertaler, weerstand bood aan de taliban en kort na de aankomst van de Amerikaanse strijdkrachten vertrok.'

Alan Beckman kon niet zwijgen. 'Gaat u er nu niet van uit dat deze Amerikaan wist dat de aanval van de taliban op de gevangenis zou gaan plaatsvinden?'

'Dat is een goede vraag,' voegde Jasper daaraan toe.

De stem van Oluf Brunner werd dieper en kreeg meer autoriteit. 'Zoals ik al zei, ik ben hier niet om iemand te beschuldigen. Wij zullen simpelweg een voorlopig rapport uitbrengen en daar later een vervolg aan geven.'

Generaal Jasper wendde zich tot de jonge Tamara Hall. 'Ik neem aan dat u het rapport hebt gelezen.'

'Dat is correct.'

'Als ik zo bot mag zijn, hoe karakteriseert het de acties van de Amerikaan?'

Brunner antwoordde snel: 'Slim op een sinistere manier.'

Beckman stoorde zich aan Brunners veroordelende toon. 'Wat houdt dat in?'

'We laten de feiten voor zichzelf spreken.'

Alan was woest. 'Welke feiten?'

Brunner rechtte zijn schouders. 'Deze Amerikaanse gezagsdrager staat toe dat er een aanval van de taliban op de gevangenis plaatsvindt, waardoor bijna alle taliban-gevangenen worden gedood, en roept vervolgens het Amerikaanse leger te hulp om de aanvallers te vernietigen. Vanuit uw standpunt is dat, denk ik, een perfecte operatie. Toch?'

10

13 september

De man aan het stuur van de Lada Samara uit 1982 met de mond vol zilveren tanden leverde in het Russisch een constante stroom van commentaar, terwijl hij door de verlaten, stoffige straten van Muynoq reed. De lucht om hen heen had een onaangename oranje-grijze tint. Ergens door de dikke schemering ging de zon onder. 'Daar gingen de technici altijd naartoe om te gokken, drinken en jonge meisjes te ontmoeten,' zei de chauffeur, wijzend op een grijs cementen bouwwerk.

De satelliettelefoon hoestte een geluid op. Rachel antwoordde en gaf de hoorn door aan Matt. 'Voor jou.'

Het was Alan Beckman, die belde vanuit Washington. 'Dit is geen goed moment,' legde Matt uit. 'Ik ben niet alleen.' Hij wist niet voor wie de chauffeur misschien werkte en hoeveel Engels hij verstond.

'Eén vraag maar. Heb jij de bewakers van de gevangenis in Khost orders gegeven de gevangenen opgesloten te laten?' vroeg Alan.

'Absoluut niet.'

'Denk je dat de aanwezigheid van jou en de Hazara's er op de een of andere manier toe geleid heeft dat de taliban aanviel?'

'Kom op, Alan, hoe zou ik dat moeten weten?'

'We proberen alleen de volgorde te begrijpen.'

'Ik bel je later terug.'

Matt had er gruwelijk de pest over in dat het hoofdkwartier meer geïnteresseerd leek in taliban-slachtoffers in Khost dan in zijn missie.

Rachel zag de ergernis op zijn gezicht. 'Gaat het?' vroeg ze.

'Al dat gezeik van die bureaucraten.'

Buiten leek alles kapot en verlaten. Een paar ongezond ogende mensen leken in slow motion te lopen, met hangende hoofden, starend naar hun voeten. Matt zag twee kinderen een kar voorttrekken die gevuld was met grote tonnen.

'Water,' legde Rachel uit. 'De enige zogenaamd veilige aanvoer komt uit dertig bronnen die door de stad verspreid zijn.'

Terwijl Matt zich zat op te winden, stuurde de zwaarlijvige chauffeur met één hand; de andere gebruikte hij als hulp bij het vertellen van een grap. 'Grootvader, is het waar dat er in 1986 een ongeluk was bij de kerncentrale van Tsjernobyl?'

Zijn stem werd dieper. '"Ja, o ja, kleinzoon." En hij klopte de jongen op zijn hoofd.'

'Grootvader, is het waar dat het totaal geen gevolgen heeft gehad?'

'"Ja, totaal niet." En hij klopte zijn kleinzoon op zijn tweede hoofd. En ze liepen allebei verder, zwaaiend met hun staarten.'

Ze stopten bij wat de lobby van een voormalig hotel leek voor een maaltijd die bestond uit stoofpot, rijst, Coca-Cola en als toetje oude appels. 'Laat je eten niet op de grond vallen,' waarschuwde de chauffeur. 'Er zijn al twee katten doodgegaan.' Rachel belde alvast met de plaatselijke politiecommandant, die beloofde dat hij zou wachten tot ze er waren.

De chauffeur met de zilveren mond had ook een grap over politiemensen. 'Weet je waarom ze bij de politie altijd met z'n drieën reizen? De een kan lezen. De ander kan schrijven en de derde is er om die twee slimmeriken in de gaten te houden.'

Het was pikdonker toen de gedeukte personenauto parkeerde voor een wit betonnen gebouw dat verlicht werd met natriumlampen. Een man met overgewicht in een gekreukeld uniform stond buiten te wachten en rookte een sigaret. Hij begeleidde hen langs houten bureaus en stapels dossiers, met een 9mm Makarov-pistool op zijn heup. Matt zag geen enkele computer.

Ze gingen naar een kantoor met grote leunstoelen en een langere, magerder man in een blauw pak, die opstond en hen de hand schudde. Hij vroeg een aantal documenten die Rachel niet had. Ze toonde hem in plaats daarvan haar diplomatieke paspoort.

'Is dat alles?' vroeg hij scherp.

'Ik kan iemand bellen op het ministerie van Binnenlandse Zaken, als dat nodig is.'

Hij hield zijn hand op en glimlachte met een rij kapotte tanden. 'Hoe kan ik u helpen?'

Ondanks die gebitsproblemen vond Matt hem ijdel. Rachel vroeg de commandant naar het voertuig dat op 14 juli kapot was gegaan.

De donkerharige Rus trok een dunne wenkbrauw omhoog. Hij wist er alles van, zei hij, en hij had zelfs een rapport ingediend bij het hoofdkwartier van Binnenlandse Veiligheid in Tasjkent.

'Waarom een rapport over een kapot voertuig?'

'Omdat het betrokken was bij smokkel,' zei de politiecommandant.

'Wat voor soort smokkel?' vroeg Matt. Zijn Russisch kwam terug.

De commandant antwoordde: 'Ik weet het niet. Maar het voertuig is het verdroogde meer overgestoken en naar Vozrozhdeniye gegaan.'

Bij het horen van Vozrozhdeniye ging Rachel rechtop zitten.

'De bandensporen waren duidelijk, toen wij ze zagen.' Hij nam de tijd om nog een Camel Light op te steken, waarvan Matt vermoedde dat die ofwel in beslag genomen smokkelwaar ofwel nep was. 'De getuige bracht ons erheen.'

'Wie?'

De commandant blies een stroom rook naar het plafond en vervolgde: 'We hoorden van die man dat een open vrachtwagen met houten zijplaten reed, om ervoor te zorgen dat die mannen door verschillende sectoren konden rijden met zacht zand.'

'Waren die mannen Iraniërs?'

'Drie Iraniërs, één Rus.'

'Weet u hun namen?'

'Nee.'

'Kan een van hen Juma Khuseinov geweest zijn?'

De commandant keek verward. 'Dat is een Oezbeek. Waarom zou hij hierbij betrokken zijn?'

'We denken dat hij met een Iraniër gesproken kan hebben in Kabul.'

'Het enige wat ik weet, is dat het hen vijf uur gekost heeft om over te steken. Ze hebben een inheemse man betaald om bij de twee voertuigen te wachten, terwijl vier man er te voet heen gingen.'

'Dat gebeurde toen ze bij Vozrozhdeniye aankwamen?'

'Ja.'

Rachel wendde zich tot Matt en legde uit in het Engels: 'Het eiland is geen eiland meer, omdat het water zo ver is teruggetrokken.'

De commandant knikte alsof hij het begreep en vervolgde toen: 'Ze zijn een volle dag weg geweest en kwamen toen weer terug met volle rugzakken en verschillende grote nylon tassen. Een van de mannen die met hen meeging, was een Rus. Hij heeft de inheemse man goed betaald om zijn mond te houden, omdat hij zei dat ze heroïne hadden opgehaald die verzegeld en begraven was.'

'Geloofde de inheemse man hem?'

'Yefim wist het niet. Het is waar dat we veel heroïne en opium hebben, die uit Afghanistan is gesmokkeld.'

'Kunt u die man, Yefim, met ons terug laten gaan naar het eiland?' vroeg Matt.

De commandant verslikte zich in zijn sigarettenrook. 'Waarom zou u dat in godsnaam willen doen?'

'Omdat...' Matt stopte.

'Ik kan Binnenlandse Veiligheid vragen of we toestemming nodig hebben,' sprong Rachel bij.

'Vozrozhdeniye is afgegrendeld. Niemand kan erin komen.'

Rachel belde Binnenlandse Veiligheid om regelingen te treffen. Twintig minuten later, toen ze het gebouw verlieten, schudde ze haar hoofd. 'Daar was ik al bang voor,' zei ze tegen Matt.

'Waarvoor?'

'Vozrozhdeniye, ook bekend als Rebirth Island, heet in vertaling "Plaats van Duisternis". Dat eiland was in de jaren tachtig en de vroege jaren negentig het primaire testgebied van Sovjet Biopreparat. Tienduizenden konijnen, cavia's en apen zijn er ingevoerd en zijn daar een gruwelijke dood gestorven.'

'Wat hebben ze getest?'

'Als wapens inzetbare antrax, de pest, tularemie, Boliviaanse bloederziekte, pokken, kwade droes, alles. Toen de Sovjet-Unie ineenstortte, werd het eiland geëvacueerd. Zeven jaar geleden hebben we er met steun van de Oezbeken en de Kazachen teams naartoe gestuurd om het schoon te maken. Bij het boren in sommige van de gaten kwamen ze antrax-sporen tegen. We hebben er tonnen ongebluste kalk heengebracht om te doden wat er gevonden was. Daarna gingen onze teams weg. We weten dat ze niet alles hebben kunnen doen.'

'Dat klinkt niet goed.'

'En daarom heb ik die chemische pakken meegenomen.'

'Begrepen.'

Als Rachel haar voorhoofd fronste, zag ze er kwetsbaarder uit. 'Maar er zijn twee problemen. Allereerst staan de voorschriften van de Amerikaanse regering alleen toe dat technische experts van MASINT [Measurement and Signature Intelligence] met een Niveau C-uitrusting het eiland op gaan. Tegen de tijd dat we toestemming van Washington vragen, een team hebben samengesteld, de teamleden hun visa hebben en zijn afgereisd, hebben we het over drie, misschien vier dagen.'

'Zoveel tijd hebben we niet,' zei Matt. 'Bovendien stel ik voor dat we niet meer alarmbellen laten rinkelen voordat we iets concreets hebben.'

'Mee eens. Ik stuur niets door voordat we harde info hebben.'

Hij mocht haar steeds meer. 'Wat is het tweede probleem?' vroeg Matt. 'Je zei dat er twee waren.'

Rachel haalde diep adem, terwijl ze de dikke duisternis in stapten. 'De Oezbeken hebben ons geen toestemming gegeven. Het gaat me een dag of twee kosten om de juiste mensen te bereiken.'

'Dan ga ik er alleen heen,' zei Matt.

'Slecht idee.'

Eenmaal weer in de auto, bood Matt de zwaarlijvige chauffeur vijftig dollar als hij hen naar een man kon brengen die Yefim heette. De chauffeur vroeg Rachel uit te leggen wie die man was. Hij luisterde en stak daarna twee vingers op voor Matts gezicht. 'Twee!'

'Twee wat?'

'Tweehonderd.'

Matt telde het geld uit. Toen keken Rachel en hij toe hoe de chauffeur naar de geüniformeerde politieman kuierde, die weer een sigaret aan het roken was onder de natriumlamp. Samen liepen de twee zware mannen het politiebureau binnen.

'Ik ben niet erg dol op je vriend Kourani,' mompelde Rachel zachtjes op de achterbank.

'Ik ook niet.'

Vijf minuten later, toen de chauffeur terugkwam, weerkaatste het licht van de straatlantaarns op het zilver in zijn mond.

'Ik geloof dat we beet hebben,' zei Matt.

'Vozrozhdeniye,' huiverde Rachel. 'Dood...'

Alan Beckmans gedachten tuimelden door zijn hoofd terwijl de Gulfstream met mach .85 door de lucht boven de Atlantische Oceaan kliefde. Hij schoof de half opgegeten kalkoensandwich opzij en deed wat hij dacht dat iedere zichzelf respecterende man zou doen onder de omstandigheden: hij schreef zijn ontslagbrief. Eenmaal volkomen tevreden over de toon en taal ervan, repeteerde hij de woorden die hij zou gebruiken om het nieuws aan Celia te brengen, waarbij hij zich voorstelde wat haar argumenten waren en hoe hij die zou weerspreken.

Nadat hij veertig minuten lang de voors en tegens in zijn hoofd had laten afspelen, realiseerde Beckman zich dat hij helemaal geen ontslag wilde nemen. Dus ging hij achteroverzitten en dacht hij na over de tumultueuze gebeurtenissen van de voorafgaande twaalf uur.

Centraal daarin stonden diverse gesprekken met Matt, één vanuit de Amerikaanse ambassade in Tasjkent en een tweede, kortere, vanuit Muynoq. Matt had vragen beantwoord over de aanval op de gevangenis en over details van zijn zoektocht.

Matt benadrukte twee dingen: ten eerste de ontdekking dat Kourani geprobeerd had in contact te komen met Juma Khuseinov, een bekende terrorist die een poging ondernomen kon hebben om een biologisch wapen in handen te krijgen. Maar Matt had geen bewijzen geleverd dat Kourani daadwerkelijk met Khuseinov gesproken had, en de dossiers van de NCTS karakteriseerden de Oezbeek als 'een hoogst onbetrouwbare crimineel van een laag niveau'.

Matts tweede punt had betrekking op de man die Kourani naar Tasjkent had vergezeld en die blijkbaar gestorven was tijdens die reis: Amin Kasemloo. Alan rapporteerde dat noch de CIA en de FBI, noch de NSA zijn naam ooit gehoord hadden.

Matt had zijn baas nog meer eisen gesteld: 'Zeg hun dat ze beter zoeken. Misschien gebruikte hij een schuilnaam.'

Alan probeerde uit te leggen dat Washington vooral bezig was met de verdediging van het land tegen de komende aanslag.

'Zeg ze maar dat Kasemloo wel eens cruciaal zou kunnen zijn!'

'Dat zal ik doen.' Matt kon bijzonder lastig zijn.

Na beide gesprekken had Alan verslag uitgebracht aan Shelly en generaal Jasper, wier vertrouwen in Freed met de seconde scheen te verminderen. Daardoor werden de vragen die aan Alan gesteld werden steeds agressiever en, volgens Alan, buitensporiger.

'Was Freed gewapend toen hij de gevangenis in ging?'

'Dat geloof ik wel, ja.'

'Waarom?'

'SOP.' [Standard Operating Procedure – standaard handelingsprocedure]

'Dus dan wist hij dat de taliban zouden gaan aanvallen.'

'Nee. Hem was verteld dat er voortdurend gevochten werd in die regio.'

'Maar hij ging toch.'

'Hij was op zoek naar de moellah. Waarom zou hij die gevangenis in zijn gegaan, als hij wist dat die zou worden aangevallen?'

'Dat is een vraag die hoognodig beantwoord dient te worden.'

'Zoals ik al zei: Freed ging met een specifiek doel naar die gevangenis. Hij wist dat er gevaar was, maar het belang dat hij in de moellah stelde woog zwaarder.'

'Waarom wilde hij die moellah?'

'Omdat moellah Zadehs zoon Kourani een paar maanden geleden met de moellah bij de moskee had gezien.'

Shelly zei: 'Dat klinkt zwak.'

Ze wist Alan steeds vreselijk te irriteren. 'Kijk,' legde hij uit, 'zo werkt het verzamelen van informatie. Je volgt een spoor en kijkt waar het je heen brengt. Je hebt te maken met een proces van gevolgtrekkingen en deducties. Het is nooit een rechte lijn van A naar B.'

'Bespaar ons een lezing.'

Generaal Jasper schraapte haar keel. 'Weet je of hij persoonlijk een van de gevangenen gedood of verwond heeft?'

'Ik kan me niet voorstellen dat hij dat gedaan heeft.'

'We worden geslacht, Alan, we moeten grondig zijn. Begrijp je dat niet?'

Hij begreep dat generaal Jasper, de rest van de veiligheidsdiensten en het Witte Huis zich meer zorgen maakten over de verschijning van het rapport van Human Rights International dan over het vinden van meer informatie over Kourani en diens activiteiten. Hun bezorgdheid was nog meer aangewakkerd door een voorpaginaverhaal in de *Washington Post* van die morgen: 'Mensenrechtenactivisten wijzen op verdachte activiteiten van Amerikaanse veiligheidsagent bij Afghaanse gevangenisopstand.'

Dertienduizend meter boven de Atlantische Oceaan was Alan nog aan het bijkomen van een uitbrander van Shelly, die hem verweet 'dat hij de controle over zijn staf verloor' en 'dat hij de regering in een chaos stortte'.

Nadat hij zich door haar 'incompetent' en 'gevaarlijk' had horen noemen, was hij het hoofdkwartier van NCTS uit gestormd en had een taxi genomen naar Andrews Air Force Base. Van daaraf had hij generaal Jasper gebeld, die aangaf dat de controverse leek over te waaien.

Ze zei: 'Ik denk dat we goed zitten.'

Ze waren het allebei eens over wat hij 'onder deze omstandigheden' het beste kon doen: teruggaan naar Athene.

Het kon hem niet snel genoeg gaan.

11

14 september

Rachel trok de geruite sjaal, die ze om haar mond had gewikkeld, naar beneden en gaf de chauffeur opdracht langzamer te rijden.

Yefim was een kleine, vijfenvijftigjarige Oezbeek met zenuwschade aan de linkerkant van zijn gezicht. Eén oog was vergeeld en zag eruit alsof het niet meer werkte.

'Niet zo snel,' schreeuwde ze boven de motor van de jeep uit.

Eindelijk kwamen haar woorden door en haalde hij zijn voet van het gaspedaal, zodat de jeep niet meer zo heftig stuiterde en bonkte.

'Goed!' zei ze tegen Matt. 'Nu word ik niet misselijk.'

De zon ranselde het kale landschap en klom langzaam omhoog in de bleekblauwe lucht. Ze reden langs nog meer verroeste treilers, als monumenten van een ander tijdperk. Hardplastic dozen en rugzakken vlogen achterin op en neer wanneer de jeep over een lichte verhoging sprong of neerkwam op hard samengepakt zand.

Ze volgden een onbestrate weg in westelijke richting langs wat vroeger de kustlijn was geweest. Matt gebruikte de tijd om zich de oefeningen met chemische pakken weer voor de geest te halen, waaraan hij had meegedaan tijdens de Eerste Golfoorlog.

Ze moesten twee keer stoppen en planken neerleggen, zodat de jeep over stukken met los zand heen kon rijden. Toen kwamen ze vast te zitten en moesten ze bijna een uur lang graven en duwen.

Tegen de tijd dat de jeep weer verderging, waren ze bedekt met zweet.

'Leuk, vind je niet?' vroeg Rachel, terwijl ze haar kaki shirt losknoopte en zichzelf koelte toewuifde. Matt probeerde zich de zachtheid van haar huid niet voor te stellen.

Haar gezicht deed hem een beetje denken aan dat van een adelaar – scherpe donkere ogen, altijd alert, klaar om de volgende uitdaging aan te gaan.

Nog eens vijftien minuten verder zag hij blauwgroen water aan hun rechterkant. 'Dat is de landengte,' schreeuwde Rachel. 'Verscheen twee jaar geleden tijdens een volle maan en is sindsdien steeds groter geworden.'

Yefim maakte een ruime bocht naar rechts en stopte bij een poort die vastzat aan hekken met prikkeldraad. Borden in het Russisch, Frans en Engels waarschuwden dat de toegang verboden was en dat alle overtreders dood door besmetting riskeerden.

Het houten wachthokje was leeg. Yefim gebruikte een zakmes om het slot open te maken.

'Dit was allemaal onder controle van de Sovjets,' zei Yefim aan de andere kant. Ze reden over een enorme laag grijs slib, die aan het eiland plakte. 'Oezbeken mochten hier nooit komen.'

Matt ademde het mengsel van zout en chemicaliën in, dat omhoogkwam uit wat er nog over was van het meer en keek uit over de verlatenheid. Daarbij kon hij het zich moeilijk voorstellen dat de planeet waarop ze stonden het leven van zesenhalf miljard mensen mogelijk maakte.

Na veertig minuten langzaam voortrijden door lagen slib, kwamen ze aan bij het rotsachtiger, oudere gedeelte van het eiland Vozrozhdeniye. Meteen zette Yefim de auto stil en keek achterom. Hij droeg een vuile spijkerbroek en een camouflagesjaal om zijn nek.

'Wat zie je?' vroeg Rachel in het Russisch.

Hij wees op een stofwolkje, kilometers achter hen, dat achter een richel verdween. Met zijn half verlamde gezicht gericht op een plateau dat enkele honderden meters oostelijker lag, sprak hij in het Oezbeeks.

'Yefim zegt dat ze eerst tussen de gebouwen door reden, die

verder noordelijk liggen. En uiteindelijk daar gegraven hebben,' vertaalde Rachel.

Matt zei: 'Ik denk dat we hun sporen moeten volgen.'

'Mee eens.'

Ze volgden een ongebruikte weg van asfalt, die naar het noorden slingerde. 'Het hoofdkwartier en de barakken die gebruikt werden door het Vijftiende Directoraat van het Rode Leger boden onderdak aan soms wel achthonderd wetenschappers tijdens de piekperioden van de tests, van april tot augustus,' legde Rachel uit.

'Wanneer is het dichtgegaan?'

'1988,' antwoordde ze met een frons. 'Slik met antrax of andere pathogenen werd hier met vrachtwagens heen gebracht vanuit Sverdlovsk of Irkoetsk, om hier ontsmet en begraven te worden. Ze vermengden antrax-sporen met ongebluste kalk in roestvrijstalen containers van tweehonderdvijftig liter en begroeven die in putten.'

'Is het veilig?'

'Dat hangt ervan af hoe zorgvuldig je denkt dat ze zijn omgegaan met de pathogenen. Bedenk wel dat het de tijd was waarin de Sovjet-Unie uit elkaar viel.'

'Goed dat we die pakken hebben meegenomen.'

'Dit waren speciale soorten ziekteverwekkers, ontwikkeld voor militaire doeleinden, dus zijn ze resistent gemaakt tegen allerlei soorten antibiotica en omgevingsfactoren.'

Matt knikte. 'Ik dacht dat we hier hadden schoongemaakt.'

'Het ministerie van Defensie heeft vijf jaar geleden een groep specialisten gestuurd als onderdeel van een CTR [Cooperative Threat Reduction – gezamenlijke vermindering van bedreigende factoren] programma. Ze hebben miljoenen uitgegeven aan het ontmantelen van de apparatuur en hebben de grond doordrenkt met een speciale oplossing. Volgens hun rapport zijn er geen levensvatbare pathogenen meer aan de oppervlakte. Maar sommige, waaronder antrax, vormen sporen die honderden jaren in de grond kunnen leven.'

'Bestaat er een kunst die mooier, goddelijker en eeuwiger is dan het martelaarschap?' vroeg de man in het zwarte pak die naast hem stond, boven het geklater uit van de waterval in het midden van de moderne, rood-met-gouden lobby.

'Geen die ik kan bedenken,' antwoordde Kourani voorzichtig. Hoewel de man met de verschrikkelijke neus zei dat hij een Perzische zakenman was, die in het nabijgelegen Baden woonde, kon Kourani er niet zeker van zijn dat hij geen spion was die gestuurd was door de president of het ministerie van Informatie en Veiligheid. Als lid van de Qods-strijdmachten had hij reden tegenover allebei achterdochtig te zijn.

Terwijl de twee mannen naar de met spiegelwanden uitgevoerde lift toe liepen, speelde de 'Blauwe Donau'-wals in Moshen Kourani's hoofd. Dat was volkomen passend, gezien het feit dat hij in Wenen was, waar hij in het Marriott Hotel verbleef.

Het was gemakkelijk dat hetzelfde gebouw onderdak bood aan de Amerikaanse ambassade.

Laat het maar aan de Amerikanen over om een gebouw neer te zetten met een Mississippi-rivierboot als gevel, pal in het centrum van de elegante Ringstrasse in Wenen, dacht Kourani.

Hij hoefde maar te kijken naar de walgende uitdrukking op het gezicht van de man links van hem – de vliegeniersbril, de korte baard, de waakzame, schichtige ogen – en hij stelde zich voor dat hij diens hele leven kon lezen. Ze waren samen aangekomen met de Lufthansa-vlucht uit Istanbul. Kourani wist bij het eerste vleugje van 's mans eau de toilette met limoengeur dat hij hem niet kon vertrouwen.

'Geluk op je pad,' zei de zakenman als afscheidsgroet en liep naar de voordeur.

'Voor u ook.'

Kourani had gehoopt twee dagen rustig te kunnen doorbrengen voor de aankomst van de rest van de Iraanse delegatie, zodat hij zorg kon dragen voor allerlei lastminutedetails en zichzelf kon voorbereiden op de uitdaging die hem wachtte. Zijn ogen volgden de zogenaamde zakenman door de draaideur, langs een jong Amerikaans stel dat vanaf de balie van de conciërge naar hem leek te staan kijken. *Muren hebben muizen en muizen hebben oren.*

Eenmaal alleen in de lift, vulde Kourani zijn gedachten met herinneringen aan de beelden en geluiden van het Stadtpark, aan de overkant van de straat. Hij had veel plaatjes gevangen met zijn digitale camera en hoopte die naar zijn moeder te sturen – de Opera, de kathedraal van St. Stephanus, de bloemenklok en vooral het vergulde bronzen monument voor Johann Strauss II. De elegante blonde meisjes die flirtten met hun vriendjes terwijl de geluiden voorbijdreven van schoolkinderen die leerden viool te spelen, amuseerden hem. Zijn broer Hamid zou deze plek het paradijs hebben gevonden.

Een deel van Kourani wenste dat hij dat ook kon vinden. Maar hij was niet zo'n dromer als Hamid was geweest. En overal waar hij keek, zag hij valstrikken.

Ze hobbelden langs een primitieve landingsbaan, bedekt met dor bruin gras en naderden een zestal vervallen barakken die ooit gediend hadden als het wetenschappelijke hoofdkwartier voor Sovjet Biopreparat. Er was geen vogel te zien, alleen af en toe een hagedis. Warme winden die over de verlaten steppen kwamen aanwaaien, leverden af en toe een kort respijt van de hitte.

Er was ook niet veel te zien – kapotte apenkooien van plaatgaas met roestige sloten, stapels lege vergeelde notitieblokken met het logo van het Vijftiende Directoraat op het omslag, een oude vuilverbrandingsoven, een kerkhof vol grafstenen met onleesbare namen, beschadigd porselein en roestvrijstalen vaten. Alles was bedekt met roodachtig stof.

'Niets dan geesten,' zei Rachel.

De Oezbeekse gids, Yefim, legde uit dat de Iraniërs ook teleurgesteld hadden geleken.

'Hebben ze iets meegenomen?' vroeg Rachel.

'Niet hiervandaan.'

Yefim reed met een bocht terug zuidwaarts, parkeerde bij het plateau en keek onderzoekend naar het landschap in het zuiden. Rachel gebruikte haar verrekijker, terwijl Matt water dronk uit een fles.

'Zie je iets?' vroeg Matt.

'Ik denk dat we veilig zijn.' Rachel pakte haar rugzak. Matt pakte de zijne en de twee plastic dozen. Yefim merkte op dat de Iraniërs ook dozen bij zich hadden gehad.

Toen de Oezbeek tegen Rachel zei dat hij bij de jeep zou wachten, gaf ze hem een uitbrander in het Russisch.

'Denk je dat hij zal blijven?' vroeg Matt, terwijl ze de helling op begonnen te lopen, langs rotsen en verdorde struiken.

'Ik heb hem gezegd dat, als hij weggaat, ik hem zal opsporen en vermoorden.'

Vijftien minuten later, toen ze de top bereikten, werden ze begroet door een dikke, zurige stank, die hun magen deed omkeren.

'Een rottend dier,' kreunde Rachel.

Matt zag een rij putten van dertig centimeter doorsnee, die waren afgedekt met dode struiken. 'Iemand heeft hier gegraven. Kijk.'

'Recent, zou ik zeggen.'

'Daar lijkt het op.'

Rond de eerste put lag een tiental dode knaagdieren met lange zwarte haren, in verschillende stadia van ontbinding. Toen Matt zich eroverheen boog om ze beter te kunnen bekijken, schreeuwde Rachel: 'Blijf daar weg! Niet aanraken!'

'Dat was ik niet van plan,' reageerde Matt. 'Laten we teruggaan en de pakken aantrekken.'

Rachel verontschuldigde zich: 'Bacteriën en ziekten vind ik doodeng.'

Honderdvijftig meter verderop, bij de rand van het plateau, legden ze hun spullen neer. Matt keek hoe de lenige, fitte vrouw worstelde met haar pak. Het deed hem denken aan een scène uit *Barbarella*.

Matt stopte een paar plastic tassen uit de dozen in zijn zakken. Samen liepen ze hevig zwetend terug naar de putten. Toen ze er minder dan tien meter vandaan waren, hield Rachel hem staande.

'Ik kan beter een MASINT-team bellen.'

'Daar is geen tijd voor.'

Matt telde de ontbindende lijven van zevenentwintig knaagdieren. Er lagen er nog vijfentwintig in de bosjes.

'Gebruik de tassen,' zei Rachel, die zoekend rondkeek naar een bruikbare stok.

Twee keer probeerde hij stokken te gebruiken om de lijkjes in een plastic tas te stoppen en beide keren braken de lijfjes. Toen hij er eentje met de hand in wilde scheppen, schreeuwde Rachel: 'Niet doen! Er is een juiste manier om dat te doen. Ik zag een schep liggen in de jeep.'

'Dat zal niet gebeuren,' zei Matt door het pak heen. Het briesje was weg. Het kale plateau bood geen bescherming tegen de zon. Hij stond op het punt om weer neer te knielen, toen hij een gedempt schot hoorde.

'Wat was dat?' vroeg Rachel.

Er klonken nog drie schoten in de verte.

'Was Yefim gewapend?' vroeg Matt.

'Ik denk het niet.'

'Wacht jij hier,' zei Matt, die achteruit bij de put vandaan liep. 'Ik pak onze wapens.'

Terwijl de salvo's van een aantal automatische wapens vanaf de weg beneden naar omhoog echoden, zette Matt zijn masker af. Angst vlamde op in Rachels donkere ogen. Ze zei: 'We zijn gevolgd.'

'Ik zal kijken.'

Rennend naar de rand van het plateau, zag Matt Yefim op de grond liggen. Hij bloedde uit zijn borst. Twee mannen doorzochten de jeep vanbinnen. Toen een van hen zich omdraaide in de richting van het plateau, dook Matt weg.

Hij greep de rugzakken, de wapens en de satelliettelefoon en holde terug naar Rachel.

'Wat is de situatie?' vroeg ze, terwijl ze haar masker afdeed.

'Bel je adjudant op. Zeg hem dat we hulp nodig hebben om hiervandaan te komen.'

'Hij zit in Tasjkent. Hij zal een helikopter moeten inroepen.'

Matt ramde een magazijn in de Glock en zei: 'Wacht hier.' Hij sloop langs de zijkant van het plateau, om een beter zicht te krijgen. Zwaar hijgend, met zweet dat in het plastic pak overal uit zijn lichaam kwam, overzag hij de situatie in een oogopslag. Twee suv's stonden geparkeerd bij een grote uit-

loper van een rots aan de zuidkant. Vier mannen in burgerkleding, gewapend met geweren, begonnen de helling te be-
klimmen.

'Shit.'

Hij zei niets tegen Rachel, toen hij terugkeerde. Ze was nog
steeds aan het rommelen met de satelliettelefoon. 'Ik probeer
nog steeds een signaal te krijgen,' zei ze.

'Daar hebben we nu geen tijd voor,' antwoordde Matt, terwijl hij de maskers van Rachel en hemzelf in zijn rugzak stopte. 'Volg mij.'

Hij maakte een wijde boog om de putten heen en ging verder noordwaarts in de richting van de barakken. Ongeveer iedere vijftig meter stopte hij, zodat Rachel hem kon bijhouden.
Ze begon haar gele pak uit te trekken. 'Niet doen,' zei hij. 'Nog
niet.'

'Wat is er gebeurd?'

'Yefim is dood. Een groep mannen is ons gevolgd.'

'Hoeveel?'

'Ik heb er vier gezien in twee SUV's.'

Ze balde haar vuist. 'Wat gaan we nu doen?'

'Eerst wat afstand van ze nemen, dan Phil bellen.'

Haar mond begon te trillen. 'Ik zal hem nu bellen.'

Toen herinnerde Matt zich ineens: 'Ik ben de ratten vergeten!'

'Meneer Kourani?' vroeg de zoetgevooisde stem.

Hij keek op van het artikel over Brits voetbal. 'Ja?'

'Wilt u me volgen, alstublieft.' Ze was een korte blonde
vrouw met een aantrekkelijk gezicht. Witte blouse, strakke
blauwe rok, zwarte schoenen met hakken. 'Mijn naam is Pam
Lassiter,' zei ze, terwijl ze de deur achter zich dichtdeed.

Ze waren een klein, rechthoekig kantoor ingegaan met aan
de muur spectaculaire foto's van Amerikaanse vergezichten.

'Zijn die van u?' vroeg Kourani, wijzend op twee zonson-
dergangen boven gigantische rotspartijen.

'Ja, inderdaad. Die heb ik genomen in New Mexico en Utah.
Die aan de andere muur zijn van Half Dome, in Yosemite.'

'Schitterend,' zei Kourani. 'Ik houd van het Amerikaanse westen.'

'Ik ook. Dank u.' Ze had niet verwacht dat hij zo charmant zou zijn.

'U bent een getalenteerde vrouw. Waarom verspilt u uw tijd hier?'

'Ik beschouw het als een voorrecht mijn land te dienen.'

Hij waardeerde haar intelligentie ook. 'Erg goed antwoord.'

Kourani overhandigde haar zijn diplomatieke paspoort dat op naam stond van Fariel Golpaghani, en legde uit dat hij naar New York zou reizen als vijfde lid van een Iraanse regeringsdelegatie die naar de algemene vergadering van de Verenigde Naties ging.

'Ik zal de vluchtelingenkwesties behandelen,' zei hij.

Pam Lassiter, die in werkelijkheid een CIA-agente was, speelde mee. 'De heer Morgan heeft ons ervan op de hoogte gesteld dat we u konden verwachten.'

'Ik hoopte dat meneer Freed hier vandaag zou zijn.' Kourani gebruikte met opzet de echte naam van de NCTS-agent.

'Hij is op verlof bij zijn gezin.'

Kourani betwijfelde of dat waar was. Zijn agenten waren Freed vier dagen geleden in Kabul kwijtgeraakt. Het was hem niet duidelijk wat de man daar gedaan had.

'Meneer Morgan laat u groeten en is van plan u te ontmoeten in New York,' vervolgde de CIA-agente met het zonnige gezicht.

'Ja,' zei Kourani en vouwde zijn handen in zijn schoot. 'Daar kijk ik naar uit.'

Pam Lassiter handelde haar zaken verder af. Ze loodste Kourani door de betreffende formulieren en liet hem zien waar hij moest tekenen.

'Heeft u wellicht een boodschap die ik moet doorgeven aan de heer Morgan?' vroeg ze aan het eind.

'Zeg hem dat ik hem op de achttiende zal bellen, als ik aankom in New York.'

'Dat zal ik beslist doen.'

Hij haalde een notitieboekje uit zijn binnenzak, schreef er

iets in, scheurde er een blaadje uit en overhandigde dat aan Lassiter. 'Een andere kwestie,' zei hij met een vage grijns. 'De heer Freed en ik hebben een financiële regeling getroffen. Om de transactie af te ronden, moet hij dat bedrag overmaken op deze rekening.'

Pam staarde naar de nummers. Het eerste was tweeënhalf miljoen. Het tweede was een geheime rekening bij de Geneva International Bank.

Het hoofdkwartier had haar gezegd dat de Iraniër slechts twee miljoen vooruit zou vragen. Maar omdat de hele vijf miljoen was goedgekeurd, besloot ze er niet moeilijk over te doen.

Kourani zag dat als een goed teken en veranderde van onderwerp: 'Wanneer is mijn visum klaar?'

'U kunt het hier morgenochtend na elven ophalen.'

'Ik zal hier morgen op het middaguur zijn,' zei Kourani. 'Bevestig alstublieft bij mijn vriend meneer Freed dat de overmaking op de zeventiende zal hebben plaatsgevonden. Op die manier zal ik geen probleem hebben hem op te bellen, als ik in New York ben aangekomen.'

'Dat zal ik doen.'

Hij wilde er zeker van zijn: 'Ik neem aan dat alles in orde is.'

Pam had de instructie gekregen kalm vertrouwen uit te stralen. Ze antwoordde: 'Alles is in orde, meneer Kourani.'

'Dank u,' zei de Iraniër en stak zijn hand uit.

'Het was een genoegen.'

12

14-15 september

Alan Beckman zat aan zijn bureau te kijken naar de gelig bruine smog die over het Parthenon hing en liet zijn gedachten de vrije loop. Sinds zijn terugkeer in Athene had hij geprobeerd één geheel te maken van de flarden informatie en geruchten die opgepikt waren door de NCTS, de CIA, de FBI, de NSA en militaire veiligheidsmensen over de hele wereld. Sommigen hadden de bewegingen van bekende leden van het MVIV en de Qods-strijdmacht binnen en buiten Teheran in kaart gebracht. Anderen hadden gesproken met bronnen die connecties hadden met Al Qaida-eenheden in de Perzische Golf. Weer anderen hadden banden met Saoedische, Israëlische en Jordaanse veiligheidsdiensten. Speciaal ontworpen NSA-computerprogramma's hadden tienduizenden afgeluisterde mobiele telefoongesprekken en onderschepte e-mailberichten gefilterd, die Irak en Iran in en uit gingen.

Om onduidelijke redenen bleef één uitspraak die hij ergens gelezen had in zijn hoofd hangen: 'Als we onze opvattingen niet kunnen verdedigen met woorden, grijpen we naar geweld.'

Die gedachte leek niet in zijn hoofd te horen, dus verjoeg hij hem. Misschien had het te maken met de jetlag, die zijn denkvermogen beïnvloedde, of met het feit dat hij recentelijk drieënvijftig was geworden. Wat het ook was, filosofische ideeën als deze onderbraken zijn denken ineens op de vreemdste momenten.

Wat hij wilde dat zijn hersenen deden, was het doolhof aan fragmenten rubriceren en daar een betekenisvol patroon of een anomalie uit destilleren. Hij probeerde het. Niets.

Hij gaf zijn hersenen opdracht om het nog eens te proberen. En weer leverde het niks op.

Tegen de tijd dat Beckman zijn Libanees-Amerikaanse assistent liet komen, lieten sterke lampen het Parthenon opgloeien in de donkere avondlucht. Hij bewonderde opnieuw het monument voor Pallas Athene, de dochter van Zeus, en het feit dat dit architectonische wonder gebouwd was zonder het gebruik van specie of cement.

'Bashir, jij hebt dezelfde informatie doorgekeken,' zei Alan, terwijl hij twee flesjes Mythos uit de koelkast onder zijn boekenplank pakte en de computer uitzette. 'Wat denk je?'

De stevig gebouwde man met het manke rechterbeen liet zijn zware lichaam in een stoel zakken. 'De algemene conclusie, baas, is dat we zo kwetsbaar zijn als de neten.'

Alan streek over zijn grijze baard en glimlachte. 'Jij doet niet aan voorspel, zeker?'

'Niet in tijden als deze.'

'Je hebt waarschijnlijk niks gevonden?'

'Niet echt.'

'Ik ook niet. En o ja, ik heb medelijden met je vrouw.'

De man met de donkere huid ging verder. 'Ik vind de positie waarin we verkeren niet prettig. We zitten af te wachten in een brandend gebouw tot loverboy Kourani komt opdagen om ons te redden.'

'Wat zijn we te weten gekomen over hem?'

'We weten dat hij actief is geweest in het elimineren van tegenstanders van het regime. En op het gebied van zijn persoonlijke gegevens hebben we meer gevonden over zijn broer die om het leven is gekomen in Mazar-e Sharif.'

'Andere leden van zijn familie?'

'Hij heeft Freed verteld dat zijn gezin ging verhuizen naar familieleden in Toronto. Maar de Canadese veiligheidsdienst en de afdelingen van de CIA en de FBI die daar werken hebben er geen spoor van gevonden.'

Dat klonk niet goed, vond Alan. 'Hoeveel Perzen kunnen er zijn in Toronto?'

De breedgeschouderde Bashir sloeg het bier in twee lange

slokken naar binnen. 'Het is zijn familie, Alan. Dit Griekse bier smaakt naar pis.'

'Dus?'

'Hij heeft ons met opzet de verkeerde stad gegeven.'

'Dan heeft hij gelogen.'

'Zou jij ervan uitgaan dat wij hen met rust lieten? Je moet dit vanuit zijn oogpunt bekijken.'

Beckman voelde dat zijn hersenen moe werden en wilde overgaan op een andere versnelling. 'Laten we ons eerst even richten op waarschijnlijkheden.'

Bashir wreef over het dikke zwarte stoppelveld dat zijn gezicht bedekte. 'Alles wat hij ons verteld heeft over Doha klopt. De Qatari's hebben alles klaarstaan voor de zestiende. Ik heb geregeld dat ons vliegtuig je erheen brengt.'

'Nog iets van onze bronnen in Irak?'

'De gebruikelijke geruchten, maar niets waar we iets substantieels mee kunnen.'

'Dus hoe serieus moeten we de bedreiging van het Amerikaanse vasteland nemen?'

Bashir, die familie had in de regio van Washington D.C. en vrienden in Dearborn, Michigan, kreunde. 'Het probleem is altijd hetzelfde. We weten veel op bepaalde gebieden en verdomd weinig op andere gebieden. We weten dat diverse Al Qaidaelementen al jaren geprobeerd hebben de hand te leggen op nucleaire apparatuur of een biologisch wapen. Volgens de CIA is de waarschijnlijkheid dat ze uiteindelijk zoiets in handen krijgen redelijk tot groot.'

'Maar de waarschijnlijkheid dat ze er eentje in de Verenigde Staten kunnen afleveren en tot ontploffing brengen, neemt af.'

'Ik vind onze kansen niet goed.'

Alan Beckman haalde de doppen van nog twee biertjes en ging vervolgens weer over op een andere versnelling: 'De afgelopen maanden hebben we veel activiteiten van hun kant gezien waarbij ze Oezbekistan in en uit gingen. Laten we aannemen dat dit een antwoord was op een dreiging die ze oppikten van hun bron in Al Qaida. Waarom Oezbekistan?

Volgens onze mensen die de dreiging onderzoeken, is het de perfecte plek om wmd-componenten te kopen.'

Matt wachtte tot de zon onderging en kroop toen langzaam voorwaarts, waarbij de rijpe oranje maan hun pad bijscheen. Met de waterfles in de ene hand, de Glock in de andere en plastic tassen in de zakken van zijn HazMat-pak gestopt, zocht hij een weg langs rotsblokken en lage struiken. *Verwacht het onverwachte*, zei hij in zichzelf en luisterde hoe de bries over het ruige landschap blies en zijn hart in zijn borst bonsde.

Die klootzak van een Kourani! Wat had hij verdomme opgegraven? En waarom?

Rachel hurkte achter een groep rotsen, terwijl ze een geladen Glock, twee extra magazijnen munitie en de satelliettelefoon vasthield. Een uur geleden hadden ze de cia-afdeling in Tasjkent bereikt. Haar adjudant, Phil, had contact opgenomen met het centcom-hoofdkwartier in Tampa, Florida, dat de inzet van een Special Forces-team voorbereidde vanuit Noord-Kyrgyzstan, in een poging bij zonsopkomst een helikopterredding uit te voeren.

De maan was kort voor het donker opgekomen, zodat Matt wist dat de verlichte kant ervan het westen aangaf. Hij deed het masker wat omhoog, waardoor hij de stinkende geur kon traceren en volgde die naar de dichtstbijzijnde put. Met behulp van een waterfles duwde hij drie ratten in een plastic tas, verzegelde die en deed er toen, volgens Rachels instructies, een tweede tas omheen. Hij begon net een derde tas te vullen, toen hij het gekraak van een losse steen hoorde en stilhield.

Uit zijn linkerooghoek zag hij de straal van een zaklamp langs de rand van het plateau gaan, van noord naar zuid. *Problemen*. Hij dook diep weg in het zand, en terwijl hij dat deed, maakte zijn plastic pak een piepend geluid. De zaklamp ging uit.

Twee mannen, mogelijk drie, fluisterden in wat klonk als Russisch. Hij voelde dat ze zijn kant op kwamen en overwoog het pak uit te trekken en het te begraven, maar besloot dat hij daar geen tijd voor had.

In plaats daarvan maakte hij voorzichtig de enkels los, rolde de pijpen op tot de knieën en holde diep voorovergebogen buitenom langs de put, over een uitloper van de rotsen die zich als een open hand uitspreidde en van daaruit een paar honderd meter naar het westen.

Met de glanzende maan achter zich, liet hij zich vallen achter een paar lage bosjes en wachtte. Vijf minuten gingen voorbij zonder stemmen, niets.

Hij draaide zich naar links en zag de Grote Beer, Kassiopeia, en toen de Poolster daartussenin. Hij rende, met de opkomende maan aan zijn linkerkant. Honderd meter, tweehonderd, driehonderd. Hij dwong zichzelf. Vierhonderd en nog steeds aan het rennen. Hij ging nu in een diagonale lijn recht naar Kassiopeia, die het noorden markeerde en een zigzaglijn maakte in de lucht.

Voorbij een lichte golving in het terrein stopte hij en ging op de grond liggen. Twee silhouetten – nee, drie – tekenden zich af tegen de gevlekte grijze horizon. Hij wachtte, zwaar hijgend, en vroeg zich af of ze hem hadden gezien.

Een kale man met een pistool, een andere met een AK-47 en een derde die meer westelijk de flank dekte. Ze hadden Rachel in de gaten, die zich bij de tandvormige rots verborgen had, en sloten haar nu van drie kanten in.

Matt pakte een stuk rots ter grootte van zijn handpalm en wierp het naar de richel.

'Da!' gromde de man die het dichtst bij de richel was. Hij hield zijn AK-47 paraat en nam drie stappen in oostelijke richting.

Matt dook met bonkend hart in het zand en kroop er dicht genoeg naartoe om de strepen op het witte shirt van de man te kunnen zien. Nu! Hij stond op, haalde de trekker over. Vonken vlogen in het rond. Kogels vlogen naar het brede silhouet. De grote man zakte op zijn knieën en viel om, terwijl hij riep: 'Yebat!'

In de war geraakt begonnen de andere twee Russen op Rachel te schieten. Ze schoot terug. Kogels kaatsten van de rotsen af. Matt dook in elkaar, maakte een omtrekkende beweging om de tweede man heen en verraste hem met een voltreffer tegen de zijkant van zijn hoofd. *Twee!*

De man die het verst van de richel af was, draaide zich om en vuurde een salvo kogels af, dat miste. Matt zocht dekking, de adrenaline pompte door zijn lijf.

Voordat Matt kon beslissen wat hij ging doen, maakte Rachel gebruik van de afleiding en kwam omhoog vanachter haar rots om te vuren op de derde man, die maar tien meter van haar vandaan was. Een ogenblik lang zagen ze elkaar, uitbarstingen van licht gaven de vuurmonden van hun pistolen aan. Rachel werd hard naar links geslagen en raakte de korte man tegelijkertijd tweemaal in de borst. Matt zag hoe hij achteroverviel en realiseerde zich dat Rachel nu op hem schoot.

'Rachel!' schreeuwde Matt. 'Rachel, ik ben het! Niet schieten!'

Er ging een minuut akelige stilte voorbij, toen echode Rachels stem: 'Matt, ik ben geraakt.'

Alan Beckman keek eerst omlaag naar de half opgegeten fetacheeseburger, toen omhoog naar de klok. 23.25 uur. Uit zijn raam zag hij dat het onttakelde Parthenon er als dof goud uitzag in de schijnwerpers.

In 499 voor Christus kwam de grootste bedreiging voor Athene van de Perzen, die bewapend waren met pijlen en speren. De Atheners hadden nog nooit gehoord van biowapens en dirty bombs. Maar de menselijke geest had sindsdien generatie na generatie steeds dodelijker wapens bedacht.

Op zijn duisterste momenten vroeg Alan zich af of het destructieve potentieel van de geavanceerde technologie het voor rationele samenlevingen nu onmogelijk maakte zichzelf te beschermen. Hij vroeg zich ook af of de snelheid waarmee enorme hoeveelheden gegevens werden verzameld en verzonden nu te veel werd voor het vermogen van de menselijke geest om ze te verwerken.

Hij dacht na over die vormen van dubbele ironie, toen Bashir terugkwam van het toilet. 'Laten we teruggaan naar de dood van Moshiri.'

'Heb je het over de generaal die is afgemaakt in Oman?'

'De bron van Freed. Correct.'

Bashir nam twee Dexedrine-tabletten. 'Suggereer je dat er daar iets raars aan de hand was?'

'Denk je dat de Iraniërs hem gedood hebben?'

'Natuurlijk hebben die hem vermoord. Wie anders?'

Alan had geen tijd om zich beledigd te voelen. Hij probeerde een gedachte te volgen, wat niet meeviel, omdat hij uitgeput was en zes biertjes op had. *Wat had generaal Moshiri de afgelopen paar maanden aan Matt verteld? Hij had hem verteld dat het conflict binnen de Iraanse regering heftiger werd. De moellahs namen stelling tegen de president. De Qods-strijdmacht was begonnen met een samenzwering tegen het ministerie van Informatie en Veiligheid.*

Zijn zwaargebouwde assistent duwde zichzelf uit de stoel omhoog. 'Zal ik wat koffie voor ons zetten?'

'Dus iemand in de regering heeft Moshiri laten neerschieten. Waarom nu?'

'Kourani heeft tegen Freed gezegd dat het waarschijnlijk Tabatabai was, de chef Special Operations van het MVIV.'

'Misschien niet.'

'Misschien begrijp ik het niet.'

Beckman nam niet de moeite een direct antwoord te geven. Hij zei: 'Twee dagen later dook Kourani op in Roemenië.'

Bashir krabde op zijn hoofd. 'Ik zie het verband niet.'

Dat zag Alan ook niet duidelijk. 'Het moet hier ergens zijn, verborgen.'

'Misschien.'

Alans gezichtsspieren verstrakten toen de telefoon ging. Het was 23.43 uur in Athene, wat inhield dat het 4.43 uur was in Washington D.C.

'Alan, Shelly,' zei de ernstige stem aan de andere kant van de lijn. 'Ik ga over op veilig.'

Terwijl het versleutelprogramma op gang kwam, gingen Alans gedachten naar een scène uit de film *The Lives of Others*, die hij een paar dagen tevoren had gezien met Celia – voordat de hele rotzooi begon – en daarna weer naar Moshiri. 'Haal al Matts rapporten over Moshiri,' zei hij tegen zijn assistent.

Bashir stond op, net toen de autoritaire stem van generaal Jasper op de lijn klonk. 'Alan, goedenavond. Waar is Freed?'

'Nog altijd in Oezbekistan. Toen ik hem vanmorgen vroeg sprak, waren hij en de afdelingschef op weg naar Rebirth Island. Ik verwacht dat ze de nacht doorbrengen in Muynoq.'

Het duurde even voordat de stem van de generaal met nog meer staal erin doorkwam. 'Bel hem, Alan, zodra wij klaar zijn.'

'Dat doe ik.'

'Zeg hem dat ik hem zo snel mogelijk hier op het hoofdkwartier wil hebben.'

'Waarom?'

'Ten eerste moeten we hem voorbereiden op zijn ontmoeting met Kourani op de achttiende. Ten tweede is dat Khostprobleem niet uit de weg.'

'Maar...'

'Het Witte Huis heeft vragen.'

'Generaal, het is van cruciaal belang dat we Kourani's sporen natrekken.'

'Besef je welke dag het is, Alan? We hebben geen tijd.'

Alan voelde zich plotseling alsof hij twaalf jaar oud was. 'Ja, generaal.'

'Wij denken zo: ofwel Kourani vertelt de waarheid, wat inhoudt dat hij ons informatie geeft over de dreiging als hij Freed spreekt in New York, ofwel het is niet zo. Als Kourani werkelijk een tip voor ons heeft, komen we op de achttiende in actie. We zijn hier nog altijd zo goed mogelijk voorbereid, en dat is niet optimaal. Dat kunnen we nu niet rechttrekken. Als Kourani geen informatie heeft over de dreiging, is het eenvoudig: dan trekken wij het door ons aangeboden geld en asiel terug.'

Alan voelde dat zijn carrière de goot in ging. Hij wilde zich weer laten gelden, maar wist niet hoe. 'Ik zal Freed nu bellen.'

'Ja, graag. En zeg hem dat de overmaking van de tweeënhalf miljoen naar een bankrekening in Zwitserland is afgerond.'

'Ik dacht dat het bedrag twee miljoen was.'
'Ik ook.'

'Haal diep adem,' fluisterde Matt tegen Rachels halfopen ogen. Zijn handen plakten van het bloed. 'Je doet het prima.' Hij had het bloeden van haar schouder weten te stoppen en gebruikte zijn shirt om een drukverband aan te leggen over een tweede schotwond, boven haar knie.'

'Phil,' kreunde ze. 'Bel Phil.' De Tramadol die Matt haar had gegeven, verdoofde de pijn. Samen met het bloedverlies werkte het echter in op haar hersenen.

'Ik heb hem al gebeld.'

'Wat zei hij?'

'Hij zei dat er een Special Operations-team komt vanuit de Manas Air Base in Kyrgyzstan.'

'Wanneer?'

'Gauw. Maak je geen zorgen.' Hij wilde haar niet zeggen dat ze haar ogen moest sluiten en moest gaan slapen, omdat dat de kans vergrootte dat haar lichaam in shock zou gaan. 'Je hebt me nooit verteld hoe je je man ontmoet hebt.'

'Ik deed zijn cursus Russische romans in Stanford. Brad liet me kennismaken met Dostojevski. Dat heeft mijn leven veranderd.'

Het bloeden wilde niet stoppen, dus deed Matt zijn broekriem af en gebruikte die als tourniquet, halverwege haar dij.

Rachel begon te trillen. 'Ik heb het koud.'

Hij deed zijn hemd uit en legde dat over haar heen. Warme lucht vond zich een weg over zijn huid.

'Wat is je favoriet?' vroeg ze. '*Schuld en boete* of *De speler?*'

'Ik ben een fan van *De gebroeders Karamazov.*'

'Ik hou van Alyosja, maar denk dat ik meer ben als Vanya, de rationalist, gepijnigd door het zinloze lijden in de wereld. En jij?'

Haar voorhoofd voelde verhit aan. 'Ik weet het niet. Ik ben net zo begonnen als Ivan, maar ik ben me aan het ontwikkelen.'

'Dat hoop ik.'

Matt probeerde twee dingen tegelijk te doen: haar wonden verzorgen en luisteren of er nog mannen aankwamen, met zijn Glock en de veroverde AK-47 paraat. Hij had laat in de middag twee SUV's gezien, dus het kon zijn dat er een autolading mannen naar hen op jacht was.

'Ik wou dat ik wat sinaasappels had.'

Hij plakte de wond in haar schouder af met gaasverband en plakband.

'Ik hou van sinaasappels.'

Hij hoorde iets ritselen en legde een hand over haar mond. Niets – alleen het geluid van dode bladeren die door de warme bries werden verplaatst. Hij maakte de riem wat losser, die hij gebruikt had om de bloeding in haar dij tegen te gaan. Het bloeden leek te zijn gestopt. *Goddank.*

Hij deed er ontsmettende stoffen op en bedekte de rafelige ingangswond met de rest van het gaas. Het plakband liet zich makkelijk afscheuren door zijn tanden.

Tevreden met zijn werk, haalde hij zijn hand van haar mond. Rachels gezicht zag er bleek en smaller uit in het bleke licht van de maan, die nu hoog aan de nachtelijke hemel stond.

'Phil?' vroeg Rachel, terwijl ze probeerde zichzelf omhoog te duwen.

'Hij is hier niet,' fluisterde Matt. 'We zijn gauw weer thuis.'

Hij hoorde een gedempt geluid in de verte, dus bracht hij de veroverde AK-47 naar zijn schouder en stelde het dag/nachtvizier in. Hij keek langzaam van oost naar west. Niets.

'Phil, stoor ik je? Phil, zit je te bellen?'

Rachels adjudant zat op dat moment zo'n achthonderd kilometer noordwestelijker in de Amerikaanse ambassade in Tasjkent te kijken naar een spoedbericht dat hij zojuist had ontvangen van de CIA-afdeling in Moskou. Hij onderstreepte de zinnen: 'Amin Kasemloo is op 8 juli geland op Sheremetyevo International Airport in Moskou met een vlucht van Uzbekistan Airways vanuit Tasjkent. Gezien bij het verlaten van het Iraanse consulaat in gezelschap van een Rus genaamd Oleg

Urakov. Urakov is een voormalig bio-ingenieur van Sovjet Bio-preparat.'

Phil was net begonnen met het typen van een antwoord, toen een jonge, zwarte Amerikaanse agente, Beatrice, in de deuropening verscheen. 'Phil, ben je aan de telefoon?'

Hij stak een hand op en ging verder met tikken: 'Moet onmiddellijk Oleg Urakov laten volgen. Stel zijn adres vast, etc. Regel dat hij zo nodig gearresteerd wordt. Dit is EXTREEM BELANGRIJK!!! TIJD IS CRUCIAAL. Phil Heller, Tasjkent.'

Phil liet zich erop voorstaan dat hij een realist was. Hij begreep dat een meerderheid van de mensen in de meeste organisaties tijdverspilling waren – verlamd door angsten, twijfels aan zichzelf, en cynisme. In zijn vorige baan, in de Europese Operations-afdeling, had hij een lijst bijgehouden van vijfendertig agenten van de honderden die op de hele afdeling werden ingezet, op wie hij kon rekenen om dingen voor elkaar te krijgen. Hij hoopte dat iemand van het kantoor in Moskou nu zou inspringen.

Terwijl hij op SEND drukte, keek hij naar Beatrice, met haar gevlochten haren. 'Wat?'

'Ik heb een bevestiging van CENTCOM.'

Angst en opwinding spraken uit zijn ogen. 'Wanneer?'

'Ze kunnen er zijn binnen twee tot vier uur, afhankelijk van het weer en de vliegomstandigheden.'

'Kunnen ze niet sneller?'

Beatrice schudde haar hoofd en zag de opwinding van zijn gezicht verdwijnen.

Ondanks zijn gemengde gevoelens voor Rachel als baas, was Phil er trots op dat ze het lef had om naar Rebirth Island te gaan. Nu voelde hij een enorme verantwoordelijkheid om haar daar vandaan te krijgen. 'Is er een kans dat we hier een militaire helikopter kunnen krijgen? Dan vlieg ik er zelf heen.'

'Niet zonder grote moeilijkheden te krijgen met de Oezbeken, die dan zullen willen weten wat we aan het doen waren op Vozrozhdeniye.'

'Nog iets gehoord van Morgan?'

'Nee.'

Hij knarste hard met zijn tanden en zei: 'Rijd naar het vlieg-veld en wacht daar. Zorg dat de ambulance en het noodteam er zijn en niet weggaan. Neem geld mee. Koop iedereen om die nodig is. Zo gauw de helikopter landt, bel je mij. Ik wacht op een antwoord uit Moskou. Ik bewaak het fort.'

13

15 september

Tariq staarde naar de losbladderende gele verf op het plafond en dacht aan Matt Freed. Het gezegde dat zijn grootvader vele keren herhaald had echode door zijn hoofd: 'Een echte vriend is iemand die zijn vriend bij de hand neemt in tijden van tegenspoed en hulpeloosheid.'

De geur van houtskool hing in de lucht, terwijl hij zijn leven vol moeilijkheden overzag: de ballingschapsperiodes in Pakistan en Oezbekistan, de lange tocht naar Bamiyan tijdens de burgeroorlog, de worsteling om zijn opleiding af te maken, het huwelijk van zijn zuster op vijftienjarige leeftijd met een Turkse koopman, de bijna dagelijkse pesterijen door Tadzjieken, Oezbeken en Pashtuns omdat hij een Hazara was, het pak slaag door Pakistaanse grenswachten, waardoor hij moeite had om te zien met zijn linkeroog.

Het was door vriendschap geweest, zelfs meer dan door zijn familie, dat hij het gered had. Misschien begreep Freed zijn land niet; misschien was het gevaarlijk om je te 'mengen' met westerlingen, zoals zijn vader waarschuwde. Maar de waarheid was dat Matt hem en zijn vader uit de gevangenis had gered.

De vorige avond was Tariq laat opgebleven om groene thee, koekjes en granaatappelen te serveren aan zijn vader en een Iraanse moellah, die op bezoek was uit Mashhad. Hij had hen op gedempte toon horen praten over de zelfmoordaanslag op de Zainabia-moskee in de stad Sialkot, in Oost-Pakistan. Dertig sjiitische gelovigen waren gestorven en meer dan vijftig waren zwaargewond geraakt, toen een man tijdens het vrijdaggebed binnen was gekomen en een aktetas had geopend. De explosie had een zestig centimeter groot gat achtergelaten in de betonnen vloer.

'Dit is het werk van ofwel Sipah-e Sahaba of Al Qaida,' hoorde Tariq de Iraanse geestelijke zeggen, verwijzend naar de twee extremistische soennitische terreurorganisaties. 'Ze proberen een heilige oorlog te laten uitbreken.'

Tariq hoorde moellah Yazdi later praten over zijn werk met ayatollah Beheshti, die in de jaren zestig het Islamitische Centrum in Hamburg had geleid, toen Tariqs vader daar was, en noemde de naam Kourani.

De jonge Hazara borstelde zijn dikke zwarte haar en trok voorzichtig een bruine tuniek over zijn broek. Hij had geen last meer van zijn sleutelbeen, maar de wond in zijn schouder deed nog steeds pijn. Toen hij de deur van het kantoortje boven openduwde, trof hij zijn vader met zijn witte baard in een boek.

'Goedemorgen, Vader.'

De oude man keek op met ogen die alles gezien hadden.

'God is groot.'

'Hebt u moellah Yazdi gevraagd wat hij weet over die man Kourani?'

Moellah Hadi Zadeh spitste zijn mond en fronste zijn wenkbrauwen. 'Moellah Yazdi is een zeer vroom man.'

'U bedoelt dat hij de Amerikanen haat.'

'Hij haat hen niet, mijn zoon. Hij vindt dat zijn mensen zijn vernederd, beschadigd, gekwetst, genegeerd, verworpen, mishandeld.'

'Zoals alle Perzen. En ze zijn ook arrogant.'

De oude man grijnsde terwijl hij zijn ronde lichaam oprichtte. 'Houd geen ezel tegen die niet van jou is.'

Tariq herinnerde hem eraan: 'U hebt een belofte gedaan.'

De moellah opende zijn mond om iets te zeggen en stopte. 'We hebben al zoveel problemen, Tariq. Moet dit er ook bij?'

Tariq verhief zijn stem. 'U hebt me zelf geleerd: betaal degenen terug die goed voor je zijn.'

De moellah zuchtte. 'Ik zal met hem praten, Tariq. Je hebt gelijk.'

Generaal Jasper slikte twee Tylenols door met haar cola light en ondersteunde haar hoofd. *Hoe is dit mogelijk? Met alle miljarden die we aan veiligheid hebben besteed...*

Ze had het grootste deel van de dag doorgebracht bij Binnenlandse Veiligheid met het bespreken van paraatheid en waarschijnlijkheden. Analisten daar hadden een dreigingsmatrix ontworpen om mogelijke doelwitten van een Al Qaida-aanslag te bepalen. Maar hoe je er ook naar keek, de parameter 'middelgrote Amerikaanse steden' bleef groot.

Na het wegstrepen van de vijf grootste bevolkingscentra – New York; Los Angeles; Chicago; Houston en Phoenix – bleven achtendertig steden over, met bevolkingsaantallen die uiteenliepen van anderhalf miljoen (Philadelphia, San Antonio, Dallas, San José) tot 400.000 (Kansas City, Missouri; Cleveland; Virginia Beach; Omaha; Miami).

De logistiek van het bewaken van achtendertig steden die van kust tot kust verspreid lagen, bleek, op z'n zachtst gezegd, bijzonder lastig. Plaatselijke medische teams en politie waren dag en nacht op Code Rood gezet. FBI-teams voor rampen en bioproblemen waren gestationeerd in vijf 'belangrijke' middelgrote steden, verspreid over de regio. De vestigingspunten waren Washington D.C; Detroit; Jacksonville, Florida; Seattle en San Diego.

De hoop was erop gericht dat Kourani op de achttiende gedetailleerde informatie zou leveren en dat onmiddellijke stappen ondernomen konden worden om wat voor aanslag dan ook te voorkomen. Als een biowapen als antrax daadwerkelijk werd ingezet, was de prognose niet goed.

Analisten toonden aan dat een succesvolle bio- of chemische aanval op drie steden tegelijkertijd kon resulteren in wel een half miljoen slachtoffers, voordat die kon worden ingedamd.

Een half miljoen slachtoffers! Dat is de hele bevolking van Boston. Generaal Jasper kon het getal niet uit haar hoofd zetten. Ze was er de persoon niet naar om te vertrouwen op geluk of gebed.

'Een half miljoen,' herhaalde ze tegen Shelly, die binnenkwam met de samenvatting van de informatie van die avond.

'Verbijsterend.'

'Ik kan het me niet voorstellen.'

'Ik wil het me niet kunnen voorstellen.'

Generaal Jasper hief haar bonkende hoofd op en liep naar het raam. 'Hoe kan het dat we zo onvoorbereid zijn?'

Matts hartslag klopte in zijn hoofd. Als hij zich concentreerde, hoorde hij trommels. Een bas bleef doorspelen. Een koeienbel zorgde voor het achtergrondritme. Een man zong:

B-b-b-Baby, you ain't seen nothing yet.
Here's something that you're never gonna forget.

Bachman-Turner Overdrive. Een van mijn favoriete bands. Hij danste mee met de anderen en gooide zijn benen hoog op, terwijl lampen over zijn schouder schenen.

Toen hoorde hij een rotor en het geluid van een openschuivende metalen deur. Een man in een camouflage-uniform keek op hem neer en krabde aan zijn kin. 'Gaat het goed, sir? Kunt u me horen?'

Er leek niets uit hem te komen. Maar Matt kon het accent uit Tennessee horen in de tweede stem, die zei: 'Zo gauw we hem wat vocht toedienen, komt het helemaal in orde met hem.'

In wat hem een oogwenk leek, lag Matt in bed, met stijve witte lakens tot aan zijn borst. Toen hij rechtop ging zitten, legde een verpleegster met Mongoolse trekken een tijdschrift neer met Paris Hilton op het omslag.

'Waar ben ik?' vroeg hij in het Russisch.

Ze maakte een klikkend geluid met haar tong en ging weg.

Matt keek rond. Geplamuurde bruine muren, een luid tikkende klok, slangen die aan zijn armen vastzaten en leidden naar hangende flessen met de opschriften 'glucose' en '5% zoutoplossing'. Een minuut later verscheen de blonde Phil. 'Welkom,' zei hij met een brede glimlach. 'Je hebt het gered.'

'Waarheen?'

'Tasjkent. Je was zwaar uitgedroogd.'

Het kwam in een golf terug: het verpletterende gebrul van

de helikopter, verblindende lichten, lichtspoorkogels die door het donker schoten, mannen met vreemde helmen die in zijn oren schreeuwden. Twee soldaten hadden hem de helikopter in geholpen – toen was hij bewusteloos geraakt.

'Rachel?' vroeg Matt.

'Ze zijn nu met haar been bezig. Het komt goed met haar.'

Toen hij terugdacht aan het oranje landschap, voelde hij de spanning en de vermoeidheid weer in zijn armen en dijen.

'We hebben geluk gehad,' zei Matt.

'Nee, je hebt je goddomme als een commando gedragen.'

Hij herinnerde zich de drie doodgeschoten mannen. 'Heb je de lichamen gevonden?'

'Welke lichamen?'

'De hufters die onze gids vermoord hebben en probeerden ons te pakken te nemen.'

Phil zag eruit alsof hij in zijn kleren geslapen had. 'Het reddingsteam had alleen als taak om jullie daar weg te halen. De Oezbeekse autoriteiten zijn nu in het binnenland.'

Matt wees op de klok aan de muur, die 3.15 uur aangaf, en vroeg: 'Welke dag is het?'

'De middag van de vijftiende.'

'Shit.'

Phil legde uit dat het besmettingsteam de helikopter ontsmet had en Matt en Rachel urenlang in observatie had gehouden, voordat ze naar het ziekenhuis gebracht waren.

De verpleegster met het maanvormige gezicht kwam binnen met een blad vol toast, yoghurt en thee. 'Zorg dat je dat in je maag krijgt, dan praten we verder.'

Twintig minuten later, terwijl het desinfecterende middel van de zojuist geboende gang hen in de ogen prikte, zei Phil: 'Kasemloo is hier op 8 juli vanuit Moskou heen gevlogen. Hij werd vergezeld door een Rus die Oleg Urakov heet, een bio-ingenieur die vroeger voor Sovjet Biopreparat werkte. Tegenwoordig heeft hij een consultancybedrijf in Sint-Petersburg.'

Een huivering liep langs Matts ruggengraat. 'Waar is Oleg nu?'

'Onze mensen hebben zijn paspoort getraceerd tot Moskou.

Ze denken dat hij zich onder een schuilnaam heeft laten opnemen in de Buteyko-kliniek in Moskou. We proberen dat nu
bevestigd te krijgen.'

'Buteyko. Heb ik nooit van gehoord.'

'Het is een ademhalingsmethode die gebruikt wordt om een
hele serie ziekten te behandelen.'

'Is die Rus ziek?'

'Als hij is wie we denken dat hij is, is hij erg ziek. Een verpleegster daar zei dat hij leed aan vergevorderde longkanker.'

Matt herinnerde zich iets. 'De ratten,' zei hij. 'Ik heb ze in
Rachels rugzak gedaan.'

'Ja.'

'Waar zijn ze?'

'Het besmettingsteam heeft ze. Als je van plan was om ze
als huisdieren te houden: ze zijn dood.'

'Ze moeten naar het NCTS-hoofdkwartier worden gestuurd
om te worden getest. Kun je ervoor zorgen dat ze met de eerst-
volgende zending meegaan?'

Phil vouwde zijn armen over zijn borst. 'Ik heb een beter
idee. Je kunt ze er zelf heen brengen.'

'Sorry, Phil, maar ik ga naar Moskou.'

Phil haalde de print van een e-mail uit de zak van zijn jasje. 'Je baas wil je z.s.m. terug op het hoofdkwartier.'

'Kan niet.' Het lezen van het bericht was alsof hij een trap
tegen zijn hoofd kreeg.

'Niet wat je gepland had?' vroeg Phil.

Het kan toch verdomme niet dat ze me terugroepen. Waar-
om? Zodat ik op het matje geroepen kan worden, terwijl ik
achter die Oleg-figuur aan moet? Matt stond op en greep Phil
bij zijn arm. 'Breng me naar de dichtstbijzijnde veilige telefoonlijn.'

Het gesprek tussen de Hazara-moellah en de Iraanse moellah
was tot dan toe goed gegaan. Ze zaten aan een tafeltje onder
een conifeer, terwijl pauwen over het terrein liepen. Mannen
uit de moskee serveerden *kofta* (vleesballen) en salade van *bon-*
jan (gekruide aubergines).

'Ik maak me er zorgen over dat de vele moeilijkheden waarmee we te maken hebben ons rigide zullen maken,' zei moellah Zadeh, de vader van Tariq.

Ze hadden bijna een uur gediscussieerd over Pakistan en de steun die dat land bood aan de opstandige studentenbeweging (de taliban), die nu drie provincies in Zuid-Afghanistan in zijn macht had.

'Looft Allah en zijn Boodschapper. In de naam van God, de Medelijdende, de Genadige. Allah heeft ons de overwinning beloofd en zal ons de overwinning geven,' zei moellah Yazdi.

'De Pakistanen willen ons tot hun provincie maken.'

De Iraanse moellah met de wrat op zijn neus verslikte zich bijna na deze uitspraak. 'Misschien is het godslastering om dit te zeggen, maar de Amerikanen zullen dat nooit laten gebeuren.'

Dat was de opening waarop moellah Hadi Zadeh gewacht had. 'Ja. De Amerikanen kunnen nuttig zijn.'

'Vroeger was het zo dat, als Afghanistan genoemd werd, niemand die naam herkende of wist waar het was. Maar vandaag de dag, en alle lof is aan Allah, kent iedereen het als het land waar de kruisvaarders geprobeerd hebben voet aan de grond te krijgen.'

'Weet je, mijn broeder, het was een Amerikaan die me uit de gevangenis heeft gered.'

De Iraniër boog zich naar de tafel en schonk zich wat groene thee in.

De korte, ronde Hazara-moellah stuurde de conversatie vakkundig naar herinneringen aan het Islamitisch Centrum in Hamburg. Beide mannen waren leerlingen geweest van de grote ayatollah Beheshti. Beheshti was Yazdi's geestelijke mentor geweest.

'Bedrog is geen eerbiedwaardige zaak tussen mannen als wij,' begon Hadi Zadeh. 'Dus ik vraag je om niet beledigd te zijn als ik mezelf duidelijk maak.'

'Alle lof is aan de wijze God.'

'Mijn broeder, ik heb niets te verbergen. De Amerikaan die me gered heeft – de ongelovige, zoals jij hem noemt – heeft me gevraagd om informatie over een man die Kourani heet en die in de vroege jaren zestig ook in het Islamitische Centrum in Hamburg was. Ik heb hem naar waarheid gezegd dat ik me niet veel herinner over die man, behalve dat hij drie zoons had. Ik heb hem ook mijn woord gegeven dat ik hem zou helpen. Nu wend ik me, in de geest van onze vriendschap en de barmhartigheid, tot jou.'

Toen de Iraniër opstond, was Hadi Zadeh bang dat hij zou vertrekken. Maar hij trok aan zijn baard, die om zijn kin heen krulde en begon langzaam om een boom heen te lopen, terwijl vlakbij een pauw schreeuwde. Minuten later bleef hij staan en keek op Hadi neer met een tederheid die de Hazara-moellah verrassend vond.

'Ik heb de grote Allah gevraagd mijn woede te temperen met redelijkheid. De grote God heeft geantwoord omdat je een goed mens en een vriend bent. Je hart is puur.'

Hadi Zadeh vouwde zijn handen en boog. 'Allah is groot. Hij spreekt de waarheid.'

Moellah Yazdi wees met een korte, kromme vinger naar moellah Hadi Zadehs ronde gezicht. 'Je zei daarstraks iets waaraan de barmhartige God me heeft doen terugdenken. De ongelovigen kunnen nuttig zijn. Zo spreekt een wijs man.'

'Mijn aanwezigheid bij jou vandaag is daar het bewijs van, mijn broeder.'

Moellah Yazdi stak zijn hand onder zijn witte mantel en haalde er een linnen tasje uit. Dat maakte hij open en pakte er een foto uit. Hij draaide de foto om en schreef er iets achterop.

'Ik hoef jou niet alle manieren te vertellen waarop de ongelovigen mij hebben doen lijden. Met hun vriend, de duivelse sjah, hebben ze mijn familie uiteengerukt, mij gemarteld, me in de gevangenis geworpen en me onuitsprekelijke vernederingen aangedaan. Maar ze hebben nooit mijn geest gebroken, dankzij de kracht van de grote Allah.'

'Allah zij geloofd.'

'Allah is groot op manieren die me iedere dag verrassen. En hij is barmhartig en onbegrijpelijk slim. Daarom heeft hij ons vandaag hier gebracht.' Met een trillende hand gaf de Iraniër de foto aan moellah Hadi Zadeh. 'Dit is mijn zoon Nazad. Hij wordt deze maand negentien jaar oud. Zijn moeder begreep het voortdurende reizen niet, dat mijn werk met zich meebracht. Ze zocht toevlucht bij haar zuster, die in Frankrijk woont. Zij maken deel uit van een groep Iraanse ballingen, die buiten Parijs wonen. De kleinere jongen, die naast Nazad staat, is Javed Mohammed, de zoon van Hamid Kourani, die door de taliban in Mazar-e Sharif tot martelaar is gemaakt.'

'Lof zij Allah.' Moellah Zadeh keek naar de foto van de twee jongens met hun fietsen.

'Javed is de kleinzoon van moellah Kourani. Hij woont ook bij zijn moeder, die een weduwe is. Ik heb gehoord dat hij een vreemde jongen is, die van vogels houdt en ze wil bestuderen in de Verenigde Staten. Misschien kan je Amerikaanse vriend hem helpen. Misschien weet Javed, in ruil daarvoor, iets over zijn grootvader, moellah Kourani.'

'Prijs Allah.'

'Prijs de barmhartige God. Hij werkt op verrassende manieren.'

'Het werk van de grote God zal worden volvoerd.'

'Dit is kloterig mis, Alan!' schreeuwde Matt over de veilige telefoonlijn, in een kantoor op de begane grond van het ziekenhuis.

Alan telde tot tien voordat hij antwoordde: 'Rustig, Matt. Jij en ik begrijpen het. Anderen niet.'

'Oké, Mozes, welk gebod is dat?'

'Het elfde. Gij zult geen pandemonium achterlaten bij uw vertrek.'

'Misschien heb ik mijn gevoel voor humor verloren.'

'Iedereen zit erdoorheen. We moeten onze kop erbij houden.'

'Ik heb je steun nodig.'

'Het punt is dat generaal Jasper aan haar rok getrokken wordt vanwege de opstand in Khost en de noodzaak om het Oezbeekse luchtruim te schenden voor de zoektocht en redding van jullie.'

'Het was geen opstand! Waarom blijven ze het zo noemen? Het was verdomme een aanval!'

'Wat zei ik nou net?'

'Ik was erbij, Alan. Ik was degene op wie werd geschoten.'

'Dat weet ik wel.'

'Wie doet er dan verdomme verslag aan de generaal?' vroeg Matt. 'Hun prioriteiten zijn wel reteduidelijk.'

'Het komt er om kort te gaan op neer: generaal Jasper wil je morgen op haar kantoor hebben.'

Matt slikte moeizaam. 'Dat gaat niet gebeuren.'

'Luister, Matt.'

'Zeg haar maar dat ik malend ben door de medicatie. Zeg haar maar dat ik tot mijn nek in het rekverband zit. Geef me wat meer tijd.'

Alan vond het geweldig dat de vechtlust van zijn adjudant nog ongebroken was. 'Ik geef alleen maar orders door. Ik kan je niet dwingen.'

'Wat houdt dat in?'

'Dat houdt in dat ik de boodschap heb doorgegeven en dat ik op weg ben naar Qatar. Ik zie je in New York op de achttiende.'

'Veel plezier.'

'Is er iets wat ik aan het hoofdkwartier moet doorgeven?'

'Zeg ze maar dat mijn wonden geïnfecteerd zijn en dat mijn koorts op en neer gaat. Ik kom zo snel mogelijk naar Washington, als ik in staat ben te reizen.'

Alan glimlachte bij zichzelf. 'Hou contact met het hoofdkwartier, als ik er niet ben.'

Alan dacht aan de vier glanzende gezichten van zijn vrouw en meisjes thuis. 'Hoe gaat het met Liz en de kinderen?'

'Goed. Je schoonmoeder komt vandaag aan.'

'Mijn schoonmoeder?' Matt wist dat dit inhield dat Liz gespannen zou zijn.

'Is er iets dat je wilt dat ik tegen hen zeg?'

Matts stem werd onvast. 'Zeg ze maar dat ik zielsveel van ze houd en dat ik ze mis. Zeg Liz dat ze sterk moet zijn. Zeg haar dat ik weet wat ik doe en dat ik doe wat gedaan moet worden.'

Tariq had een uur in de raamloze kamer van de Amerikaanse ambassade gewacht, toen de deur openvloog en een korte, gespierde man kwam binnenstormen.

'Burris,' zei de Amerikaan, terwijl hij zijn hand uitstak. 'Wat kan ik voor u doen?'

Tariq had moeite om niet overspoeld te worden door Burris' stekelige energie. Een deel van hem wilde 'Sorry' uitbrengen en weggaan. In plaats daarvan haalde hij diep adem en begon hij het verhaal te vertellen dat hij in de taxi gerepeteerd had. Het begon met de dagen waarin hij als vertaler voor Matt werkte, vervolgens de redding van zijn vader in Khost en Matts interesse in een man genaamd Kourani, die in de jaren zestig gestudeerd had in het Islamitisch Centrum in Hamburg.

Het ergerde hem dat de Amerikaan niet luisterde, maar boodschappen op zijn mobieltje doorkeek. Het stoorde hem zelfs nog erger dat Burris zich verontschuldigde en de kamer verliet.

Een magere man met een rood hoofd, die achter de kortere Amerikaan de kamer was binnengekomen, glimlachte. 'Geduld. Hij is een druk man.'

Tariq wilde de Amerikanen graag aardig vinden. Maar een deel van hem vond dat hun arrogantie het voor hen onmogelijk zou maken om ooit het Afghaanse gezichtspunt te begrijpen.

Vijf ongemakkelijke minuten later kwam Burris terug. 'Een dringende boodschap uit Washington,' legde hij uit. 'Waar waren we?'

Tariq kwam ter zake. 'Ik wil graag dat u deze foto laat zien aan mijn vriend meneer Morgan.'

Burris trok zijn voorhoofd tot een vraagteken, terwijl hij de kleurenfoto van Javed Mohammed en Nazad bestudeerde. 'Naar wie kijk ik hier?'

'De jongen rechts, Javed Mohammed, is de kleinzoon van een zekere sjiitische moellah over wie meneer Morgan informatie heeft gevraagd. De jongen is achttien en woont in Frankrijk, buiten Parijs. Zijn naam is op de achterkant geschreven.'

Burris draaide de foto om. 'Meneer Morgan werkt niet voor ons.'

Tariq kon een teleurgestelde kreun niet onderdrukken. 'Hij heeft me gezegd dat hij in dienst is van de Amerikaanse regering.'

'We zitten niet bij dezelfde afdeling.'

'Maar werkt u samen?'

'Ja en nee.'

Met zijn vierkante lichaam en zijn uit elkaar geplaatste voeten, vertegenwoordigde de Amerikaan met het uiterlijk van een gewichtheffer een hindernis. Tariqs hersenen werkten hard in een poging een weg om hem heen te bedenken. 'Meneer Morgan heeft me gevraagd deze informatie op te zoeken en die zo snel mogelijk bij u te brengen.'

Burris trok een wenkbrauw op. 'Hoe weet ik dat je niet voor de vijand werkt?'

Tariq zocht naar woorden. 'Omdat... uw mensen... me kennen.'

'Is dat zo?'

'Ik ben door u, Amerikanen, aangenomen als vertaler. Ik ben pas nog met meneer Morgan naar Khost gereisd.'

'Waarom zou ik u geloven?'

Tariq antwoordde recht in de ogen van de Amerikaan. 'Meneer Morgan verzekerde me dat u in staat zou zijn om belangrijk nieuws naar hem door te sturen.'

De menselijke dwerggorilla rukte de foto uit de handen van zijn assistent. 'En deze foto is belangrijk? Waarom?'

Tariq aarzelde niet. 'Dat zal meneer Morgan begrijpen.'

'Ik heb geen tijd.'

'Ik zal meneer Morgan daarvan op de hoogte stellen, de volgende keer dat ik hem zie.'

Burris stak zijn kin naar voren. 'Waarom stoort u me hiermee als u zelf weet hoe u hem kunt bereiken?'

De woede die Tariq voelde liet zijn benen trillen. 'Het is een kwestie van technologie, sir. Het is iets wat u hebt en wij Afghanen niet. U herinnert ons er graag aan dat we in de zeventiende eeuw leven. En in sommige opzichten is dat juist. Meneer

Morgan heeft me gezegd dat deze kwestie dringend was voor hem. Hij heeft me niet verteld waarom. Dat is uw zaak. Ik ben hier vandaag gekomen uit respect voor meneer Morgan en de grote dienst die hij mij en mijn vader heeft bewezen.'

Burris was genoeg geraakt om Tariq aan te spreken als een medemens. 'Oké, Tariq. Ik hoop dat je begrijpt dat ik deze vragen moet stellen.'

'Ik ga ervan uit dat ik u Amerikanen begrijp. Ik ben hier gewoon om mijn vriend te helpen.'

'Meneer Morgan is een ongewone vent,' zei Burris, met een knik in de richting van de roodharige man, die als een standbeeld stond te wachten. 'Wat denk jij?'

De roodharige man sprak met een warme, vriendelijke stem. 'We moeten Tariq bedanken voor zijn hulp en doen wat hij zegt.'

Burris was nog altijd niet overtuigd. Hij zwaaide met de foto voor Tariqs gezicht. 'Ben je hier zeker van?'

'De tragedie van mijn land is het voortbrengsel van wantrouwen. Wat ooit één volk was, is uiteengeslagen in stammen die elkaar haten. Ik nam aan dat de Amerikanen sterk waren doordat u verenigd bent. *United* States. Misschien is dat een illusie.'

Burris glimlachte zonder zijn tanden te laten zien. 'Ik vroeg verdomme niet om een preek.'

'Een vriend van mijn vriend is voor mij een vriend.'

'Ik zal ervoor zorgen dat hij dit krijgt.'

Tariq knikte. 'Wens meneer Morgan alstublieft het beste van mij.'

14

15-16 september

Moshen Kourani bestudeerde zijn spiegelbeeld en probeerde er tevreden uit te zien. 'Alles gaat volgens plan,' zei hij hardop. Maar woede en twijfel dwarrelden nog steeds door zijn hoofd als een woestijntornado.

Elf uur geleden was hij teruggekeerd naar het Amerikaanse consulaat om zijn paspoort en visum op te halen. Op de voorlaatste pagina stond een met potlood geschreven telefoonnummer, geheel volgens Kourani's instructies aan Freed, toen ze in Boekarest met elkaar gesproken hadden. Het was het nummer dat Kourani zou gebruiken om Matthew Freed te bereiken als hij op de achttiende in New York aankwam.

De Iraniër met de kortgeknipte zwart-met-zilveren baard schoot snel in zijn ondergoed en sokken. Eén voor één legde hij al zijn documenten op de ladekast: diplomatiek paspoort onder de naam Fariel Golpaghani; Iraans overheids-ID; rijbewijs en creditcards die allemaal op dezelfde naam waren uitgegeven; foto's van zijn neven, moeder, vader en broers.

Zijn hart bonkte. Hij stopte, haalde zes keer diep adem en sprak toen een gebed uit dat hij van zijn vader had geleerd:

O God! Zegen de metgezellen van Mohammad. Vergroot voor hen de tuinen van Uw paradijs. Bescherm hen daarbij tegen het bedrog van Satan. Help hen bij de gerechtigde dingen waarvoor ze om Uw bijstand smeken. Laat hen daarvoor hun hoop grotendeels op U richten. Laat hen hunkeren naar wat bij U is. Laat hen ophouden anderen de schuld te geven van wat in de handen van Uw schepsels ligt, zodat U hen eraan doet herinneren dat ze naar U dienen te verlangen en U moeten vrezen.

Weerhoud hen ervan wereldse voorspoed na te streven. Laat hen zich voorbereiden op wat er na de dood is. Vergemakkelijk voor hen iedere pijn die wellicht over hen komt op de dag dat de ziel het lichaam verlaat. Bescherm hen tegen datgene waarin de beproeving van hun grootste angsten schuilt: de marteling met het Vuur en de eeuwige voortduring daarvan. Breng hen naar de vrede van de rustplaats voor degenen die zich wapenen tegen het kwaad.

Meer op zijn gemak ging hij aan het bureau zitten en schreef een brief aan zijn vrouw Sanaz. Dat bleek moeilijk, vanwege de onverwachte emoties die terugkwamen. Wat achtentwintig jaar geleden veelbelovend was begonnen na een toevallige ontmoeting in het huis van een vriend op de berghellingen van Londoil, had twee pijnlijke miskramen opgeleverd, jaren van scheiding tijdens de oorlog, en twee jaar geleden een vervreemding, toen Sanaz met haar zus een appartement buiten Teheran betrok.

Ze waren het over veel dingen niet met elkaar eens. Het belangrijkste was dat Sanaz nooit begrip had gehad voor wat ze Moshens 'blinde' toewijding aan de revolutie noemde.

Van zijn kant was Kourani niet in staat geweest om haar vertrouwen in gevoelens en intuïtie te accepteren. Hoe kon een vrouw de vorm van de toekomst voorvoelen? Hoe kon ze weten wat mensen in hun hart verborgen? Was dat geen godslastering?

Hoe meer hij haar van zich af duwde, des te wanhopiger ze was geworden. Hij zou nooit de walging vergeten die hij gevoeld had op de avond dat ze neerstortte op de vloer van de badkamer en er als een hond om smeekte dat hij naar haar luisterde en haar behandelde als een mens.

Nu hij erop terugkeek dacht hij dat hij haar misschien te hard beoordeeld had. Ze begreep niet dat de islam een vorm van geestelijke onderwerping is, die voortkwam uit het bewustzijn van de werkelijkheid achter het bestaan. Dat oversteeg de visie van de mens op zijn omgeving en de krappe beperkingen van de tijd.

Hij wilde dat hij de beledigingen kon terugnemen die hij haar in haar gezicht had gespuugd. Woorden als *verleidster, idioot, heks.*

Het beste wat hij kon doen, was haar om vergiffenis vragen en beloven dat hij haar van troost zou voorzien in het volgende leven.

Bij het horen van twee korte klopjes op de deur veegde hij een traan uit zijn oog en antwoordde, na een snelle blik op de klok. 1.44 uur 's nachts. Zijn assistent Jamshad was een paar minuten te vroeg. Kourani deed een vinger op zijn lippen en begeleidde Jamshad naar de badkamer, waar hij de douche aanzette. 'Om de taak die voor ons ligt te kunnen volvoeren, moeten we vastberaden zijn.'

'Ja, meester.'

'Er zijn overal vijanden om ons heen,' zei hij in Jamshads oor, terwijl de badkamer zich vulde met stoom.

Sinds zijn aankomst in Wenen had de onderdirecteur van de Qods-strijdmacht strikte voorzorgsmaatregelen genomen. Hij wist dat de Amerikanen hem overal volgden en verwachtte dat zijn telefoon werd afgeluisterd.

De graatmagere Jamshad fluisterde met een raspende stem: 'De rest van de delegatie is aangekomen.'

Dat was welkom nieuws voor Kourani. 'Dus de Iraanse ambassadeur is hier, met de minister van Buitenlandse Zaken?'

'En twee veiligheidsagenten.'

'Natuurlijk.' Kourani glimlachte, wetend dat hij de agenten van het MVIV zelfs nog meer vreesde dan de Amerikanen.

'Uw broer is ook aangekomen,' voegde zijn jongere assistent eraan toe.

'Abbas. Heb je hem gezien?'

Jamshad knikte. 'Ik heb hem van het vliegveld opgehaald.'

'Hoe ziet hij eruit?'

'Perfect.'

Zijn enige nog levende broer bij deze gevaarlijke missie betrekken was moeilijk geweest voor Kourani. Maar in zijn rol van strijder voor de religieuze leiders van Iran, herinnerde hij zichzelf eraan dat gehoorzaamheid aan de werkelijkheid van de Koran – het fundament voor al het geschapene – geen passieve dienstbaarheid was, maar een actieve beweging. *Dit is een kans voor ons allebei om martelaars te worden ten behoeve van de hele mensheid.*

'Is Abbas klaar?'

'Hij loopt in de voetsporen van de Alleredelste Boodschapper.'

'O gij, gehuld in uw mantel, rijs op en waarschuw,' citeerde Kourani van de Sura, en hij overhandigde Jamshad de elektronische sleutel. 'Geef me nog vijftien minuten. Laat hem dan binnen.'

Jamshad boog wat vreemd; hij wist niet wat hij moest zeggen. 'Ik bid om uw succes, meester. Allah is groot.'

'Ja, Allah is groot. Dank je, Jamshad, voor alles. Ga nu.'

Een kwartier later stond Moshen Kourani tegenover zijn jongere broer Abbas. 'Opmerkelijk,' zei hij steeds weer, terwijl zijn ogen over de haren van zijn broer naar beneden gingen, langs zijn wenkbrauwen, neus en kin, tot aan het buikje dat het grijze zijden shirt naar voren duwde.

'De opoffering is groot geweest,' zei Abbas. 'Geen *bastanie gol-e bolbol* [Perzisch ijs, op smaak gebracht met saffraan, rozenwater en stukjes gestolde room] meer, geen *shirini nokhodchi* [klavervormige kekerkoekjes] of *bamiehs* [ovaalvormig diepgevroren deeg, bedekt met siroop].'

Door vijf kilo te verliezen, een kortgeknipte baard te laten staan en zijn haren te knippen had Abbas zichzelf getransformeerd tot bijna het evenbeeld van zijn broer. Natuurlijk waren er subtiele verschillen. Het gezicht van Abbas was nog altijd dikker rond de wangen en de ogen. De ogen zelf waren wat smaller en donkerder. Abbas was twee centimeter korter dan zijn broer en gespierder in zijn dijen en zijn borst.

'Het is tijd om ons over te geven, Abbas,' zei Moshen.

De jongere broer knikte. Toen hielden ze elkaars handen vast, knielden samen en baden.

Generaal Jasper droomde dat ze een helikopter omlaag stuurde door wolken en mist. Het landschap beneden was bedekt met vormen die leken op slapende koeien. *Natuurlijk*, dacht ze, *het gaat regenen.*

Maar de mist bracht een triestheid met zich mee die steeds dikker werd en aan de huid bleef plakken. Een uil riep in de verte en gebood haar beter te kijken. De vormen bleken bij nader inzien geen koeien, maar menselijke lichamen – het waren er duizenden bij elkaar, mannen, vrouwen en kinderen, dood, hun gezichten verwrongen van pijn.

Toen ze het 'oehoe' weer hoorde, zat ze rechtop in bed. De klok gaf 5.13 uur aan, wat betekende dat de slaappil die ze genomen had terwijl ze Letterman zat te kijken haar aan slechts vijf uur slaap had geholpen.

Haar echtgenoot Clive draaide zich om en vroeg: 'Gaat het goed met je, Em?'

'Het was maar een nachtmerrie, schat. Ga maar slapen.'

Vier nachten achter elkaar had de uil haar wakker gemaakt met dromen over lijken en kinderen die naar adem hapten.

Discipline, zei ze tegen zichzelf. *Geestelijke discipline is noodzakelijk.*

Maar haar hersenen associeerden discipline met verantwoordelijkheid, en die van haar was enorm groot. Als hoofd van de NCTS was het haar werk om alle burgers van de Verenigde Staten te beschermen tegen aanslagen.

Binnen enkele seconden kwamen er allerlei problemen aan de oppervlakte: Kourani, Al Qaida-activiteiten ten westen van Bagdad, in de provincie Anbar, een sterk gestegen aantal mobiele telefoongesprekken tussen Anbar en Noord-Waziristan – een bekend Al Qaida-bolwerk in het oostelijke stammengebied van Pakistan.

Wat betekent dat allemaal? Had Al Qaida daadwerkelijk een chemisch wapen of een dirty bomb in handen gekregen?

Ze had rapporten onderstreept, de deskundigen ondervraagd, vergaderingen bijgewoond bij de veiligheidsdiensten en de NSC (National Security Council – Nationale Veiligheidsraad), maar ze had nog altijd geen idee van het antwoord. *Wat hebben we gemist? Wat?*

'Oehoe! Oehoe!' riep de uil weer.

Het leek oneerlijk, wreed – de jaren van studie en dienst in het Amerikaanse leger; de lange weken en maanden bij het gezin vandaan; de opoffering; het harde werk, allemaal voor niets. Ze stond voor een zware beproeving. *De geschiedenis zal me nu beoordelen op mijn prestaties.*

Haar gedachten gingen naar een beeld van op straat ontploffende lichamen, daarna naar een werkstuk dat ze geschreven had als cadet aan West Point – 'De politieke weerslag van de pestepidemie'. Dat bezorgde haar nu spookbeelden, dat verhaal over de manier waarop de Zwarte Dood zich in de veertiende eeuw verspreid had over Europa en Azië, wat resulteerde in vijfenzeventig miljoen doden. Moslims en joden kregen daar de schuld van en werden vervolgd.

Ze herinnerde zich de woorden van een ooggetuige: 'Vaders lieten hun kinderen in de steek, vrouwen hun echtgenoot, de ene broer de andere; want deze ziekte leek toe te slaan via de reuk en het gezichtsvermogen. En dus stierven ze. En er kon niemand gevonden worden die voor geld of omwille van vriendschap de doden begroef. En er stierven zoveel mensen, dat ik dacht dat dit het einde van de wereld was.'

Wat kan ik doen? Wat?

Vijf gebroken nachten hadden het uiterste van haar gevergd. Terwijl het schuldgevoel steeds heviger werd, dacht ze erover met haar echtgenoot te ontsnappen naar Maui. Pina colada, sinaasappelbloesem, de warme zon die door stress veroorzaakte giffen uit haar huid trok.

Alsjeblieft, hou op!

Generaal Jasper trok haar ochtendjas aan, gleed door de open verandadeur en stapte de koude nachtlucht in. 'Oehoe,' riep de uil plagerig.

Ze zag het dier naar haar kijken vanaf een tak van de esdoorn, vijf meter boven haar hoofd.

'Oehoe.'

'Ga weg!'

'Oehoe!'

Het leek alsof de vogel probeerde met haar te praten. 'Wat wil je?'

171

De vorstelijk grijze uil boog zijn kop wat lager.

'Zeg het tegen me!' schreeuwde ze.

De uil bewoog niet. 'Oe! Hoe!'

Matt zat overeind in het ziekenhuisbed in Tasjkent te denken: *Oleg Urakov is de sleutel. Hij heeft voor Sovjet Biopreparat gewerkt. Is in juli naar Oezbekistan gereisd met een van Kourani's agenten, Kasemloo. Op de veertiende gingen ze met hun drieën naar Rebirth Island. Ze gingen niet voor een picknick: Kasemloo is gestorven. Ik moet verdomme opstaan.*

Hij pakte zijn aktetas. *Maar er is één probleem. Hoe kom ik in Moskou zonder visum?* Nu generaal Jasper hem had bevolen naar het hoofdkwartier te komen, was het uitgesloten dat hij via de officiële kanalen een visum zou krijgen. En hij moest binnen twee dagen in New York zijn.

De inhoud van de aktetas was niet erg veelbelovend – een paspoort op naam van John Paul Morgan, een internationale GSM, zijn gecodeerde adresboek.

Een zuster in een grijsachtig uniform kwam binnen om het ontbijtblad weg te halen.

'Internet?' vroeg Matt.

'Wat?' bromde ze terug.

Hij maakte de bewegingen van op de computer typen. 'E-mail. Computer.'

Ze stak twee vingers omhoog en wees naar beneden.

'Dank u,' zei hij in het Russisch.

Op de tweede verdieping, achter het kantoor van de verpleging, vond hij een Dell-computer. Hij typte www.google.com in en als zoekterm: Russische bruiden en trip. Er verscheen een tiental websites waarop postorderbruiden werden aangeboden en trips voor westerse vrijgezellen. Hij surfte langs diverse sites, koos er eentje die Russian Brides Café heette en stuurde een mailtje waarin hij schreef dat hij een succesvolle Amerikaanse zakenman was die momenteel op reis was in Centraal-Azië en geïnteresseerd was om mee te gaan met de volgende vrijgezellen-expeditie naar Moskou. Hij legde uit dat hij graag onmiddellijk wilde meedoen aan een trip, als zijn visum kon worden geregeld.

Toen hij een uur later inlogde in zijn e-mail, vond Matt een antwoord met een telefoonnummer dat hij kon bellen. De prijs: drieduizend dollar, exclusief vliegreis.

Het kostte hem vijftig dollar om een zuster zover te krijgen dat ze hem verbond met het nummer in Moskou. Een Russische vrouw met een licht Brits accent stelde zich voor als Luda Kolchaveska.

'Meneer Morgan, we zouden u graag ontvangen,' meldde ze in het Engels via de telefoon. 'Maar we laten doorgaans niet toe dat iemand halverwege de rondreis bij de groep komt. Onze huidige groep gasten heeft zojuist vier dagen doorgebracht in Sint-Petersburg en staat gepland om hier morgen aan te komen.'

'Ik zou me graag in Moskou bij de groep voegen,' drong Matt aan.

Luda Kolchaveska was een goede zakenvrouw. 'We hebben een groep opmerkelijke jonge vrouwen samengesteld,' zei ze. 'Bent u serieus in het vinden van een bruid?'

'Reken maar.'

'Vertel me eens iets over uzelf.'

'Ik ben een succesvol zakenman van begin vijftig. Mijn vrouw is vorig jaar overleden. Ze kon geen kinderen krijgen.'

'Ik denk dat u erg tevreden zult zijn over onze meisjes. Erg mooi en intelligent. Schoon, gezond. Geen rare gewoonten.'

'Klinkt erg goed.'

'Is dat naar uw zin, meneer Morgan?'

'Ik heb haast.'

'We zullen een extra vijfhonderd euro in rekening moeten brengen om een noodvisum te regelen. En we zullen u de volledige prijs van de rondreis moeten rekenen.'

Matt aarzelde niet. 'Dat zal geen probleem zijn.'

'Goed. Waar bent u nu?'

'Tasjkent.'

'Dat is makkelijk. Ga ongeveer vier uur voor uw vlucht naar de Aeroflot-balie op het vliegveld. Bel me vanaf daar en dan regel ik het visum. Dan kunt u me ook vertellen hoe laat u in Moskou aankomt, zodat ik een assistent klaar kan hebben staan om u langs de immigratiedienst te begeleiden en u af te leveren bij uw hotel.'

'Dank u,' zei Matt. 'Ik zal nu een taxi bellen.'

In plaats daarvan belde hij Phil op de ambassade en zei hem dat hij een auto met chauffeur nodig had om hem naar het vliegveld te brengen.

'Weet je zeker dat je genoeg hersteld bent om helemaal naar Washington D.C. te vliegen?' vroeg Rachels adjudant.

'Ik slaap wel in het vliegtuig.'

Phil aarzelde. 'Misschien is het beter als majoor Dubois, de militaire arts die nu voor Rachel zorgt, eerst even naar je kijkt.'

'Niet nodig, Phil. Ik sta te trappelen om te gaan.'

'Oké, Rambo. De auto komt eraan. Ik neem aan dat Oleg Urakov zal moeten wachten.'

'Is er nog nieuws van dat front?'

'We proberen nog steeds bevestigd te krijgen dat hij is opgenomen in de Buteyko-kliniek in Moskou,' antwoordde Phil.

'Wens Rachel het beste van me, de volgende keer dat je haar ziet. Zeg haar dat ik nog contact opneem.'

Drieënhalf uur later stond Matt voor de Aeroflot-balie van Tasjkent International Airport te luisteren naar een receptioniste die hem vertelde dat zijn visum was goedgekeurd en bij aankomst in Moskou zou worden uitgereikt. In de spiegel achter de jonge vrouw zag hij Phils blonde haar boven een zwarte personenauto uitkomen.

Hij heeft me door, dacht hij en overwoog weg te duiken om een hoek.

Phil baande zich een weg recht naar Matt toe. 'Wat doe jij bij een Aeroflot-balie?'

Matt loog: 'Ik heb een vlucht geboekt via Moskou.'

Phil boog zich naar zijn oor. 'We moeten praten.'

Wat nu weer?

Een Russische versie van 'Billie Jean' spatte uit de stereo van de koffiekiosk. Phil deed de flap van een bruine envelop open en zei: 'Dit kwam net voor je binnen van Burris in Kabul. Hij heeft het van een vriend van je, een Afghaan.'

'Tariq?'

Matt bestudeerde de computerprint van een jongen op een fiets. 'Is dit alles?'

Phil viste dieper. 'Er is ook een naam: Javed Mohammed, achttien jaar oud, woont in Frankrijk. Je vriend zei, ik citeer: "De jongen is een kleinzoon van moellah Kourani. Als je de jongen vindt, is hij misschien bereid informatie uit te wisselen in ruil voor hulp om de vs in te komen."'

Matts ogen schoten heen en weer. 'Geen adres?'

'Geen adres.'

'Frankrijk is een groot land.' Hij pakte Phils elleboog. 'Ik moet gebruikmaken van je satelliettelefoon.'

'De Inmarsat ligt in de achterbak.'

Matt bekeek de invoercodes in zijn boekje en toetste een nummer in. Aan de andere kant van het continent, op een zolderkamertje tegenover het Odéon-theater in Parijs, op de linkeroever van de Seine, nam een lange, slanke Argentijn de telefoon op. 'bca. Bonjour.'

'Is dit mijn vriend Guillermo Moncada?'

De Argentijn schakelde over op Engels, met een zwaar accent. 'Matt, ben jij dat? Bel je me om me te feliciteren met mijn verjaardag?'

'Ben je jarig, *ché?*'

'Morgen.'

'Dan wens ik je morgen een prettige verjaardag, Guillermo, en een stevige *abrazo.*'

'Bedankt.'

'Nu moet ik een gunst van je vragen.'

'Dan brengen we de balans in evenwicht. Ga je gang.'

Acht jaar eerder had Matt Guillermo gered van een Servische wapenhandelaar, die hem dood wilde hebben.

'Ik ben op zoek naar een jongen die Javed Mohammed heet. Ik geloof dat zijn achternaam Kourani is. Leeftijd: achttien; woont in Frankrijk met zijn moeder; zijn grootvader was een sjiitische moellah.'

Guillermo was een nuttige vent. Hij was in de jaren zeventig tijdens de Vuile Oorlog uit Argentinië ontsnapt en maakte gebruik van zijn vaardigheden als politiek activist om allianties te smeden en overeenkomsten te sluiten. Als je een vrouw wilde die met Fidel Castro het bed had gedeeld, wist hij haar te vinden. Als je een Chinese mini-onderzeeër nodig had, kon hij die ook voor je te pakken krijgen.

'Hoe snel moet je hem hebben?'

'Vandaag, als dat mogelijk is.'

'Je maakt natuurlijk een grapje.'

'Absoluut niet.'

'Ik heb het momenteel erg druk, *hermano*. Hoe kan ik je bereiken?'

'Ik ben op weg naar Moskou, maar ik zal mijn e-mail controleren: bachman-turner@yahoo.com.'

Het FBI-surveillanceteam van acht personen had Kourani dagenlang gevolgd door Wenen, van de ene toeristische bestemming naar de andere.

Om 4 uur 's ochtends op de zestiende zat een vrouwelijke agent in de hotellobby espresso te drinken en de *International Herald Tribune* te herlezen, terwijl twee mannelijke agenten in een auto luisterden naar Joss Stone op de BBC-radio.

Geen van hen zag Moshen Kourani met de dienstlift naar beneden gaan en instappen in de vrachtwagen van de wasserij, die in de laadruimte stond. Ook zagen ze niet dat de vrachtauto hem afzette bij het metrostation Schwedenplatz, waar hij de groene lijn nam naar Kettenbrückengasse en een flatgebouw van twaalf verdiepingen binnenging.

Pas vijf uur later zag het FBI-surveillanceteam een Iraniër met een bekende, kortgeknipte peper-en-zoutkleurige baard de lift uit komen en de door spiegels omgeven trap naar het restaurant op gaan. 'Scimitar is keurig op tijd,' fluisterde de vrouwelijke agent in haar microfoontje. 'Hij is op weg naar het buffet.'

Scimitar was de FBI-codenaam voor Moshen Kourani.

'Hij ziet eruit alsof hij een paar kilo zwaarder is geworden,' merkte de vrouwelijke agent op.

'Komt door de runderschnitzel en strudel,' was het antwoord van de FBI-agenten in de auto buiten.

15

16 september

De dageraad verspreidde zijn warme gloed over de horizon, toen de Gulfstream 5 de landing inzette. Alan Beckman stopte met het verplaatsen van papieren van het uitvouwbare bureaublad naar zijn aktetas en keek naar de fraaie lijn van de Saoedische kust daar beneden.

Het hoofd van de bemanning stak zijn hoofd om de hoek van de cabinedeur en stopte zijn lange grijze haren onder zijn Mets-petje. 'Vijftien minuten,' zei hij.

'Oké, prima.'

Alans recente trip naar Washington D.C. had het verschil onderstreept tussen mensen die de werkelijkheid uit de eerste hand kenden en zich richtten op echte doelen, en mensen die de luxe hadden van afstand. De laatstgenoemden hadden de neiging om hun aandacht te laten afglijden naar interne politieke tegenstellingen.

We lijden aan een rare vorm van narcisme. Als ze in Washington al hun tijd besteden aan het kijken in de spiegel, hoe kunnen we dan verwachten dat we andere culturen succesvol tegemoet treden?

Het vliegtuig trok met een schok recht. Hij zou het antwoord voor later bewaren.

Dit was de tweede keer dat Alan terugkwam aan de Perzische Golf sinds hij aan het begin van zijn carrière in Saoedi-Arabië in dienst geweest was. Tien jaar geleden was hij teruggekomen als veiligheidschef van de Nationale Veiligheidsraad, een van de vele glorierijke staffuncties die hij in D.C. vervuld had.

Als staflid had Beckman talloze rapporten en verslagen over

Qatar voorbereid, maar dit zou zijn eerste keer in het veld zijn.

Hij wist dat sinds emir Hamid bin Khalifa al-Thani in 1995 de macht had gegrepen van zijn vader, het land aanzienlijke stappen had gedaan in de richting van modernisering, door vrouwen rechten toe kennen, een grondwet op te stellen en het controversiële Arabischtalige televisienet Al Jazeera op te zetten.

Dit kleine stukje woestijn, dat bewoond werd door minder dan een miljoen mensen (van wie er slechts 200.000 staatsburgers waren), bezat enorme olie- en gasreserves. Het bevatte ook de Amerikaanse Doha International Air Base (ook bekend als Camp Snoopy), dat in 2003 diende als uitvalsbasis voor de invasie van Irak.

Dit zal de test van Kourani's info zijn, zei Alan tegen zichzelf. *Ofwel we arresteren die cel, ofwel iemand heeft hen gewaarschuwd.*

NCTS had alles wat ze wisten over de dreiging doorgegeven aan de Qatari's, zonder hun bron te onthullen, omdat niemand wist in hoeverre de Iraanse Qods-strijdkrachten, of zelfs het MVIV, de Qatarse overheid had gepenetreerd. Het laatste wat ze wilden, was dat Kourani's naam werd teruggespeeld naar de Iraniërs.

De Qatari's hadden de dreiging ter harte genomen. In maart 2005 was het Players-theater van Doha opgeblazen door een autobom van Al Qaida, waardoor één dode en een tiental zwaargewonden waren gevallen. En gezien de aard van de ophanden zijnde operatie – een vrachtwagenbom om de zware verdedigingslinie van CENTCOMS vooruitgeschoven hoofdkwartier te doorbreken, gevolgd door twee VBEID's (*vehicularborne improvised explosive devices* – geïmproviseerde voertuigexplosieven) – was het noodzakelijk de Qatari's in het spel te betrekken.

'De aanval zal worden ingezet vanuit de stad Doha,' las Alan in het laatste dreigingsevaluatierapport, terwijl zijn oren pijn begonnen te doen.

Je meent het.

Terwijl hij keek naar de schittering van moderne hoogbouw en de grootschalige bouwputten, dacht Alan aan zijn zoon Nathan, een tweede luitenant bij de inlichtingendienst van de Amerikaanse landmacht in Irak. Hij herinnerde zich een jongen met een sproetig gezicht, die in de achtertuin eindeloos vangbal kon spelen, met gretige en wijd open ogen. Alan wou dat Nathan rechten was gaan studeren, zoals aanvankelijk het plan was.

We gaan dit gevecht samen aan, dacht hij bij het landen van het vliegtuig, waarmee hij Nathan, zichzelf, de Qatari's, de Verenigde Staten en iedereen in het hele Midden-Oosten die persoonlijke vrijheid nastreefde onder één noemer bracht.

'Het schijnt vandaag 40 graden te worden,' bromde het hoofd van de bemanning. 'Heter dan een rodekontaap.'

Alan pakte zijn koffer en zijn leren aktetas en begroette de jonge, lange Qatari die op hem wachtte bij een zwarte Mercedes.

'*Salaam aleikum,*' zei de jongeman in het Arabisch.

'*Wa-aleikum es-salaam.*'

Toen Alan eenmaal op de leren achterbank in de welkome koelte zat, stelde de jonge Qatari zich voor als de neef van de minister van Buitenlandse Zaken. 'We gebruiken de info die u verstrekt heeft om vanavond invallen te doen op diverse locaties,' kondigde hij in smetteloos Oxford-Engels aan.

'Ik neem aan dat u de voornaamste leider hebt geïdentificeerd?'

'Dat klopt, sir,' antwoordde de Qatari. 'Hij wordt fysiek en elektronisch gevolgd. Dat heeft ons ertoe in staat gesteld om te bevestigen dat de cel zich heeft voorbereid om de aanslag morgen uit te voeren. We zullen hen vanavond neutraliseren.'

'Goed gedaan.' Alan merkte dat ze waren aangekomen bij het Four Seasons Hotel. 'Stelt u zijne excellentie de minister van Buitenlandse Zaken er alstublieft van op de hoogte dat ik heb deelgenomen aan talloze invallen op Al Qaida-locaties en specifieke expertise kan leveren over de uitschakeling van explosieven. Ik sta klaar om uw team vanavond te vergezellen.' Onder de laklaag van een doorgewinterde bureaucraat was Alan een hoogopgeleide EOD-specialist; hij gaf af en toe lezingen bij de Joint Improvised Explosion Device Defeat Organization (JIEDDO) en het National War College.

De digitale klok gaf 8.25 uur aan, toen Beckman binnenstapte in de van subtiele kleurschakeringen voorziene hotelkamer met de 1.25 meter brede plasmatelevisie. Hij douchte, deed een dutje, bestelde een licht ontbijt en ging om 11.55 uur naar de lobby, beneden. Terwijl hij in de spiegelruit stond te kijken naar de snit van zijn nieuwe bruine linnen pak, kwam de Mercedes weer voorrijden.

Alan zat naast de jonge Qatari, bewonderde de poging van het land de moderne tijd te omhelzen en vroeg zich af hoeveel van de luxe om hem heen ook in de onderste lagen van de maatschappij terechtkwam. *Weer een probleem dat nodig aangepakt moet worden*, dacht hij, terwijl hij ging verzitten. *Maar niet vandaag.*

Ze reden door prachtig bijgehouden lanen naar het militaire hoofdkwartier van Qatar. De lange man naast hem zei: 'Vanwege de ernst van de dreiging zal er een speciaal militair team worden ingezet, niet de politie. Ons team heeft getraind samen met uw JSOC [Joint Special Operations Command] en de Britse SAS [Special Air Service].'

Ze gingen een zandkleurig gebouw van twee verdiepingen binnen, waar Alan werd voorgesteld aan een in prima conditie verkerende, opgewekte man met een borstelige zwarte snor – brigadegeneraal Abdullah Hamid bin Jasim al Thani. Hij meldde dat hij was opgeleid aan de Britse militaire academie Sandhurst en bood met een lichte grinnik thee aan.

Een ordonnans in een stralend wit uniform serveerde *darjeeling*, en toen werd het licht gedimd. Generaal Al-Thani voerde het woord bij de PowerPoint-presentatie die op een reusachtig scherm werd geprojecteerd.

'Iets meer dan een jaar geleden hebben twee Saoedi-Arabische zakenlieden de JAFA Trading Company opgezet hier in Doha, met als doel de planning en coördinatie van de operatie die in een onderschept telefoontje werd aangeduid als "de Snoopy-transactie". Een van de twee mannen, Kahlid al Haznamwi, heeft een broer die in Saoedi-Arabië gevangen zit wegens een aanklacht van terrorisme. Saoedische autoriteiten geloven dat beide mannen eerder actief zijn geweest in de Iraakse provincie Anbar.'

De generaal dronk van zijn thee. 'We hebben vastgesteld dat JAFA zes maanden geleden een dieselvrachtwagen van tien ton heeft gekocht, die nu samen met diverse andere vrachtwagens en SUV's geparkeerd staat op een terrein aan de noordelijke buitenrand van de stad. Verdacht. Zes weken geleden hebben ze een zending met een lading zogenaamde industriële apparatuur ontvangen, waarvan ik helaas moet zeggen dat die niet is doorzocht alvorens die werd afgeleverd.'

De generaal ging verder en onthulde de plannen voor de inval. Acht locaties vormden het doelwit, waaronder het bedrijf, de woonhuizen van de beide Saoedische leiders en pensions die gebruikt werden door vijf andere mannen die met JAFA in verband stonden.

'Meneer Beckman,' zei de generaal. 'Ik zal u vragen mij te vergezellen naar de belangrijkste locatie, omdat we geloven dat daar de meest waarschijnlijke opslagplaats voor het explosieve materiaal is.'

'Ik hoop dat ik in staat zal worden gesteld even te kunnen praten met de teamleider van de inval.'

'Wees ervan verzekerd dat het geregeld zal zijn.'

Matt verliet Tasjkent in de wetenschap dat hij zijn NCTS-carrière op het spel zette. Maar dat weerhield hem er niet van het grootste deel van de vijf uur durende vlucht te slapen.

Ik ben iets groots op het spoor. Ik kan het voelen, dacht hij, terwijl hij de terminal in Moskou binnenliep. *Ik mag me door niemand laten tegenhouden.* Dat was wat zijn moeder zijn 'stijfkoppigheid' noemde, die hem in staat stelde alle twijfelende stemmen opzij te schuiven. Zijn vaders stem hield hem voor dat hoe meer hij zichzelf isoleerde, des te groter de ramp zou zijn die hij over zichzelf afriep.

Je zult nog wat te zien krijgen, ouwe.

Met een nu-of-nooithouding ging Matt op weg naar de douane, toen een lange brunette van begin dertig zijn doorgang blokkeerde. Met haar lange bruine haar en dikke mascara zag ze er niet uit als iemand van de NCTS-veiligheidsdienst, maar daar kon hij niet zeker van zijn.

In het Engels, met een licht accent, zei ze: 'Meneer Morgan, ik ben Anya van Brides Café. Luda Kolchaveska heeft me gestuurd om u te verwelkomen.'

'Aangenaam.'

'Als u me nu uw paspoort wilt geven, dan zal ik de noodzakelijke regelingen treffen en dan zie ik u bij de bagageband.'

Twintig minuten later was Matt, met zijn koffer in de hand, de enige passagier die nog steeds stond te wachten om bij de immigratiedienst naar binnen te gaan. *Waar is Anya heen?* Een geüniformeerde Russische beambte liep naar hem toe en vroeg om zijn paspoort. Omdat hij vond dat hij de aandacht trok, begon Matt net te bedenken wat hij moest gaan doen, toen Anya terugkwam. Ze werkte haar roze lipstick bij. 'Sorry voor de vertraging,' zei ze en haalde een hand door haar lange haar. 'Altijd complicaties.'

Haar hoge hakken tikten de tijd weg op de vloer. Ze gleden moeiteloos door het bureaucratische labyrint, hoewel Matt op het laatste moment een visum uitgereikt had gekregen en zijn paspoort opgesierd was met in- en uitreisstempels uit Afghanistan, Oezbekistan, Roemenië, Sri Lanka en Irak. Hij nam aan dat de Russische geheime politie (de FSB) het gekopieerd had en hem zou volgen naar zijn hotel.

'Uw efficiency is een positief voorbeeld van de ondernemersgeest van het moderne Rusland,' zei Matt, waarmee hij haar tegelijkertijd complimenteerde en op de proef stelde.

Ze trok cynisch een wenkbrauw naar hem op. 'Als u dat zegt.' Toen: 'We proberen de dingen prettig te regelen voor onze klanten.' Buiten gaf ze hem over aan een jongen met een geschoren hoofd en een ring door zijn neus. 'Gennady zal u naar uw hotel brengen.'

Er hing een dikke mist over de hoofdstad; het verkeer zoemde. Het Sheraton Palace Hotel aan de Tsverkayastraat lag op een steenworp afstand van het Rode Plein. Een slanke man aan de balie nam Matts paspoort aan en kopieerde het. *Sommige dingen veranderen nooit*, dacht Matt, die zich niet op zijn plaats voelde tussen zakenlui met gemanicuurde nagels en grijze maatpakken.

Zijn geverfde zwarte haar begon zijn zandkleurige wortels te laten zien. Zijn blauwe blazer en kaki broek zagen er verkreukeld uit.

Als begroeting stond in zijn bleekgele kamer een fruitmand met een briefje: 'Welkom in Moskou, meneer Morgan. Kom vanmiddag om 14.00 uur alstublieft naar de lobby, dan zult u vergezeld worden naar ons eerste evenement. Daar zult u een aantal van uw landgenoten treffen, plus een groot aantal beschikbare jonge en zeer aantrekkelijke Russische vrouwen. We hopen dat uw toekomst snel zal veranderen op manieren die uw meest romantische dromen te boven gaan. Vriendelijke groet, Luda Kolchaveska.'

Dat hoop ik ook.

Gewoonlijk zou Matt het grappig hebben gevonden dat hij reisde als vrijgezel die op zoek was naar een Russische echtgenote. Maar de wanhoop die uit zijn maag omhoogkroop naar zijn keel maakte dat onmogelijk. Het hielp ook niet dat hij al zo'n tijd bij zijn gezin weg was; dat gold ook voor de mogelijk honderdduizenden Amerikaanse slachtoffers, en ook voor de rode lichten die begonnen te flitsen bij de naam Kourani. Bovendien had hij de laatste twee weken voortdurend onder vuur gelegen.

Hij was geestelijk en lichamelijk uitgeput, zijn rechterslaap klopte. Matt slikte drie Advils. Hij wilde een paar dingen nazoeken op internet, maar verwachtte dat de verbindingen van het hotel afgetapt werden door de FSB. In plaats daarvan nam hij een warme douche, belde hij de balie met het verzoek hem om drie uur te wekken en ging in bed liggen.

In het gedempte, zilveren licht van de kamer maakte hij de balans op. Nee, hij was niet de intelligentste, best opgeleide agent. Ja, hij had de neiging al te opgewonden en agressief te worden. Nee, hij was niet de gladste prater of de politiekste ritselaar. Wat hem bijzonder maakte, was zijn intuïtie, gevormd door jarenlange contacten met bronnen en agenten. Op

183

de een of andere manier, los van redelijkheid en woorden, had hij het vermogen ontwikkeld om dingen aan te voelen en de grove contouren van toekomstige gebeurtenissen te zien.

En zijn intuïtie schreeuwde nu: *Kourani is niet te vertrouwen!*

Om 06.00 uur sloeg de gepantserde Lincoln rechts af op Persimmon Tree Road en parkeerde voor de woning van generaal Jasper. Ze sloeg het laatste kopje hazelnootkoffie naar binnen en stapte naar buiten. Een zwarte lijfwacht met ontblote borstkas en een oortje in liep met haar mee naar de auto. Terwijl ze vooroverboog om haar 1.90 meter naar binnen te krijgen, zag generaal Jasper dat Shelly's haar nog zwarter en stekeliger leek dan de dag tevoren.

'Morgen, generaal.'

'Ik ben ziek van al die tweeslachtigheid. Laten we wat duidelijkheid scheppen.'

'Mee eens, generaal.'

'Hoe duidelijker we op de dreiging inspelen, hoe beter we ons kunnen voorbereiden.'

'Alan Beckman is in Qatar geland,' zei Shelly en overhandigde haar baas de rode map die ze op haar schoot had vastgehouden.

'Wat heeft hij ons tot nog toe verteld?'

'De grote lijnen blijven hetzelfde. Hopelijk kan hij meer details verschaffen na de inval.'

De limo sloeg rechtsaf op de ringweg, met een grote zwarte Chevrolet Suburban erachter, waarin extra bewaking zat.

'In de categorie interessant maar nauwelijks ter zake: we hebben een bericht van de CIA-chef in Oezbekistan, die Freed looft vanwege betoonde moed.'

Generaal Jasper vroeg: 'Al iets gehoord van het militaire team dat hen gered heeft?'

'In termen van?'

'Identiteit van de mannen die Freed en zijn metgezel hebben aangevallen.'

'Er is niets gerapporteerd.'

'Zijn de Kazachen kwaad?'

'De lijken zijn niet geïdentificeerd als Kazachen, generaal.'

'Ik geloof dat we hun luchtruim hebben geschonden.'

Shelly schraapte haar keel. 'Correct. Er is geen protest ingediend. Het valt te betwijfelen of een van beide overheden de gebeurtenis bekend zal maken.'

Generaal Jasper probeerde haar hand door de dikke krullen op haar hoofd te laten gaan. 'Doe mij een lol. Zorg dat we Freed weghouden bij alles wat gevoelig ligt.'

Shelly begreep niet wat ze bedoelde. 'Sorry, generaal?'

'Kijk of je kunt regelen dat hij een kantoorbaantje krijgt en nietjes moet tellen. De man lijkt moeilijkheden aan te trekken, waar hij ook komt.'

'Ja.'

'Waar is de lastpost nu?'

'Op weg naar D.C.'

'Laat iemand hem ophalen in Dulles en hem direct naar mij brengen. Sla hem zo nodig in de boeien.'

'Ja.'

Zachtjes kreunend zette de generaal haar leesbril op en keek de ochtendverslagen op haar schoot door. Aanslagen in Irak, gevechtsoperaties in de Afghaanse provincie Helmand, een nieuw Colombiaans offensief van de FARC (de revolutionaire gewapende strijdkrachten in Colombia) en hernieuwde acties van de Marokkanen tegen salafistische opstandelingen buiten Casablanca. Zonder na te denken stak ze haar linkerhand in de zak van haar blazer en nam de eerste Rennie van de dag.

'We hebben nog twee dagen voordat Kourani aankomt,' hielp ze Shelly herinneren.

'De CIA controleert zijn verwachte aankomsttijd.'

Generaal Jasper staarde uit het raam naar de herfstkleuren die voorbijvlogen. De periode tussen Labor Day en Thanksgiving was haar favoriete tijd van het jaar. Haar twee kinderen, Sarah en Carson, waren geboren in september. Nu waren ze allebei weg – haar dochter studeerde medicijnen op Johns Hopkins, haar zoon (de oudere van de twee) had een gezin in Seattle, waar hij onderzoek deed in nanotechnologie. Clive en zij hadden gepland om over twee weken haar verjaardag te vieren in hun favoriete Shenandoah Inn.

Nu vroeg ze zich af hoezeer de wereld tegen die tijd zou veranderen. Ze dacht aan haar kleinkinderen Ned (drie jaar) en Sally (drie maanden) en vroeg zichzelf af waarom ze toch in middelgrote Amerikaanse steden moesten wonen. Ze sloot haar ogen en dacht aan een passage uit Spreuken:

Want wie onnozel is, gaat aan zijn halsstarrigheid ten onder,
    En zelfgenoegzaamheid brengt de dwazen om.
Maar wie naar mij luistert, zal veilig zijn,
Hij hoeft geen angst te hebben voor het kwaad.

'Elizabeth, waar laat jij de handdoeken?' riep de moeder van Liz vanuit de badkamer boven.

'In het kastje naast de wastafel,' antwoordde Liz, maar ze verzette geen stap. Ze probeerde zich te concentreren op het spel Candy Land, dat op de tafel in de eetkamer lag en op een ruzie tussen Maggie en Samantha over de vraag of Maggie op het goede vakje was uitgekomen.

'Zij speelt vals, mammie. Ze heeft niet goed geteld. Ze zou op meneer Noot moeten staan.'

Liz maakte zich zorgen, omdat ze al een week niets van Matt had gehoord. En ze wist van Celia dat Alan heen en weer naar Washington was geweest. Vanmorgen was hij naar Qatar gegaan.

Ze wist uit haar CIA-training dat er iets belangrijks aan de gang was. Ze verlangde ernaar om er deel van uit te maken, om de vaardigheden te gebruiken waarvan ze wist dat ze die had.

Haar zenuwen begaven het bijna, toen haar moeder schreeuwde: 'Ik kan ze niet vinden. Ik krijg het koud!'

Onder normale omstandigheden zou Liz gescholden hebben op haar moeder, maar vandaag voelde ze zich gedwongen om alles bij elkaar te houden. Sinds haar moeder die ochtend was aangekomen, had ze het huishouden op zijn kop gezet, was ze begonnen en weer gestopt met een tiental projecten, waaronder het spel Candy Land en het half klaargemaakte broodje kalkoenfilet op het aanrecht.

Liz had gehoopt op rust en gezond verstand, maar in plaats daarvan had ze chaos gekregen.

'Elizabeth, kun je me horen?'

'In het kastje naast de wastafel.'

Sinds de vader van Liz overleden was aan een hartaanval, toen Liz veertien was, leek haar moeder de weg te zijn kwijt-geraakt; ze was een storm van beweeglijkheid geworden, om het verlies van haar echtgenoot te compenseren. Maar geen van die bewegingen leek gericht te zijn op een bepaalde richting of op het bereiken van een haalbaar doel.

Daar dacht Liz nu over na. Ze probeerde haar geduld niet te verliezen en knikte naar de tekening van een katachtig schep-sel die de driejarige Nadia getekend had en nu onder haar kin hield.

'Liz, ik ben druipnat!' schreeuwde haar moeder.

'Het is prachtig, schat,' zei Liz tegen haar jongste.

'Het is een alien.'

'Heel mooi.'

'Juffrouw Caineau heeft tegen ons gezegd: "Ben je boos, pluk een roos."'

'Wijze woorden.'

'LIZ!!!!'

'Ga maar door zonder mij,' zei ze tegen Maggie en Sa-mantha, en stond op.

'Dat kunnen we niet, mammie. Het is een probleem.'

'Wacht dan maar even.'

Liz deed haar uiterste best haar emoties in toom te houden. Degene die ze wilde, was Matt. Hij was de yin die haar yang compleet maakte. Hij was de beweging; zij was het emotione-le lichaam dat zijn energie ontving en schepping bracht. Vol-gens haar manier van denken vormden zij samen een geheel.

Een zestal van generaal Jaspers topassistenten stond op toen ze de vergaderkamer met de eiken wandpanelen binnenkwam.

'Goedemorgen, generaal Jasper.'

'Kunnen we beginnen?' vroeg Jasper, die eruitzag alsof ze in de afgelopen week tien jaar ouder was geworden.

De lange, Aziatisch ogende agent van dienst knikte naar een technicus, die de lampen dimde en zes grote monitors aanzette, die de CIA, FBI, DOD, het ministerie van Justitie, het ministerie van Buitenlandse Zaken en de NSC vertegenwoordigden. Tegelijkertijd werd een camera ingeschakeld die opnames maakte van de generaal en degenen die onmiddellijk links en rechts van haar zaten.

Vijf minuten later, om 6.32 uur, verscheen het schooljongensachtige, bebrilde gezicht van NSC-directeur Stan Lescher op het middelste scherm. 'Ik zeg dit nog één keer,' zei hij, met het hoofd van de Binnenlandse Veiligheid aan zijn zijde. 'Wij willen alles wat binnenkomt. Alles! Ik trek me verdomme niks aan van het beschermen van bronnen en methoden. De president kan geen afgewogen beslissing nemen zonder de feiten. Als ik merk dat iemand iets heeft achtergehouden, zullen er koppen rollen.'

'Net wat we nodig hebben, nog meer dreigementen,' fluisterde Shelly in Jaspers oor.

'Hier in het Witte Huis volgen we de Al Qaida-dreigingen als haviken,' vervolgde de NSC-directeur.

'Wij ook,' zei generaal Jasper zachtjes. Ze zat in een bruin leren stoel, met een mok koffie in haar vuist.

Lescher stelde zijn eerste ronde vragen aan de FBI-chef Terrorismebestrijding, een man met een mager gezicht en een geel overhemd. 'Waar is Kourani?'

'Het Marriott Hotel in Wenen. Ik heb ter plekke een team van tweeëntwintig man. Hij en de andere vier leden van de Iraanse delegatie hebben een Lufthansa-vlucht geboekt die op de achttiende om 15.48 uur aankomt op JFK.'

'Hoe is de voorbereiding bij het van boord gaan?'

'Alles staat klaar op Kennedy: surveillanceteams, agenten, bommenopruimingsdienst, SWAT-teams, snel inzetbare teams. Alle eventualiteiten zijn ondervangen.'

'We mogen Kourani niet uit het oog verliezen, zelfs niet als hij gaat schijten,' zei Lescher botweg.

'Dat zal niet gebeuren.'

De NSC-directeur wilde spijkers met koppen slaan. 'Praat me bij over verdedigende voorbereidingen in het veld.'

'We hebben HazMat- en snelle interventieteams op vijf punten – Washington, Detroit, Jacksonville, Seattle en San Diego – vierentwintig uur per dag paraat. Plaatselijke medische teams, plaatselijke politieteams en SWAT-teams zijn actief in achtendertig middelgrote steden.'

Lescher schakelde weer over naar een andere versnelling. 'Rebirth Island.'

'De onderzoeksmonsters zijn drie uur geleden aangekomen in Fort Dietrich,' antwoordde een driesterrengeneraal van Defensie.

'Hoe lang duurt het voordat we te horen krijgen waardoor die ratten zijn gedood?'

'Kan dagen duren,' antwoordde de driesterrengeneraal van DOD.

'Hebben we de mannen geïdentificeerd die op Rebirth gedood zijn, de mannen die op onze mensen hebben geschoten?'

'Oezbeekse agenten hebben de lijken geborgen.'

'Dat is geen antwoord op mijn vraag!'

'Een van hen is met enige moeite geïdentificeerd als Juma Khuseinov.'

Generaal Jasper was meteen een en al aandacht. 'Dat is de man over wie Freed rapport heeft uitgebracht. Kourani was naar hem op zoek, toen hij in juli aankwam in Kabul, Afghanistan.'

'Tot dusver hebben de Oezbeken ons nog geen kopieën van persoonlijke documentatie doorgestuurd,' zei de CIA-chef Operaties.

'Zet ze onder druk' zei Stan Lescher.

'Ze zeggen dat er geen identificeerbare sporen zijn die deze mannen in verband brengen met bekende terroristengroeperingen, veiligheidsdiensten of overheden.'

Generaal Jasper zei: 'Als het Juma Khuseinov is, hebben de Oezbeken het mis. Wij weten dat hij connecties heeft met Al Qaida en een aantal narco-verhandelende groeperingen buiten

Oezbekistan.'

'Als die dode man inderdaad Khuseinov is, wat houdt dat dan in?' vroeg NSC-directeur Lescher.

De vijftien minuten daarna werden diverse mogelijkheden besproken, maar niemand werd het eens over het belang van de nieuwe feiten.

'We hebben ook een spoor naar een Russische biowapen-expert genaamd Oleg Urakov, voorheen van Biopreparat, van wie we aannemen dat hij gezien is met Kourani,' zei generaal Jasper in de microfoon die aan haar revers was vastgemaakt.

'Aanbevelingen om hem te traceren?'

De CIA-directeur Operaties (DO) sprak als eerste. 'De tijd is kort, dus zeg ik: ga direct naar de Russen en vertel hun dat we onmiddellijke toegang nodig hebben, vanwege de aanzienlijke dreiging voor de VS.'

Generaal Jasper schraapte haar keel en zei: 'Ik steun de benadering van de CIA. Ook hebben we onder de Nunn-Lugar-regeling chemische en nucleaire Sovjet-wapens vernietigd en een aantal Sovjet-wetenschappers herplaatst in de VS. Een aantal ervan hier in de buurt. Ik stuur vanmorgen mensen uit om iedereen van Biopreparat te ondervragen. Ik hoop dat we kunnen uitvinden waar Urakov aan gewerkt heeft, of op zijn minst zijn expertiseterrein kunnen afbakenen.'

'Klinkt als een gok, maar het is te proberen.'

'Ook hebben we een rapport ontvangen waarin gemeld wordt dat ene Oleg Urakov recentelijk de Buteyko-kliniek in Moskou heeft verlaten.'

'Wie heeft dat opgepikt?'

'Een door NSA onderschept telefoontje,' zei generaal Jasper.

'Weten we wat er mis is met hem?'

'Alleen dat hij in het ziekenhuis heeft gelegen.'

'Waar is hij nu?'

NSC-directeur Lescher, die kennelijk iets las wat buiten het zicht van de camera was, veranderde plotseling van onderwerp. 'Hoe gaat u de reis van Kourani naar de VS begeleiden?'

'We hebben een FBI-team op het vliegtuig,' antwoordde de chef Terrorismebestrijding van de FBI.

'Stel me onmiddellijk op de hoogte van alle belangrijke ont-wikkelingen,' zei Lescher snel.

Jasper hielp hem herinneren: 'Alan Beckman is aangekomen in Doha en coördineert samen met Qatarse autoriteiten een in-val.'

'Volgens mijn schema zal dat om ongeveer 13.00 uur onze tijd gebeuren,' zei Lescher. 'Deze vergadering is voorbij. We hebben allemaal belangrijk werk te doen. We spreken elkaar weer om 12 uur.'

Generaal Jasper stond op het punt iets tegen Shelly te zeg-gen, toen de DO vroeg of hij met haar kon praten nadat de an-deren offline waren gegaan.

Ze wachtte even tot de technici een aparte verbinding tus-sen hen tweeën tot stand hadden gebracht. Toen begon de DO, een grote man met een bleek, sproetig gezicht: 'Ik kom net van de beveiligde lijn met mijn afdelingschef in Tasjkent. Hij zegt dat Freeds acties voorbeeldig waren.'

'Dat is goed om te horen.'

'Maar het lijkt dat u het nodig hebt gevonden hem naar Mos-kou te sturen, zonder dat met mijn bureau te overleggen.'

Generaal Jasper draaide haar hoofd naar Shelly. 'Ik heb geen idee waar u het over hebt.'

'Freed is in Moskou,' herhaalde de DO vlak.

Generaal Jasper mimede het woord 'Ongelofelijk!'

'Wat wilt u dat ik tegen de Russen zeg met betrekking tot Urakov? Moet ik tegen ze zeggen dat we hun hulp willen en tegelijkertijd onze eigen man gestuurd hebben?'

Generaal Jasper klonk geërgerd. 'Ten eerste was ik er niet van op de hoogte dat Freed niet meer in het vliegtuig zit. Hij had orders om direct terug te komen. Ten tweede is dit een bepaald niet perfecte situatie en is tijd van het groot-ste belang. Zeg dus maar niets tegen hen. Als dit een conflict veroorzaakt, vlieg ik naar Moskou en leg ik uit dat het de NCTS was, en niet de CIA, die dit niet met hen heeft gecoör-dineerd. Ons samenwerkingsverband gaat niet zo diep als dat van jullie. Wij hebben minder te verliezen. Ik vang de klap wel op.'

De DO knikte. 'Dat klinkt redelijk, onder de omstandigheden.'

'We houden contact,' zei generaal Jasper, voordat ze de 'geluid uit'-knop naast haar stoel indrukte en tegen Shelly snauwde: 'Dit vond ik niet prettig.'

'De klootzak!'

16

16 september

Twintig minuten voordat hij gewekt zou worden stond Matt op en zette CNN International aan. Een strak opgemaakte en gekapte Hala Gorani kondigde een verhaal aan over verscherpte veiligheidsmaatregelen in Seattle, San Diego, Dallas en andere steden, waar gezien was dat de troepen van de Nationale Garde op straat patrouilleerden. Een zegsman van Binnenlandse Veiligheid werd gevraagd uit te leggen waarom het waakzaamheidsniveau verhoogd was naar Code Rood.

'Van tijd tot tijd horen we van een van onze overzeese bronnen over een dreiging; zo'n melding controleren we en dan antwoorden we daar zo goed mogelijk op. Soms slaan we daarbij wel eens door naar overdreven voorzichtigheid. We vragen het Amerikaanse volk altijd om waakzaam te zijn en alle verdachte activiteiten te melden bij de plaatselijke autoriteiten.'

Linke soep.

Matt nam een douche, schoor zich en kwam net voor 14.00 uur beneden in de lobby aan. Gennady, de chauffeur met het geschoren hoofd en de ring door zijn neus, tikte Matt op diens schouder, toen hij een toeristenkaart stond te bestuderen.

Matt hield de kaart opengeslagen op zijn schoot, terwijl ze Tverskaya op zoefden, naar het Beaux Arts Le Royal Meridian Hotel. In de Pskov-conferentiezaal liepen vijftien gezette, kalende Amerikanen rond, variërend van begin dertig tot bijna tachtig jaar. Luda Kolchaveska, glimlachend en gekleed in een strak groen jurkje, stelde Matt voor aan de rest van de groep. Een van hen, Sal Barrone, was de eigenaar van een delicatessenwinkel uit Bayonne, New Jersey; een ander een boer uit Texas; een derde een marketingdirecteur uit het noordelijke schiereiland van Michigan. *Tuurlijk*, dacht Matt, *er zijn vast Russische vrouwen die naar een plek willen waar het nog kouder is dan in Moskou.*

'U zult beslist populair zijn bij de dames,' fluisterde Luda, waarbij ze haar decolleté tegen Matts elleboog drukte en een naamplaatje op zijn revers speldde. 'Uw verblijfplaats is naar uw zin, mag ik hopen.'

'Prachtig. Ja.'

Luda rook sterk naar jasmijn. Ze leidde hem door een openslaande deur naar een grotere zaal, vol jonge Russische vrouwen. In het schemerlicht van de cocktailparty schatte hij hun aantal op tweehonderd. Een stuk of dertig daarvan betrokken direct op agressieve wijze mannen in hun conversatie. Matt werd direct belaagd door vier slanke meisjes van in de twintig, die hem prikkelden met vragen in het Engels, met een zwaar accent.

'In welk deel van de Verenigde Staten woont u?'

'Bent u een sportman, meneer Morgan? U lijkt een erg sterk lichaam te hebben.'

'Is dit uw eerste bezoek aan Moskou?'

Vijftien minuten later excuseerde Matt zich. 'Ik ga iets drinken.'

'Wat wilt u?' vroeg een lange brunette, terwijl ze in zijn arm kneep. 'Ik ben gek op orale seks.'

Matt zag een bar in de hoek en stak zijn hand omhoog. 'Ik ben zo terug.' Langzaam liep hij verder, onderweg aardigheden uitwisselend met tal van vrouwen, die allemaal mooi gekleed waren en allemaal dolgraag weg wilden uit Rusland, waarvan ze zeiden dat het koud was, economisch slecht en vol misdaad. Sommigen waren zelfs met een eigen tolk gekomen. Anderen hadden fotoalbums en gelamineerde diploma's bij zich.

Een jonge vrouw met groene ogen vroeg Matt of hij ooit getrouwd was geweest.

Matt loog: 'Nee. Nog niet.'

'U lijkt me iemand die getrouwd is geweest.'

'Ik zou graag een gezin beginnen, maar heb er nog geen tijd voor gehad.'

Een kwart van de vrouwen bleef wat beschaamd op de achtergrond. Zij wachtten bij genummerde tafeltjes die tegen de muur geschoven waren; de rij ging door tot in de volgende zaal.

Matt vroeg de barkeeper naar het doel van de tafels.

'Speeddaten,' antwoordde de Rus.

Na twintig minuten mixen kondigde Luda via de microfoon aan dat de meer formele fase van het evenement ging beginnen. De jonge vrouwen, die nummers toebedeeld hadden gekregen, gingen om beurten aan de tafels zitten. De oudere Amerikanen gingen van de een naar de ander, waarbij ze maximaal vijf minuten bij elke tafel doorbrachten.

Matt stelde aan elke kandidate dezelfde soort vragen: 'Wat doe je voor werk? Heb je familie in het leger? Wat heb je gestudeerd?'

De andere mannen gingen voorbij aan de minder aantrekkelijke vrouwen. Maar Matt was niet geïnteresseerd in uiterlijk. Hij zocht naar andere kwaliteiten: welwillendheid, Engelse taalvaardigheid, en iemand van wie hij dacht dat hij haar zover zou kunnen krijgen dat ze hem hielp.

Na een uur speeddaten zat hij aan tafeltje 49, voor een vrouw met donker haar tot op haar schouders, dat in een pony geknipt was. Ze stelde zich voor als Zyoda, geboren in Moskou, opgegroeid in het verre oosten van de Sovjet-Unie. Ze legde zonder veel omwegen uit dat haar vader een Sovjet-kolonel was geweest en recentelijk gestorven was. Ze was een achtentwintigjarige verpleegster, gescheiden, met een vijfjarige dochter.

Perfect, dacht Matt. 'Zou u met me uit eten willen?' vroeg hij.

Zyoda toonde een rij scheve witte tanden en een leuk moedervlekje bij haar mondhoek. 'Wanneer zou u dat uitkomen?'

'Vanavond.'

Ze fronste het stukje tussen haar korenbloem-blauwe ogen. 'Het spijt me erg, maar vanavond is moeilijk. Misschien kunnen we het morgen doen.'

'Vanavond is veel beter.'

'Er is een probleem, meneer Morgan. Ik moet mijn dochter ophalen en regelen dat een niet op haar past.'

'Waarom neemt u haar niet mee?' vroeg Matt.

Zyoda leek verrast. 'Weet u dat zeker?'

'Ja.' Hij boog naar haar toe. 'Laten we nu weggaan.'

Haar blauwe ogen lichtten aanzienlijk op. 'Heel hartelijk bedankt.'

Om 20.00 uur zat Alan Beckman achter in een zwarte bestelwagen die langzaam voortreed over een stoffige handelsstraat. Ergens zond een radio een gebed uit in het Arabisch. Tegenover hem en aan de andere kant zaten tien Qatari in zwarte overalls, met helmen, elleboog- en kniebeschermers en in hun handen een M4.

Ze stopten voor een betonnen gebouw van twee verdiepingen en hun leider, een kleine man die op de passagiersstoel zat, sprong eruit. Hij had een Heckler & Koch automatisch geweer vast, voorzien van een laserlichtmodule.

De anderen volgden snel, met als laatste Alan, die een rugzakje bij zich had en gewapend was met zijn eigen 9mm Beretta. Hij hurkte met de anderen bij de muur.

Uit een SUV die aan het einde van de straat geparkeerd stond, gaf brigadegeneraal Al-Thani via de radio de orders. 'Team twee tot zeven wachten,' zei de generaal, alert op het gevaar dat verschillende teams tegelijkertijd naar binnen konden gaan en zo in een spervuur terecht zouden kunnen komen.

De teamleider gaf een teken aan de eerste man in de rij, die een groot geweer richtte en het slot met één schot vernietigde.

Vijftien kilometer verderop, in de Qataarse commandopost, keek de Qataarse minister van Defensie met zijn armen over elkaar toe, terwijl de gebeurtenissen zich voltrokken op een videomonitor, in beeld gebracht via een camera op de helm van de derde man die naar binnen ging. Ze zagen groene lichtflitsen en het schaduwsilhouet van de teamleider die vuurde op twee doelwitten in de buurt van de receptie. Andere flitsen flakkerden achter hem op als vuurvliegen.

Alan hurkte achter een pilaar in de lobby; van alle kanten echoden schoten. De twee doelwitten bij de receptie waren uitgeschakeld. Een van hen was geraakt op het moment dat hij een pistool wilde pakken. De tweede had een groot rood gat op de plek waar zijn linkeroog had gezeten.

Alan haalde een plastic doosje uit zijn rugzak, knielde bij een van de lijken en ging aan het werk. Hij gebruikte een wit gaasverband, waarmee hij de handen en gezichten van de twee dode Saoedi's afveegde. Toen bespoot hij het gaas met een spuitbus en hield het tegen het licht. *Negatief.*

Hij gebruikte een tweede stuk gaasverband om de dode mannen nog een keer af te vegen. Dit bespoot hij met een andere spuitbus. Het gaasje werd roze.

Het Qataarse team ging methodisch te werk, door de ene na de andere kamer te controleren. Haastig ging Alan naar de teamcommandant in de hal. 'Broeder, broeder,' riep hij in het Arabisch, 'we moeten praten.'

Er werd niet meer teruggevuurd, dus gaf de commandant zijn mannen het bevel stil te houden.

'Wat?'

'De mannen in dit gebouw hebben gewerkt met een explosief op basis van nitraat,' legde Alan uit. 'Ofwel C-4, Semtex, of RDX.'

De commandant knikte, hoewel hij het verschil niet wist.

'U moet uitkijken voor boobytraps. Laat mij helpen.'

De commandant knikte opnieuw. 'Ja. Ja.'

Uit Alans rugzak kwamen nog twee spuitbussen, waarop 'Silly Spray' stond. Hij overhandigde er eentje aan de commandant, die er geamuseerd naar keek. 'Probeert u een grapje te maken?' vroeg hij in het Arabisch.

Omdat hij succesvolle invallen had geleid in Al Qaida-locaties in Albanië, Pakistan en Soedan, wist Beckman wat hij deed. Hij blafte: 'Volg mij.'

Alan ging voorzichtig voorwaarts, waarbij hij met de spuitbus het lichte, plakkerige materiaal steeds vijf meter voor zich uit spoot. De Qatari's volgden hem verward. Voorzichtig verder lopend en voortdurend voor zich uit sproeiend, ging Alan een grote laadruimte in. Buiten, vijftien meter bij de ingang vandaan, stonden een tientonner en een afgesloten pick-up-truck.

In plaats van te vallen bleef de spray dit keer in de lucht hangen, ruim een halve meter boven de grond.

Alan wees: 'Kijk!'

De ogen van de commandant werden groot bij het zien van de struikeldraad die zijn mannen anders niet gezien zouden hebben.

Alan spoot de spray eerst naar links, toen naar rechts, om te zien waar de draad aan vastzat. In een donkere spleet vond hij een 155mm granaat, klaar om te ontploffen.

De commandant sprak via een helmmicrofoon met andere teams buiten. 'We zijn vier doelwitten tegengekomen. Allemaal dood. We hebben bewijs van explosieven gevonden en één struikeldraad. Ik geef mijn mannen opdracht om zich terug te trekken. Een compleet EOD-team moet onmiddellijk worden ingezet.'

De brigadegeneraal antwoordde vanuit zijn commandopost verderop in de straat: 'Kom naar buiten, dan kunnen we praten.'

'Het zal een heel langzaam proces worden,' zei Alan in het Arabisch, toen ze generaal Al-Thani bereikten.

De generaal met de glimmende zwarte snor schudde iedereen de hand. 'Het EOD-team is op weg.'

'Mooi.'

'Er worden invallen gedaan op de andere locaties.'

Beckman zei: 'We zijn vooral geïnteresseerd in mensen die misschien meer weten van de ophanden zijnde aanslag op de VS.'

De ogen van generaal Al-Thani vernauwden zich: 'Dat weet ik.'

De tweede keer dat Alan het gebouw binnenging, zag hij over de vloer gesmeerd bloed en dikke zwermen vliegen. Hij twijfelde eraan of het Qataarse EOD-team veel ervaring had, maar ze leken goed getraind en gingen zorgvuldig van kamer naar kamer.

Ze onthulden een tweede boobytrap die bij de achteringang was aangebracht en 185 kilo semtex in de kleinere vrachtwagen. Achter in de tientonner zat maar liefst 750 kilo semtex, verbonden aan een ontstekingsmechanisme in de cabine, dat zowel de chauffeur als de bijrijder ertoe in staat stelde de lading tot ontploffing te brengen door aan een zuiger te trekken.

De generaal was eens te meer blij toen hij Alan weer zag. 'We hebben vijf verdachten gevangengenomen. Ze worden nu ondervraagd.'

'Laten we gaan.'

Het was een klein eindje naar het vliegveld, waar de gevangenen werden vastgehouden. De chauffeur maakte bij de vertrekhal met piepende banden een scherpe bocht, om een kameel te ontwijken.

Ze kwamen stuiterend tot stilstand tussen twee landingsbanen en stopten voor een laag gebouwtje met verschillende antennes erop. Er stond een zestal militaire voertuigen voor geparkeerd.

Bij het binnenkomen van de kleine ontvangstruimte, werden ze geconfronteerd met een man die naar buiten kwam en in het Arabisch riep: 'We hebben een dokter nodig!' Een zwaar bewapende bewaker bracht hen naar een raamloze kamer die naar zweet rook. Twee magere mannen met ontbloot bovenlijf zaten vastgebonden op metalen stoelen.

Allebei hadden ze hevig gezwollen ogen en blauwe plekken.

'Die daar is door de andere geïdentificeerd als de explosievenexpert,' legde een Qataarse officier uit. 'Hij krijgt speciale aandacht.'

'Zeg hun dat ik geld zal sturen naar hun gezinnen als ze ons vertellen over plannen voor toekomstige aanslagen,' zei Alan.

Het aanbod werd in het Arabisch gedaan aan elk van de gevangenen, maar hun antwoord was hetzelfde: 'Wij willen Amerikanen doden! Dood aan de Verenigde Staten!'

Terwijl Alan de vrachtwagen in klom om naar de ambassade gereden te worden, zei de generaal: 'Er ontbreken nog twee leden van de groep en één voertuig.'

Later diezelfde morgen zat Alan koffie te drinken en op zijn laptop aan zijn rapport te werken, toen het nieuws kwam: het ontbrekende voertuig, een Toyota vrachtwagen, was de lobby van het InterContinental Hotel in Doha ingereden, waarbij dertien mensen gedood werden, onder wie de bemanning van een Sri Lanka Airlines-vlucht die net aan de balie stond.

De euforie die Alan gevoeld had, verdween.

10.300 kilometer daarvandaan konden de mensen in het NCTS-hoofdkwartier het geschreeuw om Gods hulp niet horen en ook de opengereten lichamen en de over de marmeren vloer verspreide ingewanden niet zien. Ze hadden grotere zorgen. Geen dertien of zelfs honderd doden, maar tienduizenden.

De consensus van degenen die in generaal Jaspers kantoor een dikke Chicago-pizza aan het eten en frisdrank aan het drinken waren, was dat Moshen Kourani van de Qods-strijdkrachten moest worden geloofd.

'Absoluut,' zei Shelly, die CNN's *The Situation Room* aanzette en het geluid uitschakelde. In Qatar was het 1 uur 's nachts van de volgende dag. Wolf Blitzer deed verslag van de bomaanslag in het InterContinental Doha, maar noemde de invallen niet.

Het goede nieuws was dat Kourani's waarschuwing een Al Qaida-aanslag had helpen voorkomen. Het slechte nieuws: zijn toegenomen geloofwaardigheid hield in dat de daarop volgende dreiging voor middelgrote Amerikaanse steden acuter werd.

De realiteit liet generaal Jaspers maag samentrekken. Ze voelde zich alsof ze op het punt stond misselijk te worden. 'We moeten alles in het werk stellen om Kourani tegemoet te komen. Alles. We kunnen ons geen barrières veroorloven.'

Mensen in de hele kamer knikten instemmend. Shelly zei: 'Hij landt over minder dan achtenveertig uur.'

Jasper gromde: 'Waar is Freed, verdomme?'

Zyoda's borst zwol van trots, toen ze de elegante eetzaal binnenkwam met de knappe Amerikaan aan haar zijde. Haar goede humeur werd niet verpest door de aanwezigheid van haar dochter Irina, of door de dikke mannen en zwaar opgemaakte vrouwen van middelbare leeftijd, die haar met hun ogen volgden en spottend fluisterden.

Ze had dezelfde afkeurende blik gezien op het gezicht van de taxichauffeur, die hen buiten had afgezet.

Ze hadden het allemaal mis. Zij was geen prostituee. En ze was niet door de Amerikaan betaald voor seks. Tot dan toe had Matt niet eens geprobeerd haar hand aan te raken.

Ze wilde zeggen: 'Wat is er mis met jullie allemaal?' Het leek haar dat cynisme alle menselijke hersenen in Rusland had aangetast. De mensen geloofden niet meer in vriendschap, liefde, geluk. Alles, zelfs liefde, moest gepaard gaan met een betaling in geld.

Haar matte ogen keken toe hoe Matt een van de geborduurde katoenen servetten uitvouwde en uitspreidde over Irina's schoot. *Wat een heer*, dacht ze.

Ze luisterde met plezier hoe Irina het menu uitlegde aan Matt in het Engels dat ze op school had geleerd. 'Ze hebben mooie tartaar à la Romanoff, gepaneerd kalfsvlees, biefstuk stroganoff.'

Irina was een intelligent, evenwichtig meisje dat voor haar leeftijd veel mensenkennis had. Haar zelfvertrouwen en opgewekte manier van doen hielpen het schuldgevoel verzachten dat Zyoda had omdat ze fulltime werkte als verpleegster en zwanger was geworden van een zakenman uit Kiev, die geweigerd had met haar te trouwen en weinig steun bood. Maar ze dacht nu niet aan hem.

'Dit hier is gefrituurde kwartel, gewikkeld in spek,' legde het slimme meisje uit.

Matt vroeg haar: 'Van wie heb je die prachtige roze jurk?'

'Die heeft mijn moeder gemaakt.'

'Dan heeft ze veel talent,' zei Matt, met een korte blik naar Zyoda. Ze bloosde.

De prijzen waren torenhoog, maar helemaal in overeenstemming met de rijke omgeving – vergulde stoelen in empirestijl, kristallen kroonluchters, grote vazen vol bloemen, antiek zilveren bestek. Er zat zelfs een pianist in de hoek Rimski-Korsakov te spelen.

'Wat zou je willen?' vroeg Matt vriendelijk.

Voor het eerst sinds ze haar opgehaald hadden in Zyoda's

eenkamerflat, keek het meisje met het lieve, hartvormige gezicht verdrietig. Matt keek toe hoe moeder en dochter in het Russisch met elkaar spraken.

'Ze zegt dat ze alleen geïnteresseerd is in een dessert,' zei Zyoda hoofdschuddend.

'Oké.'

Zyoda was onder de indruk van het gemak waarmee Matt omging met haar dochter. Ze stak haar hand uit over de tafel en greep de zijne. 'U hebt ons nog niet over uzelf verteld. Waarom hebt u ervoor gekozen om Moskou te bezoeken?'

'Mijn vader is een wetenschapper,' legde Matt uit. 'Hij is vaak naar Rusland gereisd en praat er altijd over – de mensen, de kunst, de cultuur. Ik dacht er al lang over om ook een keer te gaan.'

'Wil uw vader dat u een gezin gaat vormen?'

'Hij heeft het altijd over de warmte en de schoonheid van Russische vrouwen.'

'Ik hoop dat we u niet teleurstellen.'

'Hij heeft ook een Russische vriend, een collega-wetenschapper, die ziek is. Deze man, Oleg Urakov, beantwoordt sinds ongeveer een maand zijn e-mail niet meer. Mijn vader heeft me gevraagd hem op te sporen.'

'Misschien kan ik u helpen,' bood Zyoda aan.

'Mijn vader zegt dat hij een hoge functie heeft gehad in de Sovjet-overheid. Hij lijdt waarschijnlijk aan gevorderde longkanker.'

'Is hij in Moskou?'

'Waarschijnlijk wel.'

Ze dacht hardop: 'Zeldzame ziekten en gevorderde vormen van kanker. Hoogstwaarschijnlijk is hij in het Burdenko Militair Hospitaal. Daar kunnen we beginnen.'

Nadat het eten geserveerd was – tong voor Irina, kwartel voor Zyoda, biefstuk stroganoff voor Matt – praatten ze over muziek en films.

'Ik ben een vrouw. Ik hou van liefdesverhalen,' zei Zyoda. 'Zoals *The Notebook* of *Ghost*.'

Matt had geen van beide gezien.

'Ze zijn niet erg realistisch, dat weet ik. Maar liefdesverhalen zijn vaak niet realistisch, als u begrijpt wat ik bedoel.' Ze keek verdrietig.

'De wereld verandert,' zei Matt. 'Vrouwen hebben meer mogelijkheden. Dat is goed voor iedereen, vind ik.'

Het was even na negenen toen ze de rekening betaalden in dollars. Zyoda vroeg of Matt mee wilde gaan naar haar appartement voor een kop thee.

'Dat zou ik heel graag willen. Maar ik moet eerst even mijn e-mail controleren.'

'Geld en zaken,' zei ze, terwijl ze de zwarte pony uit haar ogen streek.

'Ik begrijp het niet.'

'Mannen willen graag zakendoen en dingen voor elkaar krijgen.'

Hij glimlachte warm, terwijl hij in haar ogen keek. Ze wachtte tot hij zijn arm om haar heen zou slaan en haar hand zou pakken. Maar dat deed hij niet. *Daar is hij veel te veel heer voor*, dacht ze. *Niet als Irina kijkt.*

Tijdens de hele maaltijd bleven Matts gedachten teruggaan naar Kourani. Een deel van zijn onderbewuste had de conclusie getrokken dat de onderdirecteur van de Qods-strijdkrachten achter een plan zat om duizenden Amerikanen te doden. *Waarom?*

De sleutel, dacht Matt, lag in Kourani's persoonlijke geschiedenis. Maar er ontbraken te veel puzzelstukjes.

Officiële NCTS- en CIA-kanalen hadden niets over de Iraniër opgeleverd dat licht wierp op een mogelijk motief. *Kourani's neef is onze enige kans.*

Bij het internetcafé ging Matt een cabine binnen en logde in op zijn Yahoo-account. Er was geen boodschap van Guillermo. *Verdomme! Ik had hem gezegd dat ik het direct nodig had.*

De omstandigheden stonden hem niet toe zelf naar Parijs te gaan. Hij had iemand nodig van wie hij op aan kon om binnen achtentwintig uur met de jongen te praten. *Wie? Ik kan*

Guillermo nog een keer bellen, maar ik weet hoe hij is en dan zal hij nog steeds rustig de tijd nemen.

Matt pijnigde zijn hersenen in een poging te bedenken wie hij zou kunnen kennen bij de CIA-afdeling in Parijs. Hij wist dat als hij zomaar naar die afdeling belde, zij het zouden natrekken bij Washington, wat alleen maar zou zorgen voor nog meer hoofdpijn en uitstel.

Toen kwam er ineens een idee bij hem op. *Liz!*

Hij verstuurde snel een e-mail die geadresseerd was aan cheetah12@europenet.com. 'Lieve Liz, ik heb je hulp nodig. Reis alsjeblieft onmiddellijk naar Parijs. Bijgevoegd is een foto van een Iraanse student. Je moet hem binnen de komende 12 uur voor me opsporen. Guillermo weet wat je moet doen, maar hij heeft een schop onder zijn hol nodig. Ik sta er alleen voor. Dit is extreem belangrijk. Er staan honderdduizenden levens op het spel. Liefs, M.'

Hij controleerde of hij niet in de gaten werd gehouden, glipte vervolgens een telefooncabine in en belde zijn huis in Athene. Toen Liz opnam, verspreidde een vertrouwde warmte zich door zijn borst.

'Mevrouw Freed, dit is de heer Faison over de tapijten die u besteld hebt.'

Liz kende de code en speelde mee. 'Over welke tapijten hebt u het?'

'Vooral over die met het cheetah-motief.'

'O, die.'

'Ik stel voor dat u die meteen komt ophalen. Het is erg belangrijk.'

'Dat zal ik doen. Dank u.'

'Goedenavond.'

Liz' hart bonkte zo hard dat ze dacht te zullen flauwvallen. Ze logde in op internet en voerde een code in, terwijl haar rol snel verschoof van moeder naar echtgenote naar agent in het veld. 'Javed Mohammed Kourani, Parijs.'

De meisjes sliepen. Haar moeder zat in de studeerkamer te kijken naar een *Nip/Tuck*-dvd.

'Ik heb besloten zo snel mogelijk naar D.C. te gaan. Jij moet voor me op de meisjes passen.'

'Waarom zijn de plannen zo plotseling veranderd?'

'Ik zie Matt daar. Dat geeft ons de gelegenheid om samen een paar dagen door te brengen. We zijn woensdag weer terug.'

Haar moeder leek in de war. 'Dat is leuk voor je.'

'Dat denk ik. We hebben alles in huis. Bel Celia als je iets nodig hebt. De bus komt maandagmorgen om 8.15 uur om Maggie en Samantha naar school te brengen. Nadia gaat op dinsdag naar de kleuterschool. Ik zal regelen dat een vriendin haar ophaalt.'

'Wanneer ga je weg?'

'Morgenochtend vroeg.'

'Zo snel al?'

Liz bleef staan. 'Is dat een probleem?'

'Nee, liefje. We redden het wel.'

17

16 september

Matt probeerde de spanning die rond de achterbank hing te negeren, terwijl de taxi over lange boulevards met hoge moderne lampen reed en toen afsloeg, een wirwar van kleinere, donkere straatjes in. Hij kon niet uitmaken of de erotische lading het product was van Zyoda's wanhopige wil om te ontsnappen, of de opwinding die haar kwetsbaarheid in hem wakker maakte.

Het was een opluchting toen ze stilhielden voor een kleurloos betonnen flatgebouw.

Zyoda zei: 'Het is niet groot of mooi,' en wendde haar blik af.

Vanuit een veiligheidsoogpunt vond Matt het prima. Hij had goed opgelet of hij niet in de gaten werd gehouden en had geen auto's gezien die hen volgden. Hij bedacht ook dat het voor hem veiliger was om niet terug te keren naar het hotel.

Zyoda gebruikte drie sleutels om de sloten op de voordeur open te draaien. Ze gingen een smalle L-vormige kamer binnen met een bankstel en twee houten stoelen. De muur werd gesierd door een geromantiseerde foto van jonge katjes die met een kluwen wol speelden. Aan de andere muur hing een babyfoto van Irina en een kaart van de republiek Tuva. 'Dit is de woonkamer,' zei Zyoda.

De voet van de L kwam uit op een nis waarin een tafeltje stond. Die nis diende als keuken, met een magnetron, een kookplaat en een gootsteentje.

'Een nieuwe aankoop,' kondigde ze aan, wijzend naar een minikoelkast.

In de enige slaapkamer stond een tweepersoonsbed, waarin moeder en dochter sliepen.

'Alstublieft, maak het uzelf makkelijk.'

Matt zat op de met rood corduroy beklede bank en bedacht dat hij waarschijnlijk daarop zou slapen.

Nadat ze Irina naar bed had gebracht en met haar had gebeden, kwam Zyoda terug met thee op een blad. Ze leek zachter en sierlijker in de donkerblauwe jurk, die tot boven haar knieën kwam. Voor het eerst keek Matt naar haar figuur – volle borsten en sterke benen – voordat hij zijn aandacht snel weer richtte op de katjes aan de muur.

Hij dronk thee en probeerde te vergeten wat hij zojuist gezien had. 'Vertel me eens over de Verenigde Staten en waar u woont,' vroeg Zyoda.

'Ik ben opgegroeid in Virginia.'

'Mount Vernon?' vroeg ze opgetogen en vouwde haar benen onder zich. 'Ik heb op school gelezen over George Washington.'

'Quantico, de stad waar ik vandaan kom, is daar vlakbij. Pakweg dertig mijl zuidelijker aan de Potomac.'

'Mijl?' Ze keek verward.

'Ongeveer vijftig kilometer.'

'Natuurlijk.' Ze grijnsde als een kat. 'Heeft George Washington echt die kersenboom omgehakt?'

'Voor zover ik weet, is dat verhaal bedacht door Mason L. Weems, een van de eerste Washington-biografen.'

Zijn grijns verbreedde zich, haar ogen dronken hem in. 'Ik vind dat u veel weet.'

'Ik lees graag.'

'Wie zijn uw favoriete auteurs?'

'Shakespeare, Tolstoj, Graham Greene.'

'En wat vindt u van Edgar Allan Poe en William Faulkner? Hebt u *Intruder in the Dust* gelezen?'

'Ik geloof dat ik dat boek niet ken.'

'Een prachtig verhaal over een blanke tiener die probeert een zwarte moordenaar te redden die er ten onrechte van beschuldigd wordt een blanke man te hebben vermoord.'

'Ik zal het op mijn lijstje zetten.'

'Kende u zwarte mensen toen u opgroeide?'

'Een van mijn beste vrienden was Demarco Washington. We hebben samen football gespeeld bij de Warriors. Als *receiver* werd hij een ster bij het team van Penn State University, tot hij zijn knie molde. Geweldige vent.'

'Wat is een receiver?' vroeg Zyoda.

Matt legde de basisregels van het spel uit, waarbij hij een kussentje gebruikte als football en haar zei dat ze moest weglopen om een pass te krijgen. Ze ving het kussen met haar vingertoppen en vroeg: 'Heb ik nu gewonnen?'

'Nee. Je scoort pas als je met de bal in de *end zone* komt.'

'Waar is de end zone?'

Hij vertelde haar dat ze voorbij de tegenstanders moest komen, die zouden proberen haar te tackelen. Ze drukte het kussen tegen haar boezem en probeerde langs Matt naar de andere kant van de kamer te komen. Ze maakte een schijnbeweging naar rechts; hij reageerde en greep haar bij de heupen.

Zyoda sloeg hard lachend dubbel over zijn schouder en trappelde met haar sterke benen. De ronding van haar heupen en achterste onder zijn hand waarschuwde hem waar dit toe kon leiden. Toen hij haar neerzette op de bank, reikte ze omhoog en kuste hem op de lippen.

'Ik vind jou aardig,' zei ze hijgend.

'Ik vind jou ook aardig.'

Hij wendde zich af, om zijn verlegenheid te maskeren. 'Ik moet even gebruikmaken van je badkamer.'

Toen hij terugkwam, stond Zyoda op haar tenen om een deken van de bovenste plank van de kast te halen. Ze zag dat hij naar haar billen keek.

Matt zei: 'Je hebt sterke benen.'

'Volleybal.'

'Speel je nog steeds?'

Haar ogen twinkelden opgewonden. 'Natuurlijk.'

In zijn afwezigheid had Zyoda de bedbank opengeschoven.

'Jij slaapt vanavond hier,' bood ze aan. 'Morgenochtend gaan we naar het ziekenhuis om de vriend van je vader te zoeken.'

Hij knikte, bedacht toen dat hij haar niet het verkeerde idee wilde geven en zei: 'Of ik kan een taxi bellen.'

'Misschien is het beter als je blijft,' concludeerde Zyoda.

Ze had gelijk.

Zyoda ging blootsvoets naar de gang en kwam terug met een tandenborstel en een handdoek. Ze zei: 'Ik heb een nicht die zangeres is bij een club in Brighton Beach, New York. Ze heeft me een bandje gestuurd.' Toen deed ze dat in een stereotorentje en ging weg.

Een klagerige stem vulde de smalle kamer door 'When You Wish Upon a Star' te zingen in het Russisch. Matt klikte de lampen uit, kleedde zich uit tot op zijn ondergoed en ging op de bedbank liggen. Het meisje ging over op een sneller nummer, toen op een trieste klaagzang in het Russisch. Schaduwen speelden op de muur. Hij deed zijn ogen dicht en dacht: *Morgen is belangrijk.*

'Goedenacht, John,' hoorde hij haar fluisteren. Half slapend voelde hij haar warme lippen op de zijne. Daarna volgde hij met zijn ogen hoe ze wegdreef in een groene zijden nachtpon.

Een tijdje later deed hij zijn ogen open, toen een deur zacht krakend open- en dichtging. Totdat hij zich de katjes aan de muur herinnerde, wist hij niet waar hij was. Blote voeten kwamen op hem af, toen zei Zyoda's zachte stem: 'Ik kon niet slapen.'

'Waarom niet?'

'Ik ben zo opgewonden over wat er vandaag allemaal gebeurd is. Voel mijn hart maar.'

Ze nam zijn hand en drukte die tegen haar met zijde bedekte borst. Hij hield zichzelf voor dat hij de zachte omtrek van haar borsten moest vergeten en concentreerde zich op het kloppen van haar hart.

'Denk je dat het goed is?' vroeg ze als een klein meisje.

Zonder na te denken, sloeg hij zijn arm om haar heen. Meteen verweet hij zichzelf: *Foutje.*

'Ik wil dat je me aardig vindt,' zei ze, terwijl ze dichterbij kroop.

'Je bent een intelligente vrouw.'

Ze keek hem vragend aan. 'Ja?'

'En ook aantrekkelijk.'

Ik wil haar niet het verkeerde idee geven, dacht hij, *maar ik heb haar niet aflatende steun nodig.* Toen kusten ze elkaar.

Door de dunne muren hoorde hij een stelletje ruziën. Een kind schreeuwde. Matt herinnerde zich een incident in Spanje, vier jaar geleden, toen een collega de avances van een Baskische journaliste had geweigerd, die informatie aanbood over een ETA-bomaanslag. Er stierven acht mensen. Hun levens hadden gered kunnen worden.

'Mijn dochter en ik moeten hieruit ontsnappen,' fluisterde Zyoda. Ze greep zijn hoofd vast en kuste hem weer. Dit keer liet hij zichzelf dieper wegzakken in de dikke werveling van gevoelens die hem naar beneden dreigde te trekken.

'Er is iets wat ik je moet vertellen.'

Ze drukte haar hand op zijn mond en fluisterde: 'Morgen.'

'Maar...'

'Laten we genieten van het moment, zolang we de kans hebben.'

Ik had mezelf nooit in deze positie moeten brengen, zei hij tegen zichzelf, *maar wat heb ik voor keus?*

Ze ging op haar knieën zitten en trok haar nachtpon over haar hoofd.

Soms gaat het mis.

Haar schoonheid hing even in de lucht als een kostbare ballon. Het was de gloed van haar huid die het laatste beetje weerstand dat hij nog over had liet wegsmelten.

Toen hij zijn hand uitstak en haar aanraakte, verdween de dunne barrière tussen hen. Ze huiverde en gaf zich over. De kloeke kracht vanbinnen deed de rest. Hijgend, kreunend, zwetend en zich onbelemmerd openstellend bedreven ze de liefde.

Generaal Jasper keek even naar haar BlackBerry terwijl ze over het gouden tapijt van de Roosevelt Room in het Witte Huis beende. Ze liet de boodschappen van haar echtgenoot, haar dochter en diverse assistenten ongelezen voorbijglijden. Toen ze geen nieuw bericht van de afdeling Wetenschap & Technologie vond, controleerde ze hoe laat het was: 22.52 uur.

Een dramatisch ruiterportret van Teddy Roosevelt hing aan de ene muur en een wijs kijkende Franklin D. Roosevelt staarde vanaf een andere muur op haar neer. Ze had gehoord dat deze kamer ten tijde van FDR vol opgezette vissen hing en bekend stond als 'het lijkenhuis'.

Een gekweld kijkende assistent kwam binnenrennen en riep: 'U bent er!'

'Ja, dat klopt.'

'Ze wachten allemaal,' zei hij opgefokt, waarna hij haar begeleidde door de hal, via een wirwar aan dicht op elkaar gepakte kantoortjes, waar officieren van de wacht voor computers zaten om de binnenkomende info van Defensie, CIA, Buitenlandse Zaken, NSA, et cetera in de gaten te houden.

'Generaal, laat uw BlackBerry maar hier,' zei de assistent, wijzend op een met lood afgezette kast waarop diverse Bluetooth-apparaten en mobiele telefoons lagen. Een licht trillende spanning verplaatste zich door de lucht naar haar huid.

Bij het betreden van de kleine, donkere Situation Room stak ze nog een Rennie in haar mond en ging op een stoel zitten.

De koele, van kersenhouten wandpanelen voorziene ruimte hing vol rijen plasmatelevisiebeeldschermen en zat vol mensen – de ministers van Defensie, Buitenlandse Zaken, Justitie, de directeur van de CIA, en hun assistenten. NSC-directeur Stan Lescher zat bij het hoofd van een ovalen tafel nerveus papieren door te bladeren.

Ze stonden allemaal op toen de president binnenkwam, die eruitzag alsof hij dagenlang niet geslapen had. 'Laten we beginnen,' zei hij, terwijl hij een cola light voor zich neerzette.

Lescher parafraseerde een rapport dat NCTS had voorbereid over de succesvolle operatie in Daho, Qatar. Stafmedewerkers van DOD en CIA gingen daarop verder met verslagen van Al Qaida-agenten die gedood waren en anderen die nog gezocht werden.

'Goed werk,' zei de president. Meteen keek hij ongeduldig en vroeg: 'En verder?'

Lescher probeerde zijn das recht te trekken. 'Verder, meneer de president, is de vraag hoe we moeten omgaan met Kourani en de Iraanse delegatie.'

'Wat bedoelt u met "omgaan"?'

'Meneer de president, het gaat als volgt. De vijf Iraniërs hebben diplomatieke paspoorten en door ons verstrekte diplomatieke visa. Vragen we de Oostenrijkers om hen te behandelen als diplomaten en hen langs de beveiliging te laten gaan, of onderzoeken we, zoals bij ieder ander, hun bezittingen en handbagage?'

De president keek nog ongeduldiger.

'Als we dat laatste doen,' vervolgde Lescher, 'nemen we het risico dat we de Iraniërs laten merken dat we verwachten dat er iets gaat gebeuren, wat gevaar zou kunnen opleveren voor Kourani. We lopen ook het risico Kourani van ons te vervreemden, zodat hij ons misschien geen informatie meer wil verschaffen over de ophanden zijnde aanslag.'

De president wreef over zijn kin. 'Heb je hiervoor een noodberaad bij elkaar geroepen?'

Terwijl Lescher knikte, leek hij weg te zakken in zijn stoel.

'Hebben we enige reden om Kourani op dit punt te wantrouwen?' vroeg de president met een donderende stem.

Alle ogen gingen naar generaal Jasper, die de president recht aankeek en antwoordde: 'Naar mijn mening niet, meneer de president. Kourani heeft cruciale informatie geleverd over de dreiging in Doha. Hij heeft Amerikaanse levens gered.'

'Dan denk ik dat het ons past om hem als een vriend te behandelen. Als een volledig geaccrediteerde diplomaat. Vindt u ook niet?'

'Jazeker, meneer de president. Dat vind ik ook.'

Lescher leunde gretig naar voren. 'En hoe zit het met uw mannetje Freed, die de sporen van Kourani natrok?'

De president zette grote ogen op.

'Freed heeft nog geen nuttige informatie geleverd,' antwoordde generaal Jasper kortaf. 'Hij had de opdracht gekregen Kourani's bewegingen na te trekken uit de periode voorafgaand aan zijn contact met onze ambassade in Boekarest. Hij heeft vastgesteld dat Kourani en enkele van zijn medewerkers zijn afgereisd naar Oezbekistan, Kazachstan en een voormalig biologisch testterrein van de Sovjets dat bekend staat als Rebirth Island.'

'Wat deed Kourani op Rebirth?' vroeg de president.

'Eén hypothese waar we aan werken, is dat hij en zijn mannen Al Qaida-agenten op het spoor waren die interesse toonden in de aanschaf van biologische wapens.'

'Ik neem aan dat er nog andere hypothesen zijn.'

'Ja, meneer de president. Dat zal een van de eerste dingen zijn die we hem vragen als we hem hier hebben.'

'Hoe zit het met de onderzoeksmonsters van Rebirth?' vroeg NSC-directeur Lescher.

'Tot dusver nog geen resultaten. De meegenomen dieren zijn hoogstwaarschijnlijk gestorven aan een giftige stof, mogelijk een gifsoort, mogelijk een virus. Onze wetenschappers werken eraan om te achterhalen wat het is.'

'Waarom heeft dat geen prioriteit?' snauwde de president.

'Dat had het wel, meneer de president, en dat heeft het nog steeds,' antwoordde generaal Jasper, terwijl ze probeerde kalm te blijven. 'Onze mensen zijn er dag en nacht mee bezig. Maar het is verfijnd, moeilijk en gevaarlijk werk.'

De president schudde zijn hoofd en mopperde in zichzelf. Lescher vulde het gespannen moment met: 'Wat is uw beste schatting van hoe lang het nog kan duren?'

'Eén tot vier dagen.'

De president sloeg op de tafel en vertrok abrupt.

De pakweg twintig kabinetsleden en hun assistenten besteedden het daarop volgende uur aan de bespreking van Doha, Kourani, de veiligheidsmaatregelen in diverse middelgrote steden door het hele land en de voorbereiding in New York.

Rond middernacht kwam de president terug met weer een cola light. Op aanbeveling van Lescher en generaal Jasper besloot hij dat de minister van Buitenlandse Zaken de Oostenrijkse overheid zou vragen om de tassen van de Iraniërs ongemoeid te laten voordat ze in Wenen aan boord van het vliegtuig zouden gaan. Er zou hen niet worden verzocht hun tassen of hun handbagage te laten onderzoeken. Ook in alle andere opzichten zouden de Iraniërs worden behandeld als reizende diplomaten.

Toen vertrokken de uitgeputte overheidsdienaars, sommigen naar hun huizen en anderen, zoals generaal Jasper, naar hun hoofdkwartieren, waar ze het grootste deel van de nacht doorbrachten.

18

17 september

Matt werd op de ochtend van de zeventiende wakker door de geur van eieren die gebakken werden. Irina stond in een gele pyjama bij hem, met haar teddybeer tegen zich aan gedrukt.

'*Dobre yutrom,*' zei ze met wiebelende staartjes in haar haar. 'Hebt u net zo'n honger als Boris?'

'Wie is Boris?' Hij ging rechtop zitten en herinnerde zich de zachtheid van Zyoda's huid, wat hem direct met schaamte vervulde.

'Doe niet zo gek. Boris is de naam van mijn beer.'

Zyoda grijnsde vanaf de andere kant van de kamer, terwijl ze in een strak roze t-shirt en een spijkerbroek bij de kookplaat stond. 'Ik heb gelezen dat Amerikanen van forse ontbijten houden, klopt dat?'

'Ja.' Hij rekte zich uit. Pas toen realiseerde hij zich dat hij geen broek aanhad.

De kleine Irina plofte naast hem neer en zei: 'Mammie vindt u aardig. U maakt haar gelukkig.'

'Ik vind haar ook aardig.'

'Koffie of thee?'

'Koffie, graag.'

Hij wikkelde een laken om zich heen, raapte zijn broek op van de vloer en trok zich terug in de badkamer, waar hij zich schoor en zijn tanden poetste.

'Hoe lang ben je van plan in Moskou te blijven?' vroeg Zyoda, toen hij aan de tafel kwam zitten.

'Dit keer een paar dagen, maar ik kom terug.'

'Wanneer?'

'Over een maand. Misschien eerder.'

'Vandaag is het zaterdag.'

Het onprettige gevoel wilde omslaan in paniek. '17 september.'

'De bezoekuren in de ziekenhuizen beginnen om negen uur.'

Hij dacht afwezig na over de verschillende scenario's.

'Je zei dat de vriend van je vader een voormalige Sovjet-beambte is?'

'Dat klopt.'

Ze knikte. 'Burdenko Militair Hospitaal is hier dichtbij. We hoeven niet ver.'

Toch wel, dacht hij. *Ik moet met Urakov praten, communiceren met Liz in Parijs, wat ik ontdek doorsturen naar het hoofdkwartier, en dan morgen in New York zijn om Kourani te spreken.* Het leek onmogelijk.

Ik moet wel, zei hij tegen zichzelf. *Ik mag geen fouten maken. Eén stap tegelijk.*

Liz ging aan boord van het vliegtuig en dacht aan de tijd. Om de een of andere reden dacht ze tijdens de hele vliegreis voortdurend over tijd en het verlies ervan.

Parijs. Parijs. Parijs. Die stad was het decor geweest van cruciale gebeurtenissen in haar leven: haar huwelijksreis met Matt, het hotel waar ze haar maagdelijkheid had verloren aan een magere jongen van negentien, de stad waar ze besloot om bij de CIA te gaan.

Ze keek naar zichzelf in de spiegel van het toilet. Er waren twaalf jaren voorbijgegaan sinds ze Matt bij de Farm had ontmoet. Twaalf jaar geleden, als CIA-agent in opleiding, had ze zich een ander leven voorgesteld – vrijgezel, wonend in een stad met een onuitspreekbare naam, geestigheden uitwisselend met interessante mensen.

Als een plotselinge rukwind had Matts wilde energie haar in een andere richting getrokken. En als gevolg daarvan was ze nu moeder, echtgenote en adviseur van een man die in bepaalde opzichten minder scherpzinnig was dan zij.

Op een bepaalde manier bleef hij een raadsel. Zijn rauwe kracht daagde haar uit, maakte haar soms bang en wond haar vaak op. Ze zag dat hij gedreven werd door impulsen die hij niet begreep – een dienaar van iets wat verder ging dan ideeën en verklaringen.

Hoeveel ze ook hield van haar man en kinderen, een deel van haar snakte nog altijd naar vervulling. Ze zag het in de weerspiegeling van het felle, trillerig fluorescerende licht. Hoewel haar huid wat van zijn jeugdige glans had verloren en hoewel ze wat zwaarder was geworden en die stomme lijntjes haar gezicht ernstiger deden lijken, wilde ze nog steeds haar steentje bijdragen aan de geschiedenis van de mensheid.

De tijd zat Liz zelfs op de hielen toen ze het vliegtuig verliet. Met haar schouders achteruit, haar kin omhoog, met de efficiënte zwarte koffer achter haar aan, hield ze zichzelf voor dat ze onbevooroordeeld en dapper moest zijn.

Toen ze door de automatische deuren stapte, hoorde ze iemand roepen: 'Elizabeth Freed. Liz!'

Links van haar zag ze een lange, oudere man met een lange patriciërsneus en een lok grijsbruin haar: Guillermo Moncada. Hij glimlachte met een vleugje verleiding. Vleiend, jazeker. Maar het soort verleiding waarvan ze wist dat ze het kon weerstaan.

Enkele minuten later zaten ze achter in zijn Citroën met chauffeur vast in het verkeer van de A1. Blauwe zwaailichten en sirenen waren overal om hen heen, maar de majestueuze stad was nog nergens te zien.

'Het goede nieuws is dat ik de jongen heb gevonden,' zei Guillermo, terwijl hij een trek nam van een Gauloise en de rook door een kier het raam uit blies. Hij had een 'ik heb alles al meegemaakt'-houding die haar het gevoel gaf dat ze een klein meisje was.

'Dat is erg goed nieuws.'

'Het slechte nieuws is dat we er nu niet heen kunnen.'

'Waarom?'

'Clichy-sous-Bois,' antwoordde hij op een vermoeide toon en duwde een nummer van *Le Figaro* op haar schoot.

Liz had sinds haar middelbare school geen Frans meer gebruikt. Maar ze herinnerde zich nog genoeg om de kop te kunnen vertalen: 'Opstandige jeugd vernielt oostelijke voorsteden'.

'De *banlieues*,' bromde Guillermo. Hij schoot zijn peuk de mistige buitenlucht in. 'Het ouwe liedje. De autoriteiten zijn ter plaatse om de status quo te handhaven. In dit geval betekent dat hoge werkeloosheid, racisme, verslechterende dienstverlening, een slechte houding van de politie. Een paar jongens zijn per ongeluk gedood en het escaleert allemaal. Poef!'

'Poef?'

'Rellen, Liz. Brandende auto's, plundering. Sociale onrust. Een vlam in de droge lont van de maatschappij, als je wilt.'

'Je klinkt als een radicaal.'

'Alleen in het café,' zei Guillermo en raakte haar hand aan. Zijn glimlach beloofde charme en goede conversatie. 'Ik heb een kamer voor je gereserveerd in een leuk hotel. Er zijn een paar goede tentoonstellingen, vooral die in het Centre Pompidou. Het weer is heerlijk, in deze tijd van het jaar. Rust een paar dagen uit tot het allemaal wat kalmer wordt.'

'Dat kan ik niet,' zei Liz.

Guillermo wuifde elegant met zijn hand. 'Wees redelijk. Wees geen Amerikaan. Neem de tijd om te genieten.'

'Matt heeft die informatie nu nodig.'

'Ik hou van die man, maar hij is onmogelijk. Mannen als hij kunnen de wereld veranderen.'

'Ik hou ook van hem.'

'We kunnen er niet heen, Liz. Dus vergeet het maar. Ga winkelen.'

Typisch Guillermo. Niets was ooit dringend. Geen wonder dat Matt wilde dat ze hierheen ging.

Liz wilde haar echtgenoot niet teleurstellen. Bovendien had ze twaalf jaar gewacht op een kans als deze. Ze zei: 'Matt rekent op ons. Hij zei dat het belangrijk was.'

Guillermo keek uit het zijraam en stak nog een Gauloise op. '*L'obstacle nous fait grands.*'

'Wat betekent dat?'

'Iets van de Franse dichter André Chénier.'

'Wat?'

'Obstakels maken ons groot.'
'Mee eens.'

Ze lieten Irina achter bij een buurvrouw in de flat en stapten in een groene taxi. Zyoda gaf de chauffeur instructies naar het ziekenhuis te rijden, keerde zich toen naar Matt en pakte zijn hand.

Ze wilde hem vertellen dat de oude hindoes geloofden dat het leven vier doelen had: sensueel genot *(kăma)*, materieel succes *(artha)*, juiste daden *(dharma)* en verlossing *(moksha)*. Het was haar doel om die alle vier te bereiken. Maar de grote man met het geverfde haar en de blauwe plek op zijn voorhoofd zag er zorgelijk uit. Ze zei: 'Maak je geen zorgen. We zijn er snel.'

'Ik ben een Amerikaan,' waarschuwde Matt. 'Ik wil geen scène veroorzaken.'

'Dat zal geen probleem zijn. Ik regel alles. Ontspan je en laat het aan mij over.'

Ze kroop dichter tegen hem aan en vroeg zich af hoe ze hem nog meer aan zich kon binden. Hij leek haar een goede man, die ze niet wilde laten wegglippen.

Ze stapten uit voor een mosterdgeel gebouw en gingen in de rij staan. 'Hoe heette de vriend van je vader ook al weer?' vroeg Zyoda, terwijl ze de kraag van Matts witte poloshirt rechttrok.

'Oleg Urakov,' antwoordde Matt, hopend dat ze gelijk had over het ziekenhuis.

Toen ze de ingang bereikten, liet Zyoda haar charmes los op een van de bewakers. Een andere bewaker, met een gezicht vol littekens en een klembord, bekeek Matt van onder tot boven.

'Hij wil je paspoort,' zei Zyoda. Zelf vouwde ze een document open dat aangaf dat zij een burger was van de Russische Federatie, en waarop haar leeftijd, huwelijkse staat en woonadres stonden.

Matt wilde geen sporen achterlaten, maar had geen keus. Terwijl hij toekeek hoe de bewaker Zyoda's naam bij die van zijn alter ego noteerde, dacht hij: *Hierdoor komt ze in moeilijkheden. Dat moet ik oplossen.*

Hij volgde haar sterke benen de grote ontvangsthal in, door een gang, naar de houten toonbank van een informatiebalie. Beleefd en op haar tenen staand vroeg ze om hulp bij het vinden van Oleg, waarbij ze over hem praatte alsof ze hem haar hele leven al kende.

Een keurig geklede vrouw pleegde een telefoontje en legde toen bedachtzaam de hoorn weer neer op de telefoon met draaischijf. 'Wist u dat de patiënt die u wilt bezoeken op de intensive care ligt?' vroeg ze en keek over haar bril heen.

Zyoda draaide zich snel om naar Matt.

'Daar was ik al bang voor.'

'Er mogen geen bezoekers bij hem.'

'Zou het mogelijk zijn om met een dokter te praten over zijn toestand?'

'Bent u familie?' De vrouw duwde haar bril nu omhoog naar haar neusbrug.

'Ik ben zijn nicht.'

'Alleen directe familie. Het spijt me.'

Zyoda gaf het niet op. 'Mijn oom woont alleen. Geen vrouw, geen kinderen, geen broers of zussen.'

'De intensive care is op de vierde verdieping. Vraag het daar. Veel geluk.'

In de lift vroeg Matt weer aan Zyoda wat ze voor werk deed. De dag tevoren bij de receptie had ze hem verteld dat ze verpleegster was.

'Ik werk in een kliniek waar we mensen met verwondingen helpen herstellen,' antwoordde Zyoda.

'Als fysiotherapeute?'

'Vooral voor jonge mensen,' antwoordde ze. Haar onderlip glansde in het kunstlicht.

Op de vierde verdieping trok Matt haar een trappenhuis in, waar hij ongestoord met haar kon praten. 'Mijn vader heeft gezegd dat hij bang is dat Oleg gewond is geraakt bij een bedrijfsongeval,' legde hij uit. 'Het is mogelijk dat de Russische overheid probeert geheim te houden wat er is gebeurd.'

Ze keek Matt diep in zijn bruine ogen. 'Wat probeer je me te vertellen?'

'Ik wil je geen problemen bezorgen. Ik denk dat je nu moet weggaan.'

Ze kuste hem en pakte allebei zijn handen. 'Misschien werk je voor de politie of voor je regering,' zei ze. 'Dat kan me niet schelen. Maar ik wil één ding weten.'

'Wat?'

'Ben je echt vrijgezel?'

'Ja.'

Ze kuste hem opnieuw en nam hem bij de hand mee door de gang, de ic op, waar ze vroeg naar een dr. Turesheiva. Ze legde aan de dienstdoende verpleegster uit dat ze fysiotherapeute was en dat dr. Turesheiva haar gevraagd had te kijken naar een van zijn patiënten, Oleg Urakov.

'Dr. Turesheiva heeft zich nog niet gemeld,' antwoordde de bijzonder lange verpleegster. 'Maar de patiënt ligt aan het eind van de gang.'

'Met uw permissie ga ik even kijken.'

De lange zuster verplaatste haar aandacht naar Matt, die gekleed ging in dezelfde kleren – broek, poloshirt en jasje – die hij de dag tevoren ook gedragen had. 'Wie is die meneer?' vroeg ze in het Russisch.

Matt stak zijn hand uit. 'Ik ben dr. Jackson uit Canada.'

'Daar moet ik toestemming voor hebben van dr. Malekov. Wacht hier.'

Vlak nadat de verpleegster de hoek om was gegaan, knikte Matt naar Zyoda, die hem volgde langs meer dan twintig kamers, die allemaal bezet waren door twee of drie patiënten. Op de deur aan het einde hing een geel waarschuwingsbord en een statuskaart in een plastic envelop. Door het vierkante raampje zagen ze een man die op een bed was vastgebonden in een omgekeerd druksysteem, met slangen in zijn mond en neus, en diverse infusen.

'Wat denk je?' vroeg Matt.

'Hij is bijna dood,' fluisterde Zyoda terug. Ze deed de envelop open, haalde de statuskaart eruit en las de namen van medicijnen waarvan ze nog nooit eerder had gehoord. 'Ik denk dat we moeten gaan voordat de zuster terugkomt.'

Kalm haalde Matt het bovenste blad van de status, vouwde dat op en deed het in zijn zak.

'Dat hebben de dokters nodig,' zei Zyoda, angstig kijkend.

'Ik heb het nodig om hem en anderen te redden,' legde Matt uit.

Toen ze naar de lift liepen, werden ze onderschept door de lange verpleegster. 'Dr. Malekov wil u spreken. Hij vraagt of u op hem wacht.'

Zyoda draaide zich naar Matt, die op zijn horloge wees. 'Het spijt me,' zei hij. 'We hebben een noodgeval.'

'Maar dr. Malekov is van het ministerie van Defensie.'

Ze gingen snel de lift in en de hoofdingang uit. Terwijl ze wegreden in een taxi, greep Zyoda Matts arm.

'Zeg me wat je aan het doen bent. Alsjeblieft.'

'Ik zet je af bij je appartement. Daarna moet ik naar mijn hotel.'

'Kom ik in de problemen?' vroeg ze, buiten adem.

Matt probeerde haar gerust te stellen. 'Als iemand vragen stelt, zeg dan waar we elkaar hebben ontmoet. Zeg ze dat ik logeer in het Sheraton Palace Hotel.'

'Zie ik je terug?'

'Ja.'

'Beloof je dat?'

'Dat beloof ik.' Hij meende het en zou een manier bedenken waarop hij haar kon helpen. Nu vouwde hij Olegs medische statuskaart open en overhandigde die aan Zyoda om te lezen.

'Wat is er met hem aan de hand?' vroeg Matt in het Engels.

'Kus me eerst.'

Ze greep hem in zijn kruis en wilde hem niet loslaten. Hij trok zich los en wees op de kaart. 'Lezen,' zei hij nadrukkelijk. 'Dit kunnen we later doen.'

Ze haalde diep adem. 'De artsen weten het niet zeker. Ze denken dat hij lijdt aan een zeldzame vorm van een ziekte. Een variant die ze nog nooit eerder hebben gezien.'

'Hoe heet die?'

'Tularemie.'

Matt liet het haar in het Engels spellen. Ze deed het zo goed mogelijk.

'Wat zijn de symptomen?'

De beslistheid in zijn stem wond haar op en verontrustte haar. Trillend keek ze weer naar de kaart en las: 'Plotselinge koorts, koude rillingen, onverdraaglijke hoofdpijn. De bacteriën vallen de lymfeklieren, de milt en de lever aan.'

'Waar behandelen ze hem mee?'

'Grote hoeveelheden tetracycline.'

'Werkt dat?'

Zyoda schudde haar hoofd. 'Ik word bang door wat je me vraagt.'

'Werkt de tetracycline, Zyoda?'

'Een beetje. Niet zo goed.'

Nadat ze elkaar hevig omhelsd en gekust hadden, stapte Matt weer in de taxi en gaf de chauffeur opdracht om hem naar het vliegveld te brengen.

'Welk vliegveld?' vroeg de chauffeur in het Russisch.

'Domodedovo.' Hij moest naar New York. Snel!

19

17 september

Er begon een lichte regen te vallen, toen Liz en Guillermo noordwaarts reden langs Le Raincy, op weg naar Clichy-sous-Bois. Dit was een deel van Frankrijk dat de meeste toeristen nooit zagen – de ene kleurloze voorstad na de andere, met stukken groen ertussen – een geestdodende opeenvolging van betonnen flatgebouwen in verschillende soorten en maten, allemaal in verschillende stadia van verval. Kijkend naar muren vol felgekleurde graffiti moest Liz wel denken aan de mensen die daarbinnen woonden.

Ze had gelezen dat de helft van de bewoners van de banlieues jonger dan vijfentwintig was. Een derde van de beschikbare kostwinners was werkeloos.

Deze armlastige buurten werden bewoond door immigranten en eerste- en tweedegeneratiemoslims uit de voormalige koloniën van Frankrijk. Ze reden langs winkels waar shoarma en kebab verkocht werd, en langs een Burger King Muslim.

In de veeltaligheid van de namen en culturen voelde Liz de ontheemdheid van de mensen. *Ze zijn afkomstig uit verre landen als Senegal, Algerije, Oeganda, Libanon. Maar wat zijn ze geworden? Frans?* 'Hoe lang duurt het voordat die mensen geassimileerd zijn?' vroeg ze aan Guillermo, die zijn vijfde Gauloise rookte.

Hij schudde zijn hoofd om de bossanovaritmes, die uit de cd-speler stroomden, van zich af te zetten. 'Minimaal decennia. Eeuwen?' Hij haalde zijn schouders op. 'Frankrijk is niet zoals de Verenigde Staten.'

Aanvankelijk had ze definities van rassen en klassen willekeurig gevonden. Maar als je ze zag binnen het kader van de wereldgeschiedenis, begonnen ze betekenis te krijgen. Ze begreep dat wat ze zag het resultaat was van duizenden jaren oorlog, politieke onenigheid, religieuze bewegingen en veranderingen die waren veroorzaakt door technologie.

Ze reden door een straat waarin uitgebrande karkassen van auto's stonden en muren bedekt waren met leuzen als *Libérez nos camarades!* en *Verité et Justice.*

Guillermo boog naar voren en vroeg de Chileense chauffeur in het Spaans: 'Kijk goed uit naar borden.' Ze stopten om de weg te vragen aan een vrouw die een paraplu boven haar grijze burka hield en hun vertelde dat de afslag naar Seine-Saint-Denis drie kilometer verderop was.

Vlak nadat ze afgeslagen waren, werden ze tegengehouden door een politiebarricade. Beangstigend uitziende criminaliteitsbestrijders in zwarte uniforms leunden door het raampje naar binnen en vroegen wat ze kwamen doen. Achter hen stonden zwarte politiewagens *(panniers à salade)*, waterkanonnen en CRS anti-oproertroepen van het ministerie van Binnenlandse Zaken, bewapend met helmen, schilden, beschermende brillen, wapenstokken, lichte mitrailleurs en traangaspistolen.

Terwijl de gore lucht van brandend rubber in de lucht hing, legde Liz in haar beperkte Frans uit dat ze een spoedleverantie van medicijnen hadden voor de neef van een vriend.

'Bent u geen journalist?' vroeg een gendarme agressief.

'Ik ben een Amerikaan. De jongen is een vriend van een vriend.'

'Hoe heet hij?' vroeg een andere agent, die zijn geschoren hoofd in de auto stak.

'Javed Mohammed.'

'Wat is zijn achternaam?'

'Kourani.'

De agent keek op een klembord of de naam erop stond en schudde zijn hoofd. Liz toonde hun haar Amerikaanse paspoort en een flesje Zestril dat ze in haar tasje had om haar hoge bloeddruk te reguleren.

'Bent u van de Amerikaanse ambassade?' vroeg de gendarme.

Liz loog: 'Ja. De gezondheid van de jongen is belangrijk voor ons.'

De gendarme wees met zijn grote kin naar Guillermo. 'Wie is dat?'

'Mijn veiligheidsagent.'

'We moeten het controleren bij het ministerie.'

'Natuurlijk.'

Er gingen gespannen minuten voorbij, waarin Guillermo zachtjes verklaarde dat dit een verschrikkelijk slecht idee was, waardoor ze gearresteerd zouden worden.

De gendarme kwam terug met een oudere gendarme, die aankondigde: 'We hebben in dit gebied een avondklok ingesteld, die om acht uur ingaat.'

'We hebben maar een paar minuten nodig,' pleitte Liz.

'Als u hier voorbijgaat, kunnen wij niet met u mee.'

'Laten we het morgen proberen,' waarschuwde Guillermo in het Engels.

'U gaat op uw eigen risico,' zei de agent, wijzend op Guillermo. 'Als ik u was, zou ik hem sturen.'

'Dank u, agent, maar dit moet ik zelf doen.'

De politieman gaf Guillermo's chauffeur opdracht om achter hun zwarte bus te parkeren en te wachten, terwijl Liz de resterende twee blokken liep naar Seine-Saint-Denis 93. Bij de ingang stonden een stuk of twaalf tienerjongens naar rapmuziek te luisteren en sigaretten te roken. Drie meter verderop stond een jongen met zijn rug naar hen toe op een matras te pissen.

Ze vroeg een zwarte jongen met een capuchon of hij Javed Mohammed kende. De jongen schreeuwde: 'Javi! Javi!' Hij spreidde zijn armen uit als een vliegtuig en vloog een paar rondjes. De anderen lachten.

'Dus je kent hem?' vroeg Liz in het Frans. Ze deed haar best om geen angst te tonen.

'We kennen die lijpo allemaal,' schreeuwde een lange jongen met een ring door zijn neus terug. 'En wie ben jij dan?'

'Een vriendin van de familie.'

Hij stuiterde op zijn tenen dichterbij en snoof op enkele centimeters van haar gezicht. 'Jij ruikt lekker. Amerikaans of Engels?'

Liz wees naar het gebouw. 'Waar is hij?'

'In een boom!'

Een jongen met een breed, bruin gezicht gebaarde dat ze hem moest volgen, door de donkere hal naar de lift. Hij schopte met de hiel van zijn voet tegen de hoogste knop en glimlachte met gebroken tanden. 'De smerissen,' zei hij in het Frans, 'zijn van plan ons vannacht allemaal te vermoorden.'

Op de bovenste verdieping volgde Liz hem naar rechts, via een trap boven een paar geparkeerde driewielers naar een deur. Liz bleef halverwege staan. 'Is dit een grap?'

'Nee, dat is het dak,' zei de jongen, en hij wenkte haar naar voren. 'Kom!'

Ze liep de laatste acht treden op, door de gedeukte metalen deur, en zoog de frisse lucht naar binnen. Ze wist niet wat ze moest verwachten. De jongen bewoog zijn hoofd op de muziek uit zijn koptelefoon en wees op een geïmproviseerd hok in de hoek, dat op een schuurtje leek. Een kleinere, dunnere jongen hurkte ernaast en pakte er iets uit.

'Javi?' vroeg ze.

'De vogelman van Seine-Saint-Denis.'

Hij haalde een witte vogel uit het hok, aaide hem en gooide hem de lucht in. Liz liep de tien meter naar hem toe, zonder haar ogen van de jongen, die omhoogkeek in de mist, af te houden. Hij zwaaide met zijn armen als een dirigent. Vreemde fluitende geluiden kwamen uit zijn mond. *Misschien is hij echt gek*, zei ze bij zichzelf. Ze was nu op drie meter afstand.

Hij schonk geen aandacht aan het kraken van haar schoenen; zijn gezicht was in een diepe concentratie. Door de mist zag ze de vleugels van een tiental duiven die boven hen vlogen.

'Zijn die van jou?' vroeg ze in het Engels.

'Mijn kinderen.'

Hij had een lief gezicht met brandende ogen, een wat smalle kin en een kleine mond. Toen de vogels terugkwamen, noemde hij haar de naam van elk van hen, wat hij ervoor betaald had, wat de unieke kenmerken ervan waren en hoe lang hij erover gedaan had hem te trainen.

'Je bent gek op ze, hè?' vroeg ze.

'Ze zorgen dat ik niet gek word.'

'Dat is belangrijk in een tijd als deze.'

'De schoonheid van de vogels, de lucht, de manier waarop ze vliegen. Ik denk liever aan niets anders.'

Liz besloot de eerlijke benadering te wagen. 'Ik ben Amerikaanse,' zei ze. 'Ik ben gekomen om je wat vragen te stellen over je oom Moshen en je grootvader.'

Javi keek in de verte. 'Ik heb mijn oom Moshen al tijden niet gezien. Hij stuurt mijn moeder geld. Mijn grootvader is overleden voordat ik geboren werd.'

'Als je mij helpt, kan ik jou helpen.'

Met zijn handen in zijn zakken, begon Javi weg te schuifelen. 'Dat is alles wat ik weet.'

'Misschien kan ik je helpen meer te leren over die vogels.'

Hij stopte en staarde haar aan. 'Wat weet u?'

'Een jonge man als jij zou zijn passie moeten volgen.'

'Misschien moet hij dat inderdaad. Misschien moet hij uit de verwarring stappen die geschapen is door de zogenaamde volwassenen en zijn eigen leven gaan leiden.'

'Dat is een uitstekend idee. Ik denk dat ik je kan helpen.'

TULAREMIE. TULAREMIE. TULAREMIE. Matt bleef de naam in zijn hoofd herhalen, terwijl het vliegtuig van British Airways door de avondlucht kliefde.

'Ga lekker achteroverzitten. Ontspan u. Onze reistijd naar Londen is naar schatting vier uur en vijf minuten.' De gezagvoerder sprak als John Gielgud die *Hamlet* voorleest.

Dat betekende een lange overstaptijd op Heathrow voordat vlucht 117 naar JFK zou vertrekken. In de tussenliggende tijd had Matt veel te doen.

Allereerst probeerde hij het schuldgevoel kwijt te raken. Het was al erg genoeg dat hij met Zyoda naar bed was gegaan. Dat zou hij aan Liz uitleggen. Maar hij vond het erger dat hij Zyoda en haar dochter had achtergelaten, waardoor ze de confrontatie met de Russische autoriteiten alleen zouden moeten aangaan.

Zijn daden waren in strijd met een van zijn regels: zorg dat een bron of een contact nooit slechter af is door de samenwerking met jou. *Als ik de kans krijg, moet ik alles rechtzetten.*

De twijfels kwamen opzetten: *Wat gebeurt er als ik nooit de kans krijg? Wat gebeurt er als Liz het niet begrijpt? Misschien heb ik mijn huwelijk al verpest.*

Matt zag zijn vader voor zich, die een slok nam uit een blikje Schlitz en naar hem keek, met een verbitterde berusting rond zijn mond geëtst: 'Je bent een stommeling. Ik wist dat dit zou gebeuren.'

Een klagerige stem herinnerde hem eraan dat zijn werk voor de clandestiene inlichtingendienst nooit volledig gewaardeerd werd: *Hoe vaak ben ik al wel niet gepasseerd bij promoties, omdat een hogergeplaatste met de eer ging strijken? Of omdat iemand in Washington erop wees dat ik in strijd met een of andere zinloze procedure had gehandeld?*

Matt vond heel even dat zijn vader gelijk had. Het systeem was tegen hem gericht. Het leven was in de kern wreed.

Ik kan natuurlijk liegen tegen Liz. En Zyoda alles zelf laten uitzoeken.

Het vliegtuig kwam in een luchtzak, daalde zestig meter en stuiterde. De Aziatische vrouw naast hem greep zijn arm.

Nee! hield hij zichzelf voor. *Zo ben ik niet.*

De 747 zat vol. Hij leunde achterover, ingeklemd tussen de Aziatische vrouw, die nu weer verderging met het lezen van *Midnight in the Garden of Good and Evil* in het Engels, en een puistige jongeman van in de twintig, die *Saw II* zat te kijken op zijn laptop. Privacy was niet aan de orde, maar hij kon niet wachten.

Hij haalde zijn MasterCard door de sleuf vóór hem en belde Guillermo Moncada's nummer op de AeroPhone. Geen antwoord. Hij koos een maaltijd uit en belde toen nog eens. Niks. Hij bladerde door de twaalf muziekkanalen en probeerde vervolgens een scène uit *Spider-Man 3* te volgen. Toen hij voor de derde keer belde, nam een secretaresse op, die hem doorverbond naar Guillermo's mobiele telefoon.

De stem van de Argentijn bracht een gevoel van opluchting. 'Matthew. Mijn vriend. Ik zit in de auto naast je charmante vrouw. We zijn op weg terug naar de stad. Waar ben jij nu?'

'Ergens boven Duitsland op weg naar Londen.' Matt moest voorzichtig zijn. Hij wist niet wie er in de buurt zat.

'Je moet naar Parijs komen. Kom met ons mee-eten. Ik ken een geweldig nieuw Frans-Marokkaans restaurant aan het begin van de boulevard Beaumarchais, vlak bij Bastille.'

'Vanavond niet. Hoe is het met de jongen?'

'De jongen. Meen je dat nou? Vraag je niet naar je vrouw?'

Matt had geen tijd om naar de grappen van Guillermo te luisteren. 'Wat had hij te zeggen?'

De Argentijn begreep het. 'Hier is Liz.'

Man en vrouw werkten zich snel door de formaliteiten heen, beheersten allebei hun gevoelens en voelden allebei wat de ander te lijden had. Ze waren getrainde professionals. Ze wisten hoe het ging.

'Javi. Hij noemt zichzelf Javi. Hij is een zachtaardig mens,' zei Liz. 'Verward, boos; voelt zich in de steek gelaten. Vindt de Fransen niet aardig. Houdt van vogels. Wil naar Cornell om ornithologie te studeren. Ik heb gezegd dat we zullen proberen hem te helpen.'

'Doen we. Natuurlijk.'

'Moshen Kourani is zijn oom. Zijn vader Hamid is door de taliban in Afghanistan gedood. Sindsdien woont hij met zijn moeder buiten Parijs. Oom Moshen stuurt ze geld. Hij heeft geprobeerd hen ervan te overtuigen dat ze terug moeten komen naar Teheran.'

Dat trof Matt. 'Ik vraag me af waarom.'

'Dat zei hij niet. De jongen wil studeren in de States.'

'Oké.'

'Maar zijn oom haat de vs.'

'Zei hij dat?'

'O ja.'

'Praten ze vaak met elkaar?'

'Ongeveer eens per maand. Zijn oom heeft hem twee dagen geleden opgebeld vanuit Wenen.'

'Dat kan kloppen.'

'De jongen is gefrustreerd. Hij voelt zich opgesloten.'

'Dat heb ik begrepen.'

'Je klinkt van streek.'

Matt probeerde de puzzelstukjes snel in elkaar te passen. 'Zei hij dat zijn oom de Verenigde Staten haat?'

'Daar was hij erg gedetailleerd over. Javi zei dat zijn groot-vader stierf toen de USS *Vincennes* vlucht 655 van Iran Air neerschoot boven de Perzische Golf.'

Matt kende dat incident goed. In de zomer van 1988 had de Amerikaanse marinekruiser *Vincennes* bij vergissing een Iraans passagiersvliegtuig neergehaald met een geleideraket tijdens een gevecht met diverse Iraanse speedboten in de Straat van Hormoez. Alle 290 mensen aan boord vonden de dood.

'Shit.'

'Wat is er mis, Matt?'

'Dit verandert alles.'

'Waarom?'

'Ik bel je vanuit New York.'

Alan Beckmans lichaam liep al dagenlang op adrenaline. Nu, in de volle vergaderzaal op Federal Plaza 26, hoog boven de binnenstad van New York, wilde dat lichaam stoppen, eten en rusten.

Vertegenwoordigers van de FBI, de Binnenlandse Veilig-heidsdienst, de veiligheidsdienst van Defensie, de CIA en de po-litie van New York (NYPD) hadden de afgelopen anderhalf uur overlegd over de aankomst van Scimitar (Kourani) en de Iraan-se delegatie. 'Beschermende waakzaamheid' was de term die bevelhebbende FBI *special agent* (SAC) Rove Peterson bleef her-halen.

Stram rechtopstaand voor in de zaal schetste Rove Peterson de route die de Iraniërs zouden nemen naar het Millennium UN Plaza Hotel, het aantal agenten in burgerkleren die in het ho-tel gestationeerd waren en de veiligheidscorridor rond het VNgebouw zelf. 'We laten die mensen geen moment uit ons zicht. We behandelen ze als onze kinderen. Wij willen dat ze veilig zijn.'

De lampen werden gedimd en een kaart van New York werd op een scherm geprojecteerd, met twee grote rode cirkels: de een rond JFK en de ander rond de VN. 'Oké, laten we stap voor stap de route doorlopen.'

Beckman wilde zijn ogen dichtdoen. In plaats daarvan gebruikte hij zijn laatste restje wilskracht om te zeggen: 'Het spijt me, Rove. Ik denk dat we iets missen.'

Er trok een gepijnigde trek over Petersons gezicht. 'Wat?'

'Ik maak me zorgen over de plaatsing van hulptroepen, vooral jouw mensen van terrorismebestrijding.'

Een stuk of twaalf van de drieëndertig in de kamer aanwezige mensen kreunden gefrustreerd. Sinds Alan terug was uit Doha zette hij vraagtekens bij al hun plannen, zonder uit te leggen waarom.

Eens te meer praatte Alan over het feit dat een meerderheid van de teams van de JTTF (FBI-NYPD Joint Terrorism Task Force) werden ingezet in nabijgelegen middelgrote steden, zoals Hartford, New Haven, Newark, Trenton, Philadelphia en Boston. De CBIRF (Chemical Biological Incident Response Force) van de Amerikaanse mariniers was vierentwintig uur per dag paraat in Camp Lejeune, North Carolina.

SAC Rove Peterson kapte hem af. 'Het klinkt alsof je wilt dat wij een aanvallende houding aannemen tegenover de Iraniërs. Verdedigen we ze, Alan, of vallen we ze aan?'

'Misschien allebei.'

Rove schudde zijn hoofd. 'Ik snap je niet, Alan. Je eigen mensen hebben geconcludeerd dat de vijand in dit geval Al Qaida is.'

'Ik ben er niet zeker van of dat helemaal duidelijk is,' zei Beckman.

Rove Peterson raapte het tweehonderd pagina's tellende NCTS-rapport over de maatregelen tegen de dreiging op en liet het met een klap op de tafel vallen. 'In godsnaam, Alan. Heb je je eigen rapport wel gelezen?'

'Jazeker,' riposteerde Alan, terwijl de emotie naar zijn keel opklom. 'Maar er zijn te veel dingen onbekend. De situatie zou kunnen veranderen.'

'Hoe?' vroeg de lange, zwarte ASAC (FBI assistent bevelhebbend special agent), die moeite had om sympathiek te klinken.

'Misschien is onze bron niet volkomen betrouwbaar,' antwoordde Alan. Om redenen van veiligheid hadden beleidsmakers in Washington besloten om de identiteit van hun bron niet te onthullen.

'Wat houdt dat in?'

Alle ogen keerden zich naar Alan, die op zijn lip beet. Hij had er een hekel aan in deze positie gebracht te worden. Als hij onthulde dat een lid van de Iraanse delegatie hun bron was, kon hij worden ontslagen. Er konden nog veel ernstiger aanklachten tegen hem worden ingediend als de bron ooit verraden zou worden.

'Heb je ons nog iets meer te vertellen over de bron?' vroeg Peterson.

'Dat mag ik niet,' mompelde Alan zachtjes.

'Waar heb je het dan verdomme over, Alan? Wil je soms dat we hier in het wilde weg aan de gang gaan?'

De spanning rond de tafel nam toe. Alan voelde die om zijn borst klemmen. 'Ik... ik... ik weet het niet.'

De frustratie van Rove barstte naar buiten. 'Als je ons iets belangrijks te vertellen hebt, dan willen we dat weten.'

Alan kon geen adem krijgen; zijn onderlip begon te trillen. 'Ik... ik... ik weet het niet.'

De ASAC zag dat hij het moeilijk had. Ze boog zich bezorgd naar hem toe. 'Alan, gaat het?'

De zaal begon te draaien. Hij wist wat er ging komen. Hij schold zichzelf uit omdat hij vergeten was te eten en zo zijn bloedsuiker te ver had laten dalen. Tegelijkertijd probeerde hij zijn longen te dwingen om te werken en zijn keel om open te gaan. 'Ik... ik heb type-2 diabetes. Ik heb wat wa...' Hij verloor het bewustzijn.

In de steeds harder neervallende regen bereikte de Citroën

waarin Guillermo en Liz reden de A1. Guillermo vroeg de chauffeur om hen rechtstreeks naar Le Bar à Huitres te brengen, waar hij een grote schaal Belon- en Marenne-oesters met *mignonette*-saus wilde bestellen, om die weg te spoelen met een mooie sancerre.

'Misschien moeten we beginnen met wat *boudeuses de Bretagne*,' zei hij. 'Die zijn klein, weet je, en genoemd naar een soort koppig, puberaal kind dat weigert volwassen te worden.'

Liz keek naar een passerende motorrijder en dacht aan Matt. Chocola en oesters waren twee van haar favoriete dingen in de wereld. Maar geen van beide interesseerde haar nu.

'Ik hoop dat je honger hebt,' zei Guillermo. 'De regen bezorgt me altijd een enorme trek.'

'Ik wil dat je me naar Charles de Gaulle brengt.'

'Nadat we hebben gegeten?'

'Nee, nu.'

'Maar...'

Iets in de toon van de stem van haar echtgenoot had haar hiertoe doen beslissen. Ze zei: 'Ik moet Matt spreken in New York.'

Generaal Jasper zat aan haar bureau de ondervragingsrapporten uit Qatar door te nemen, toen Shelly binnenkwam. 'Ik had gevraagd om een paar minuten privacy.'

Shelly had moeite om zich verstaanbaar te maken, omdat ze haar mond vol bosbessen had. 'Het is een noodgeval. Freed op lijn twaalf.'

'Alle goden!' Jasper wees met haar vinger naar de telefoon bij de bank. 'Luister mee op de andere lijn.'

Zodra Freed aan de lijn kwam en begon te praten over belangrijke informatie die hij in Moskou had verzameld, kapte generaal Jasper hem af: 'Geen verwarring meer, Freed. Waar ben je nu?'

'Ik ben op weg naar New York.'

'Waar precies?'

'Ik ben op het vliegveld,' antwoordde Matt. 'Mijn vliegtuig vertrekt zo. Ik heb niet veel tijd.'

'Je zit in grote problemen, Freed. Je hebt je orders niet opgevolgd.'

'Dat spijt me, generaal, maar het is van levensbelang voor de veiligheid van ons land dat u luistert naar wat ik te zeggen heb.'

Vanaf de bank bewoog Shelly haar hand langs haar keel. Jasper deed haar kin wat omhoog en knikte. 'We zitten niet op een veilige lijn.'

Matt keek snel om zich heen in de drukke terminal. De situatie was niet optimaal. Hij stond bij de laatste telefoon aan de muur. In de twee telefoons die het dichtst bij hem waren had hij houten koffiespateltjes geramd. Hij zei: 'Ik herhaal, generaal, ik heb geen tijd.'

'Oké, snel dan. Wat heb je?'

'Twee dingen. Ten eerste: genetisch gemanipuleerde tularemie.'

'Wat is dat?'

'Dat is de biologische werkzame stof die een van Kourani's partners heeft geïnfecteerd, een voormalige Sovjet-biotechnicus die nu ligt te sterven in een ziekenhuis in Moskou. Deze man, genaamd Oleg Urakov, heeft Kourani in juli vergezeld naar Rebirth Island. Ik denk dat het hier gaat om dezelfde biologische stof die de dierenmonsters heeft gedood die we hebben opgestuurd.'

'Tularemie?'

'In een genetisch gemuteerde vorm.'

Generaal Jasper gebaarde naar Shelly dat ze dat moest opschrijven. Shelly, die al aantekeningen maakte op een blok, knikte.

Matt ging verder: 'Ik heb het opgezocht op internet. In 2002 hebben agenten van het voormalige Sovjet-Biopreparat in een getuigenis tegenover een speciale commissie van de Verenigde Naties toegegeven dat een van de biologische wapens die ze aan het ontwikkelen waren een bijzonder dodelijke vorm van tularemie was, die kon worden verspreid door de lucht en via water. Een van hun wetenschappers getuigde dat een kleine hoeveelheid de gehele bevolking van de Verenigde Staten of van Europa binnen enkele dagen kan besmetten.'

'Waarom vertel je me dit, Freed?' vroeg Jasper.

'Ik denk dat dit de biologische stof is die Kourani met zich meebrengt naar de vs.'

Het hart van de generaal stopte even. 'Waar heb je het in godsnaam over?'

'Ik denk dat Kourani probeert tularemie naar de vs te brengen.'

'Dat... dat slaat nergens op.'

'Ik weet bijna zeker dat Kourani ons belazert, generaal.'

'Je hebt het mis, Freed. Heb je het nieuws uit Qatar gehoord?'

Matt wachtte tot een man met een aktetas in de gaten kreeg dat de telefoon naast hem het niet deed. 'Alleen wat ik gelezen heb in *Herald Tribune.*'

'De informatie die hij verschafte heeft Amerikaanse levens en materialen gered.'

'Dat verbaast me niet.'

'Echt niet?'

'Dat hoort allemaal bij zijn plan.'

'Welk plan?'

'Het geeft hem de geloofwaardigheid iets veel belangrijkers op te zetten.'

Generaal Jasper voelde het bloed kloppen bij haar slapen. Ze haalde diep adem. 'Freed, ik wil dat je onmiddellijk hierheen komt. Als je in mijn kantoor bent, zullen we praten.'

De man met de aktetas liep terug en stond vlakbij te lezen in een nummer van *Sports Illustrated.* Matt zei: 'Ik bel u terug.'

Vijf minuten later belde hij vanaf een telefoon in de Admiral's Club. Dit keer hoorde de generaal op de achtergrond ijsblokjes in glazen klingelen en ze wilde weten of Freed in een bar was.

'Generaal, het is heel belangrijk dat u me laat uitpraten. Er is geen tijd!'

'Ik moet je precieze locatie weten.'

'Luister eerst naar wat ik te zeggen heb.'

'Freed, heb je gedronken?'

Matt praatte snel. 'Het belangrijkste is nu Kourani.'

Maar generaal Jasper bleef hem in de rede vallen. 'Daarom moet jij in New York zijn...'

'Hij is heel slim geweest. Uiterst slim.'

'... Nu!'

'Eerst wint hij ons vertrouwen, door ons Qatar te geven. Dan zegt hij dat we ons moeten voorbereiden op een aanslag van Al Qaida op onze eigen bodem.'

'Wat wil je daarmee zeggen?'

'En als die aanval nu eens komt van agenten van de Qods-strijdkrachten? En als die het laten lijken alsof het van Al Qaida komt?'

Shelly riep uit: 'Dat is helemaal krankzinnig.'

Matt drukte door. 'Hij heeft het opgezet om het te laten lijken alsof de aanslag van een andere kant komt.'

'Oké,' zei de generaal, in een poging om niet te ontploffen. 'Laten we er even van uitgaan dat Kourani ons inderdaad bedriegt. Werkt hij dan voor de Qods-strijdkrachten of voor zichzelf?'

'Onduidelijk.'

'Wat proberen de Qods en hij dan te bereiken?'

'We weten dat er in de Iraanse religieuze en politieke instanties een constante machtsstrijd aan de gang is. Sommige seculiere instanties proberen op politiek gebied voet aan de grond te krijgen. Een aanslag zoals Kourani die volgens mij aan het voorbereiden is, bewerkstelligt drie dingen. Eén: het laat de fundamentele sjiieten over de hele wereld zien dat wij kwetsbaar zijn. Twee: het richt de mogelijke woede van de vs op soennitische, terroristische en politieke groeperingen. Drie: het versterkt de positie van de Qods-strijdmachten en hun religieuze aanhangers. Hun invloed, macht en belang groeit als de conflicten in de regio oplopen. Eerlijk gezegd weten we niet genoeg over de interne religieuze en politieke intriges binnen Qom om precies te kunnen bepalen waarom een aantal moellahs zo'n pad zouden willen bewandelen, maar geweld en terreur zijn beproefde hulpmiddelen van Iraanse moellahs.'

Shelly viel hem bij: 'Dan zouden ze in een voortreffelijke positie verkeren om gebruik te maken van de chaos die daaruit ontstaat.'

'Precies.'

'Dus jij zegt dat we Kourani vanaf het begin verkeerd hebben ingeschat,' vroeg Jasper.

'Hij heeft ons opzettelijk misleid.'

Shelly wilde weten: 'Nemen de Iraniërs daarmee geen enorm groot risico?'

Generaal Jasper vroeg: 'Stel dat hij gepakt wordt?'

'Misschien doet Kourani dit op eigen initiatief, of misschien laat hij dat alleen zo voorkomen. Als hij gepakt wordt, kunnen de Iraniërs in beide gevallen volhouden dat ze er niets van wisten. Ze kunnen zeggen dat ze wisten dat hij zich vreemd gedroeg en dat ze pas later hebben ontdekt dat hij ons in Boekarest benaderd had met een plan om over te lopen.'

'Dat is vergezocht, Freed,' zei generaal Jasper. 'Wat is het motief?'

'Wraak,' antwoordde Matt nadrukkelijk.

'Wraak? Waarvoor?'

'Kourani haat ons. Ik heb ontdekt dat zijn vader, die een moellah was en een vertrouweling van ayatollah Beheshti, gedood werd toen de USS *Vincennes* in de zomer van 1988 vlucht 655 van Iran Air neerschoot boven de Perzische Golf.'

Shelly riep uit: 'O, shit.'

'Dat is van belang,' zei de generaal en greep naar haar voorhoofd. 'Hoe heb je dat ontdekt?'

'Van zijn neef, die in Parijs woont.'

'Dit heeft enorme implicaties. We zullen bewijs nodig hebben.'

Matt zei: 'Iemand daar moet een kopie hebben van de passagierslijst. Zoek zijn naam maar op.'

'Dat is niet genoeg.'

'We hebben geen tijd meer, generaal. Het vliegtuig moet worden tegengehouden.'

'Wat?'

'Het vliegtuig dat Kourani naar de VS brengt moet worden tegengehouden.'

238

'Weet je wel wat je zegt?'

'Kourani, de hele delegatie, moet op JFK worden vastgezet en in een soort quarantaine worden gehouden. Als hij de tularemie eenmaal het land in krijgt, zijn we de klos.'

Generaal Jasper schudde haar hoofd. 'Dan nemen we een enorm diplomatiek risico. Vrijwel alle wereldleiders zullen er getuige van zijn als we een fout maken.'

'Het risico is nog veel groter als dat spul vrijkomt. Zoek het maar na. Tularemie verspreidt zich als een bosbrand. Medische faciliteiten zullen overspoeld worden. We hebben het over miljoenen slachtoffers voordat de besmetting kan worden gestopt.'

20

18 september, ochtend

Op de ochtend van de achttiende was er merkbaar geroezemoes in de naar sinaasappelbloesem ruikende lobby van het Marriott Hotel in Wenen. Terwijl de Iraanse vijfmansdelegatie bij de souvenirwinkel aan het praten was over de kansen van het Iraanse voetbalteam in de komende wedstrijd tegen Bahrein, bekeek een gedrongen adjudant van de ambassade de rekening.

'Ik hoor dat Ali Karimi niet meespeelt,' zei de zilverharige Iraanse vn-ambassadeur, verwijzend naar de stermidvoor van het team, die ook bekendstond als 'de Aziatische Maradona'.

'Maar hij moet wel. Het is een belangrijke wedstrijd.'

'Verrekte achillespees.'

'Dat is een ramp,' stamelde de onderminister van Buitenlandse Zaken.

'Ik heb gehoord dat die nieuwe jongen van Persepolis erg goed is.'

De Iraanse adjudant berekende dat de rekening voor de roomservice genoeg was om een huisje te kopen in zijn geboorteplaats Arak. Dat hield hij voor zichzelf, net als de vierhonderd dollar die de Iraanse ambassadeur besteed had aan Shalimar-parfum.

Terwijl de lange, blonde baliemedewerker de American Express card van de Iraanse ambassade door de kassa haalde, verschenen er buiten drie zwarte Mercedessen.

De vijf ernstig kijkende mannen pakten hun handbagage en liepen naar de deur. Ze droegen allemaal zwarte pakken en overhemden zonder stropdas. De Iraanse ambassadeur bij de vn en de onderminister van Buitenlandse Zaken stapten in de voorste auto. Kourani en de adjudant van de ambassade namen de tweede. En twee ruwer uitziende mannen, veiligheidsagenten, stapten in de derde. Een van hen was gedrongen en had gemillimeterd wit haar.

Bij de ingang passeerden ze een paar westers ogende vrouwen in jurken met motiefjes, die de prijzen van schoenen bespraken. Toen de laatste limodeur dichtgeslagen werd, zei een van de vrouwen in haar mobiele telefoon: 'Post Eén aan Basis. De klanten vertrekken in drie limo's. Scimitar in auto twee.'

Een jongeman aan het eind van de straat klom op een motorfiets en zette de achtervolging in.

Ruim twintig kilometer zuidelijker, bij Vienna International Airport, stonden vijf fitte, gladgeschoren FBI-agenten (drie mannen, twee vrouwen) voor de balie van United Airlines. De bevelhebbende agent Devere Johnson II bekeek het sms'je op zijn mobiel en kondigde aan: 'Scimitar is onderweg.'

Zijn assistente, Tina Chang, stopte haar iPod weg. 'We zijn er klaar voor.'

'Onze opdracht duurt van deze terminal tot JFK. Alles duidelijk?'

'Begrepen.'

In het centrum van Wenen zag de als motorkoerier verklede FBI-agent de zwarte limo's voorsorteren voor de oprit naar de snelweg A4. Hij reed rechtdoor en een zilveren Audi 2000 nam zijn plaats in. De FBI-agent op de passagiersstoel van de Audi zei in zijn mobiele telefoon: 'Post Drie aan Basis. Op weg naar het vliegveld. Voortgang zoals gepland.'

Ongeveer twintig minuten later sloegen de limo's af bij de afrit Flughafen en kwamen langzaam tot stilstand voor de internationale terminal. Drie leden van de Iraanse diplomatieke staf begroetten de speciale delegatie door hun handen te schudden.

'Douane en immigratie is geregeld,' zei een van de stafleden, terwijl hij de mannen hun instapkaarten overhandigde. De diplomaten bedankten hen en liepen verder naar de First Classlounge.

Toen ze langs de bar liepen, keek een jonge FBI-agent de Iraniërs na vanaf zijn plek bij een plasmatelevisie waarop het Davis Cup-tennisduel tussen Spanje en Frankrijk te zien was. 'Ze zijn in de lounge,' zei de agent in het handsfree microfoontje van zijn mobiel. 'Aan boord over zesendertig minuten. Aftellen begint.'

Later zag hij vijf man vrije doorgang krijgen van de veiligheidsdienst. 'Daar is Scimitar,' fluisterde Tina Chang, terwijl de man met de kortgeknipte peper-en-zoutkleurige baard langsliep. Hij werd gevolgd door de VN-ambassadeur, de Iraanse onderminister van Buitenlandse Zaken en de twee Iraanse veiligheidsagenten.

'Die laatste twee lijken meer op worstelaars. Vooral die ene met dat witte haar.'

'Lijfwachten,' zei Tina. 'En ze zijn waarschijnlijk gewapend.'

Alan Beckman werd om vijf uur 's ochtends wakker, rukte het infuus uit zijn arm, greep het flesje Metformin van het nachtkastje en liep met het groene ziekenhuisnachthemd als overhemd (omdat hij zijn eigen shirt niet kon vinden) de straat op om een taxi aan te houden, die hem naar Worth Street bracht. Ergens in die lange nacht had hij een idee gekregen. Buitenlandse agenten gebruikten dezelfde schuilnaam vaak diverse keren.

Nu zat hij aan een vrije computer in het FBI-hoofdkwartier op Federal Plaza 26, waar hij inlogde in de FBI-databank en een code intikte. Hij voerde de naam Fariel Golpaghani in en drukte op 'search'. Er verschenen twee zoekresultaten op het scherm. Het eerste dateerde van september 2000, toen Fariel Golpaghani vijf nachten had doorgebracht in het Hilton Hotel op Sixth Avenue. Een controle in de bestanden van de immigratiedienst liet zien dat hij toen gereisd had als lid van de Iraanse delegatie bij de opening van de algemene vergadering van de VN.

Alan richtte zich op het meer recente verblijf. Dat had plaatsgevonden in maart 2002 en bevatte een verblijf in het Mayflower Hotel in Central Park West. Het hotel was sindsdien compleet herbouwd, maar FBI-agente Holly O'Connor was in staat de telefoongegevens van het hotel terug te vinden en alle uitgaande telefoontjes van nabijgelegen munttelefoons.

Veertig minuten werk leverden drie telefoontjes op naar iemand met een moslimnaam in de Bronx: Rafiq Haddad. Gegevens van de immigratiedienst wezen uit dat Haddad een genaturaliseerde burger was die in 1989 vanuit Libanon naar de Verenigde Staten was gekomen.

Om een uur of tien, terwijl Holly bezig was een adres op te zoeken, liep special agent Rove Peterson voorbij en bleef staan. 'Ik had niet verwacht jou hier te zien, Alan.'

'Vandaag is de grote dag.'

'Hoe voel je je?'

'Mijn diabetes speelde op. Ik had al ruim een dag niet gegeten. Ik voel me beter.'

'Luister, ik wilde je echt niet aanvallen, maar...'

'Geeft niet. Ik denk dat ik misschien iets heb gevonden. Ik loop wel even langs je kantoor.'

Eerst belde hij naar het hoofdkwartier en sprak met Shelly, die hem vertelde dat Freed op weg was naar New York.

'Op welke vlucht zit hij? Wanneer is de geplande landingstijd?'

Shelly kon die informatie niet geven en dat leek haar niet veel te kunnen schelen.

Merkwaardig, dacht Beckman en haastte zich door de gang naar het kantoor van Peterson. Niemand had hem verteld over de onthullingen die Freed de avond tevoren tegenover generaal Jasper had gedaan. Het hoofd van de NCTS had besloten het kringetje klein te houden.

Met O'Connor aan zijn zijde legde Alan Beckman de ontdekking van Kourani's eerdere bezoeken stap voor stap uit.

'Dus er lijkt een verband te zijn tussen Fariel Golpaghani, beter bekend als Kourani, en deze man die Rafiq Haddad heet,' zei de bevelhebbende special agent. 'En nu?'

'Wij gaan op zoek naar Haddad.'

Dertig minuten later deed Beckman een 9mm magazijn in de Glock die hem door de FBI verschaft was. Naast hem klaagde NYPD-rechercheur Vinnie Danieli (die nu was uitgeleend aan het New Yorkse kantoor van de FBI) over de Yankees, terwijl hij de Ford Taurus noordwaarts stuurde over de FDR

Drive naar de Bruckner, naar de Bronx River Parkway.

'Het zijn de werpers waar ik me zorgen over maak,' zei Danieli, onderwijl ruim 120 kilometer per uur rijdend. 'Begrijpt u wat ik bedoel?'

Alan knikte en observeerde hem. Danieli was een sluw uitziende kerel met warme ogen, warrig haar en een lange neus. 'Ik bedoel: 162 wedstrijden per jaar. Die armen worden moe. Vooral als je wat jongens hebt staan die de bal tot in Florida kunnen meppen.'

Beckman keek snel de berichten op zijn mobiel door. Niks van Matt.

'Ze liegen allemaal over hun leeftijd. Een vriend van me zegt dat Clemens iets van tweeënvijftig is.'

Alan dacht terug aan Athene en zijn laatste persoonlijke gesprek met Matt. Intussen scheurde Vinnie langs het karkas van een Ford Explorer, die van zijn stoelen en banden beroofd was. 'Kannibalen,' mompelde de NYPD-rechercheur zachtjes.

'Wat?'

'Gaat u me nog vertellen wat we gaan doen?' vroeg Vinnie en bood Alan wat kauwgum aan.

'We zijn op zoek naar een man die Rafiq Haddad heet.'

'Haddad?'

'Klopt.'

'En wat gaan we met die gozer doen, als we hem vinden?'

'Dan ga ik hem een paar vragen stellen.'

'Tuurlijk,' zei hij, en draaide Allerton Avenue op.

Alan stak een Metformin in zijn mond en slikte die door met wat water uit een flesje.

'Maagzuur?' vroeg Vinnie.

'Diabetes.'

'Ga squashen.' De rechercheur sloeg op zijn buikspieren. 'Houdt alles hard.'

Ze passeerden een kruidenierszaak met een stel bejaarde Haïtianen ervoor en parkeerden dubbel voor nummer 1225.

'Ik wil niet dat de hele buurt weet dat we eraan komen,' zei Alan bij het uitstappen.

Vinnie glimlachte. 'Het is prettig met u te werken, Beckman.'

'Laten we gaan.'

Ze gingen het drie verdiepingen hoge gebouw uit de jaren twintig binnen. Omdat er geen lift was, sjokten ze over de versleten marmerwitte trappen naar de tweede verdieping. Nummer elf was aan het eind van de L-vormige hal aan de rechterkant.

Alan klopte en drukte op de bel. Geen antwoord. Hij probeerde de deur ertegenover. Niks.

'Wat doen we nu?' vroeg Vinnie.

'Ik zal proberen het slot open te krijgen,' antwoordde Alan. 'We hoeven het niet volgens het boekje te doen.'

Vinnie draaide zich om en rende de trap af met 'Ik ga even mijn vriendin halen.'

Twee minuten later was hij terug met een tweepersoons metalen stormram, die hij uit zijn achterbak had gehaald. 'Dit is Ethel. Ze is een behoorlijk stevige meid.'

Bij de eerste poging begaf de deur het met luid gekraak.

'Bedankt, schat!' Vinnie drukte een kus op het metaal.

'Laten we proberen discreet te zijn.'

Ze doorzochten het eenkamerappartementje en vonden boeken in het Arabisch en Engels – *The Kite Runner, The Bourne Identity* – cd's, familiefoto's, een oude *Playboy* met Pamela Anderson en een ingelijste foto van een imam.

In de gangkast vond Vinnie Danieli een ingepakte koffer. 'Het ziet ernaar uit dat uw vriend van plan is op vakantie te gaan,' zei hij.

'Hij is mijn vriend niet.'

'Maar binnenkort wel, hè?' vroeg Vinnie met een knipoog.

Tussen een hoopje rekeningen die kriskras op een bureautje lagen, vond Alan een leveringsbon van DHL International. Die stak hij in zijn zak, samen met een foto van Rafiq die poseerde aan dek van de *Intrepid*.

'Laten we gaan.'

'Vergeet niet de deur op slot te doen.'

Beneden in de waskamer vond Danieli een Jamaicaanse vrouw van middelbare leeftijd die Rafiq Haddad herkende van de foto. 'Hij rustige man,' zei ze. 'Bemoeit niet.'

'Heeft hij vrienden? U weet wel, amigo's.'

'Hij heeft soms een meisje. Ziet Arabisch uit. Mooi. Dat alles ik weet.'

'Heeft u hem pas nog gezien, toen hij misschien zijn onderbroek aan het wassen was?'

'Misschien gistermorgen. Ja.'

'Heeft u enig idee wat señor Rafiq voor werk doet?'

'Ik geloof hij werkt bij die verplaatsbare toilet bedrijf. Ik hem soms gezien met de truck.'

Alan vroeg: 'Wat voor truck?'

'Grote truck.'

Vinnie trok een wenkbrauw op. 'Grote truck vol poep?'

De Jamaicaanse vrouw sloeg dubbel van het lachen. Vinnie sloeg een arm om haar heen. 'Port-a-potty? Johnny-on-the-spot? Crap-in-a-trap?'

De Jamaicaanse vrouw grinnikte. 'U erg grappig.'

'Ik wed dat jij een heerlijke gegrilde kip kan maken.'

'Ik denk iets als Pot-in-da-sand.'

'Je bent geweldig.'

Niets in generaal Jaspers lange, en soms moeilijke, carrière had haar voorbereid op deze hoeveelheid stress. Ze voelde zich beroerd en zag troebel doordat ze maar één uur geslapen had, maar stond toch op van de bank in haar kantoor om een telefoontje van het Witte Huis aan te nemen.

Het duurde een paar seconden voordat ze de hoge stem van Stan Lescher herkende. 'De president en ik hebben het hier voortdurend over,' zei Lescher. 'We hebben zojuist in Freeds personeelsdossier gekeken en eerlijk gezegd, generaal, lijkt hij een wildwestfiguur.'

'Wacht... Heb je een kopie van Freeds dossier?'

'Ik heb iemand van jouw toko het hierheen laten sturen. Maar daar gaat het niet om.'

'O nee?' Onder normale omstandigheden zou ze het op een schreeuwen gezet hebben tegen Lescher omdat hij iets uit haar bureau had laten komen zonder haar er eerst om te vragen. Maar ze vond het deze morgen moeilijk om verontwaardiging op te wekken. Er liepen te veel dingen in het honderd.

'Waar het om gaat, generaal,' begon Lescher, en zijn stem begon een beetje verbolgen te klinken. 'Het punt dat je gisteravond op tafel hebt gelegd met de informatie die je van Freed hebt ontvangen is: wat doen we met Kourani?'

Het kwam allemaal terug als een nachtmerrie, de lange uren in de Situation Room van het Witte Huis tegenover de president, de vicepresident, Lescher, de kopstukken van de CIA, Defensie, Binnenlandse Veiligheid, Buitenlandse Zaken. Geprikkelde zenuwen, ongeloof, vragen over Freeds trouw aan zijn land, lasterlijke insinuaties over de manier waarop ze haar tent runde.

Generaal Jasper begreep dat mensen in het algemeen niet goed reageerden op druk, maar dit was te veel. Tussen twee vergaderingen in hoorde ze het nieuws dat haar belangrijkste man in New York, Alan Beckman, was ingestort door een te laag bloedsuikerniveau en aan het herstellen was in St. Vincent's Hospital.

Om een uur of vijf 's ochtends, nadat NSC-directeur Lescher haar competentie in twijfel had getrokken, was generaal Jasper gaan zitten om haar ontslagbrief te schrijven. Dat leverde de opluchting op die ze nodig had om een uur te slapen.

Terwijl ze naar de ontslagbrief op haar bureau keek, glimlachte ze. Het leek nu allemaal zo kinderachtig. Ze scheurde de brief doormidden en gooide hem in de prullenbak. Toen zag ze de memo van Shelly: 'Het laatste nieuws van Wetenschap & Tech. NU lezen!'

Daaraan bevestigd zat een rapport waarin 'met meer dan 70 procent waarschijnlijkheid' geconcludeerd werd dat de monsters uit de knaagdieren op Rebirth Island overeenkwamen met het chemische profiel van een genetisch gemuteerde vorm van tularemie.

Lescher praatte maar door. Ze kapte hem af om hem dit te vertellen. Het enige wat ze hoorde, was gesis.

Omdat ze niet wist of dat gesis uit de telefoon of uit haar hoofd kwam, vroeg ze: 'Stan, kun je me horen? Ben je daar nog?'

Weer ging er een halve minuut voorbij. Ze speelde met het idee dat het allemaal maar een droom was geweest.

Leschers stem veegde dat idee weg. 'Dus... dus die tularemiedreiging ís echt?'

'Ja!'

Hij kapte haar af. 'Waarom heb je dat ons verdomme niet eerder verteld?'

'Sorry, Stan, ik krijg het net pas door.'

Lescher zette een nieuwe aanval in. 'De president en ik kunnen het ons nog steeds niet voorstellen hoe je een man als Freed kunt laten verdwijnen en dan op het allerlaatste moment zijn bevindingen laat presenteren, alsof hij een soort heilige Jedi-krijger is van...'

Ze was niet in de stemming. 'Wat bedoel je?'

'De president...'

De generaal onderbrak hem opnieuw. 'Hou toch op met je gezeik, Stan!'

'Hoe durf je...'

'Luister! De Iraniërs komen over negen uur aan op JFK. Je moet een beslissing nemen.'

'Dat begrijp ik, ja. De gevolgen kunnen gigantisch zijn.'

'Wat wil je gaan doen?'

Stan krabbelde terug. 'Ik vind het vreselijk de president in deze positie te brengen.'

Jasper wist dat Lescher, voordat hij zijn huidige positie in het Witte Huis kreeg, hoogleraar politieke wetenschappen aan Yale geweest was. Daarvoor had hij twaalf jaar als Buitenlandse Dienst-attaché gewerkt bij Buitenlandse Zaken en, kort, als staflid bij de NSC. Hij had zijn huidige positie te danken aan zijn vriendschap met de president en de adviseursrol die hij had gespeeld tijdens de campagne voor de presidentsverkiezingen.

'Stan, de situatie is zoals die is.'

'Waar is Freed?'

Ze voelde dat ze de overhand had gekregen. 'Op weg naar JFK. Maar dat doet er niet echt toe. We moeten een beslissing nemen. Ik stel voor dat we dat nu doen.'

'Dat weet ik. Ik moet met de president praten.'

Een halfuur later, nadat ze water in haar gezicht had gegooid, haar tanden had gepoetst, koffie en een fles Maalox had besteld, en het hoofd van Wetenschap en Technologie bij haar op kantoor had ontboden, ging de telefoon weer.

Dit keer hoorde ze de diepe, barse stem van de president. 'Generaal, ik neem aan dat we volkomen up-to-date zijn?'

'Meneer Lescher weet alles wat ik weet, meneer de president.'

'Dan moeten we een verdomd moeilijke beslissing nemen.'

'Dat klopt, sir.'

Ze verwachtte dat Lescher meeluisterde op een andere lijn.

De president haalde diep adem. 'Ik wil je beste advies horen.'

'Gezien wat we nu weten, stel ik voor dat we een excuus verzinnen om het vliegtuig te isoleren, als het aankomt op Kennedy. Dat geeft onze mensen de kans om het vliegtuig in te gaan en alles te onderzoeken: bagage, persoonlijke eigendommen, de passagiers zelf.'

'Inclusief Kourani?'

'Inclusief Kourani. Erg voorzichtig en diplomatiek, natuurlijk.'

'De Iraniërs zijn gevoelige mensen. Dat weet u toch, hè?'

'Inderdaad, sir.'

'Ze gaan waarschijnlijk door het lint.'

'We kunnen ze zeggen dat het voor hun eigen bescherming is. Dat er iemand met een bommelding heeft gebeld. Wij nemen stappen om de veiligheid van hun delegatie te verzekeren.'

De president zei: 'Ik denk dat ik daarmee instem. Ik bel je.'

Tien minuten later belde Stan Lescher terug om vraagtekens te zetten bij het risico dat ze zouden nemen met Kourani. 'En als hij weigert nog verder met ons te praten? Wat moeten we dan?'

'Dat is een risico dat we waarschijnlijk moeten nemen.'

'Hoe goed zijn we voorbereid in het veld?'

'Daar hebben we al dagenlang over gepraat, Stan. Je bent bij alle vergaderingen geweest.'

'Vertel het me nog een keer.'

'De CBIRF van de US mariniers staat paraat in Camp Lejeune, North Carolina. De FBI heeft HazMat-teams en snel inzetbare teams gestationeerd op vijf inzetbare punten – Washington, Detroit, Jacksonville, Seattle en San Diego. Die zijn vierentwintig uur per dag paraat. Plaatselijke medische teams, politie en SWAT zijn actief in achtendertig middelgrote steden, ingedeeld per categorie. Volledige evacuatieplannen liggen klaar voor de top vijftien.'

'Waar heb je bijvoorbeeld Cincinnati ondergebracht?'

'Categorie A.'

'San Diego?'

'Categorie A.'

'Portland, Oregon?'

'B.'

'Weet je dat zeker?'

Generaal Jasper verloor haar geduld. 'Je hebt de documentatie, Stan. We hebben geen tijd meer.'

'Waag het niet de president onder druk te zetten,' schoot Lescher terug. 'We hebben nog negen uur.'

'Achtenhalf. En we hebben tijd nodig om een actieplan uit te voeren.'

'Hoe lang heb je nodig?'

'Minimaal drie of vier uur.'

'Die krijg je.'

'Goed.'

'Ik bel nog terug.'

21

18 september, middag

Alan Beckman belde DHL International vanuit de auto. Nadat hij vijf keer was doorverbonden en in de wacht was gezet, kreeg hij een supervisor te spreken die zei dat het leveringsnummer dat Alan gevonden had in Haddads appartement overeenkwam met drie grote dozen die verscheept waren vanuit de Russische republiek naar een Mail Boxes Etc.-vestiging op de hoek van Third Avenue en Eighty-Ninth Street. De ontvanger: Rafi Fragrances, Inc.

Vinnie Danieli bracht hen in een oogwenk naar Mail Boxes Etc. De ogen van de jonge, Indiaas uitziende man achter de toonbank gingen op en neer als de vleugels van een vlinder bij het zien van Danieli's FBI-insigne.

'Hebt u deze man hier pas nog gezien?' vroeg Alan, en toonde de baliemedewerker de foto van Haddad.

'Ik denk het niet.'

'Kijk nog eens goed. Hij is hier drie weken geleden geweest om drie dozen op te halen die verscheept waren met DHL Worldwide Priority.'

Danieli stond al snel achter de toonbank en tikte toetsen in op de computer. De jongeman nam het over. 'Dat kan ik ook wel.'

'Ga je gang.'

De baliemedewerker bevestigde dat Rafiq Haddad op 3 september getekend had voor drie dozen die aan Rafi Fragrances geleverd waren vanaf een adres in Moskou.

'Kunt u me zeggen wat erin zat?' vroeg Alan.

De man schudde zijn hoofd.

'Het kan belangrijk zijn.'

Hij was een vlezige jongeman met goudkleurige ogen. 'Dat soort informatie mag ik niet geven.'

'Moest de verscheper geen douaneverklaring invullen?' vroeg Alan.

De baliemedewerker haalde een hand door zijn korte, krullende haar en vroeg met een bibberige stem: 'Jullie zijn toch van de FBI, hè?'

'Ja, dat klopt.'

'Moeten jullie dan geen huiszoekingsbevel hebben?'

Vinnie ging vlak voor hem staan. 'Dit is het verkeerde moment om spelletjes te spelen. Weet je zeker dat je gekloot wilt hebben met...'

'Hé!'

Alan vroeg Vinnie om de deur in de gaten te houden. Toen trok hij de jonge baliemedewerker opzij. 'Hoe zei je ook al weer dat je naam was?'

'Daya. Dat betekent "genade".'

'Daya wat?'

'Narayan.'

'Ben je familie van R.K. Narayan, de schrijver van *The English Patient?*'

'Hij heeft *The English Teacher* geschreven. Hij is een neef van mijn vader.'

In de tussentijd werkte Vinnie de resterende twee klanten naar buiten en deed de deur op slot.

'Zie je, Daya, we hebben hier te maken met een potentieel gevaarlijke situatie,' ging Alan verder, met een geruststellende stem. 'Ik werk voor de Nationale Dienst Terrorismebestrijding. Heb je daar wel eens van gehoord?'

Daya knikte.

'Ik heb je hulp nodig voor die douaneverklaring.'

De baliemedewerker zei: 'Misschien is het makkelijker als u me eerst een huiszoekingsbevel laat zien.'

'Het punt is, Daya, dat we geen tijd hebben. En er staan veel levens op het spel.'

Daya dacht even na. 'Dit is dus een zaak van nationale veiligheid?'

'Dat klopt.'

'Ik heb een neef verloren bij een bomaanslag in India.'

'We willen niet dat zoiets hier ook gebeurt. Toch?'

Daya ging terug naar de computer en zocht het op. Volgens het douaneformulier dat door de afzender was ingevuld, bevatten de drie dozen 'luchtverfrissers'.

'Zijn die dozen ooit onderzocht?' wilde Vinnie weten.

'Waarschijnlijk niet. Ons elektronische waarschuwingssysteem zorgt ervoor dat spullen worden vrijgegeven zodra ze verscheept worden.'

'Leuk systeem.'

'Ik werk hier alleen maar.'

'Bedankt.'

Om 12.23 uur nam het Witte Huis de beslissing om de Iraanse VN-delegatie vast te houden en te onderzoeken. Generaal Jasper gaf dat bevel direct door aan de FBI, waarna het werd doorgespeeld aan Federal Plaza 26.

Rove Peterson nam het telefoontje aan. 'We hebben een gigantisch probleem,' vertelde de adjunct-directeur van de FBI hem. 'Stuur alles wat je hebt onmiddellijk naar JFK. Stel je mensen in het vliegtuig ervan op de hoogte dat hun doelwit, de man die we Scimitar genoemd hebben, en wiens ware naam Moshen Kourani is, misschien een biowapen bij zich heeft. Communiceer dit meteen met jouw mensen.'

'Ja, sir.'

'Het doelwit moet onder controle gebracht worden als het vliegtuig eenmaal aan de grond staat. Jouw mensen moeten hem apart houden van de passagiers en de bemanning. Geef hem geen toegang tot zijn handbagage. Laat hem geen seconde alleen, zelfs niet als hij naar de plee gaat.'

'Akkoord.'

'Houd hem apart in de First Class.'

'Wat doen we met de rest van de passagiers?'

'Zij moeten begeleid worden naar een speciaal quarantainegebied en worden doorzocht. Dat geldt ook voor de bemanning. Niemand – geen passagier, geen bemanningslid – mag bij zijn handbagage. Geen uitzonderingen! Ze blijven in quarantaine totdat iedere centimeter van het vliegtuig en van de bagage aan boord onderzocht is.'

'Begrepen.'

'Dit is het belangrijkste telefoontje van je leven.'

'Ja, sir.'

'Ik stel voor dat je je beste mensen inzet.'

'Ik zal de operatie zelf leiden.'

'Stuur zoveel HazMat-teams naar JFK als je kunt. Zeg tegen ze dat ze misschien te maken krijgen met een dodelijke vorm van tularemie. Geef ze de opdracht dat ze zoveel tetracycline meenemen als ze te pakken kunnen krijgen. Als iemand er op de een of andere manier aan wordt blootgesteld, moet er onmiddellijk een grote hoeveelheid van dat medicijn worden toegediend. Heb je dit allemaal genoteerd?'

'Ja, sir.'

'Ik geef de leiding vanuit het crisiscentrum in het FBI-hoofdkwartier in Washington. Ik blijf hier de hele tijd.'

'Ik hou u op de hoogte.'

'Handel snel. Vastberaden. Ik zal in voortdurend contact staan met het Witte Huis.'

'Ja, sir.'

'Er staan honderdduizenden levens op het spel, Peterson. Dit moet goed gaan.'

Generaal Jasper zat zo vol adrenaline dat ze het gevoel had dat ze het hele eind naar New York zou kunnen rennen. In plaats daarvan liet ze zich door een helikopter naar Andrews Air Force Base brengen, waar ze aan boord ging van een militair straalvliegtuig. Terwijl het vliegtuig op de startbaan stond, in afwachting van een team experts op het gebied van biologische bedreigingen, belde ze met Alan Beckman, die over FDR Drive scheurde.

'Alan,' zei ze, 'waar je nu ook bent, stop waar je mee bezig bent en kom zo snel mogelijk naar Kennedy Airport. Dit is een noodgeval. De president heeft de beslissing genomen om Kourani tegen te houden en het vliegtuig te doorzoeken. Ik wil dat jij daar bent om met de FBI samen te werken.'

'Wacht even.' Hij legde zijn hand op de hoorn en zei tegen Vinnie dat hij naar JFK moest rijden. 'Snel!'

'Komt voor elkaar.' Vinnie stak zijn hand door het raam, deed een blauw zwaailicht op het dak, maakte een halve draai bij Twenty-Third Street en racete naar het noorden, over de Triborough Bridge.

'Wat is de precieze bestemming?' vroeg Alan aan Jasper.

'Tegenover de UPS-vrachtterminal, buiten hangar twaalf.'

'Hangar twaalf!'

Vinnie gaf plankgas.

'Alan!' schreeuwde generaal Jasper. 'Alan?'

'Wat?'

'Zorg dat je in dat vliegtuig komt. Ik wil dat je daar bent met Kourani.'

'Ja, generaal.'

'Ik wil dat jij hem voor je rekening neemt. We moeten tegelijkertijd hard en voorzichtig zijn. Ik vertrouw de FBI niet.'

'Maar waarom houden we Kourani tegen?'

'Freed heeft gerapporteerd dat Kourani heeft geprobeerd een biologische werkzame stof te pakken te krijgen die bekendstaat als tularemie.'

Alan Beckman glimlachte trots en keek op zijn horloge, dat aangaf dat het 13.16 uur was. 'Ik ben nu onderweg.'

Het is Freed gelukt, dacht hij. *Oké!*

Hij wendde zich naar Vinnie, die uit zijn mondhoek grijnsde en vroeg: 'Wat is er loos?'

'Zorg nou maar dat we daar heel aankomen.'

'We moeten vaker samen op pad gaan. Dit is leuk!'

Vlucht 352 van United Airlines stond gepland om om 15.48 uur te landen op Kennedy. Vanuit het oogpunt van Devere Johnson II, de FBI-teamleider aan boord, was de overtocht over de Atlantische Oceaan soepel gegaan. De vijf leden van de Iraanse delegatie, die in de First Class zaten, hadden geroosterde kwartels met maderasaus gegeten, met dille-aardappelen, asperges en een cappuccinosorbet geserveerd in een bakje van pure chocola.

De zilverharige VN-ambassadeur bleek verdiept te zijn in *Chaos and Violence* van Harvard-professor Stanley Hoffman. De onderminister van Buitenlandse Zaken zat te typen op zijn laptop. Scimitar leek te slapen. De twee veiligheidsagenten, die direct achter hen zaten, keken een film, *Ocean's Thirteen.*

Johnson dacht: *Appeltje eitje.* Over een uur en vijftien minuten zouden ze landen op Kennedy, waar een plaatselijk FBI-team de Iraniërs zou oppikken.

Eigenlijk had Johnson een hekel aan vliegen, hij dacht aan zijn vrouw en zoons in Ditmas Park, Brooklyn, terwijl hij het speciale NBA-voorbeschouwingsnummer van *Sports Illustrated* opensloeg.

Zijn New York Knicks werden getipt om een-na-laatste te worden in de oostelijke divisie. *Shit!*

De grote Patrick Ewing was al Johnsons held sinds hij als kind opgroeide in Forest Hills, Queens. Dat had deels te maken met het feit dat Ewing op dertienjarige leeftijd vanuit Kingston, Jamaica, naar Amerika geëmigreerd was, net als Johnsons vader. Devere en allebei zijn broers waren na het behalen van hun middelbareschooldiploma bij het New York Police Department gegaan. Devere was als enige gerekruteerd door de FBI.

Morgen had zijn oudste zoon, Devy, een try-out voor het schoolbasketbalteam. Met zijn twaalf jaar en twee maanden was Devere Johnson III toch al 1.82 meter lang.

Om 13.25 uur EST ontving de piloot van de Boeing 777 een noodoproep van de vluchtleiding op Kennedy. Omdat hij niet wist dat er een FBI-team aan boord was, liet hij de *air marshal* komen – een stevig gebouwde, voormalige lijnverdediger van de University of Nebraska, genaamd Bud Pine – die op de eerste rij van de toeristenklasse zat.

Pine sprak kort met Rove Peterson van de FBI, die hem vroeg om het hoofd van het FBI-team aan boord.

Pine vond hem met een nummer van *Sports Illustrated* op stoel 14C.

'Ik ben de air marshal. Ze hebben je voorin nodig.'

'Waarom?' vroeg Devere Johnson.

'Noodoproep van een FBI-man die Peterson heet.'

Johnson vond het geen prettig idee om in gezelschap van de air marshal langs de Iraniërs te lopen, maar hij had geen keus.

Via de telefoon in de cockpit kreeg Johnson zijn orders van bevelhebbend special agent Peterson, die hem vroeg die orders te herhalen, zodat hij zou weten dat ze goed ontvangen waren. Johnson zei: 'Dat doe ik liever niet, sir. Niet in mijn huidige situatie.'

'Oké, dan. Ik herhaal ze wel.' En dat deed hij.

Toen wendde de teamleider zich tot de piloot, een magere, nerveus ogende man met dikke lippen.

'De verkeerstoren gaat u toestemming geven om te landen op baan 13L.'

'13L. Waarom?'

'We zijn verzeild geraakt in een speciale situatie.'

'Wat houdt dat in?'

'Heel eenvoudig. Als we landen, taxiet u in noordwestelijke richting naar de UPS-vrachtterminal. Dan parkeert u op de aan-gegeven plek buiten hangar twaalf. Weet u waar dat is?'

'Dat denk ik,' zei hij en keek naar zijn copiloot, die zijn hoofd schudde. 'Ik moet het weten: verkeert het vliegtuig op de een of andere manier in gevaar?'

'Nee,' antwoordde Johnson. 'Maar er kan een probleem zijn met iets wat een van de passagiers bij zich heeft. Dit vliegtuig is niet het doelwit. Ik herhaal: wij zijn niet het doelwit. Mijn team zal een onderzoek uitvoeren zodra we op de grond zijn.'

De piloot slikte moeizaam. 'Oké.'

'U hoeft nu niets te zeggen. Doe net alsof dit een gewone vlucht is. Als we eenmaal geland zijn, zal ik een speciaal be-richt uitzenden.'

'Prima.'

De cockpit was vol, met Bud Pine, twee piloten, het hoofd van het cabinepersoneel en een van haar assistenten. 'Ik wil dat iedereen kalm blijft,' zei Johnson met een diepe stem. 'We gaan dit behandelen als een normale vlucht totdat we op de grond zijn.'

Nadat hij gewacht had tot Bud en de twee stewardessen een

voor een vertrokken waren, ging Devere Johnson eerst naar het toilet en liep toen quasinonchalant terug naar zijn plaats.

Zijn assistente, Tina Chang, die links van hem zat, leunde naar hem toe en fluisterde: 'Wat is er aan de hand?'

Terwijl zijn bloeddruk steeg en de spanning in zijn nek prikte, haalde Johnson een blocnote uit zijn aktetas en begon instructies te schrijven. *Alstublieft, God, help ons hier doorheen,* zei hij bij zichzelf. *Uw wil geschiede.*

Hij moest belangrijke beslissingen nemen.

Matt Freed luisterde hoe de piloot van British Airways-vlucht 117 via het interne omroepsysteem sprak: 'Zet uw stoelleuningen alstublieft rechtop en doe uw veiligheidsriemen vast, want we zetten de landing in naar JFK.' Hij had de volle zeven uur en vijfendertig minuten van de vlucht gebruikt om na te denken over zijn leven, carrière en familie.

We zijn over de hele wereld verspreid, dacht hij – *Liz in Parijs; onze kinderen in Athene; een zus die getrouwd is met een Fransman woont buiten Knoxville; een andere zus werkt in Seattle; mijn moeder in Hollywood, Florida; mijn vader dood.*

Matt herinnerde zich dat hij met hem gepraat had, een week nadat hij met een van de slechtste scores van de klas eindexamen had gedaan op zijn middelbare school, een maand voordat de doktoren ontdekten dat kanker zijn vaders longen wegvrat. Samen droegen ze forellenhengels en visgerei naar de laadbak de truck. Matt bleef staan en zei tegen zijn vader dat hij erover dacht bij de mariniers te gaan.

De oude man had in het lange gras gespuugd. 'Waarom? Zodat je kanonnenvoer kunt worden voor een paar oude klootzakken?'

'Pap...'

'Denk je dat die klootzakken wat geven om jou of iemand anders? Hoe minder je met ze te maken hebt, hoe beter het is.'

'We zullen zien.'

'Wees geen stommeling.'

Die woorden staken hem nog steeds. Een deel van hem hield

nog altijd van zijn vader, ondanks alles. *Ik zal mijn moeder bellen, wanneer ik in New York aankom.*

De pijn en het verdriet van zijn jeugd kwamen naar het oppervlak van zijn bewustzijn. Maar zijn wilskracht duwde ze terug en hij richtte zich in plaats daarvan op problemen van de NCTS.

Hij haalde een opschrijfboekje uit zijn zak. Matt schreef: (1) Agenten worden beloond voor het vermijden van risico's. (2) Het hoofdkwartier moet een beter gevoel ontwikkelen voor de uitdagingen die agenten in het veld tegenkomen, en hun behoeften beter ondersteunen. (3) We moeten meer agenten rekruteren en trainen met een uitstekende beheersing van plaatselijke culturen en talen, vooral Arabisch en Farsi.

Hij realiseerde zich dat dit precies dezelfde bezwaren waren die hij al acht jaar met zich meedroeg.

Hoe lang kunnen we doorgaan met het ontwijken van kogels? Zullen we het ooit leren?

Hij begon zich af te vragen of de zaak-Kourani zijn positie binnen de NCTS zou verbeteren. Als alles ging zoals hij het wilde, zou hij het commando gaan voeren over het nieuwe NCTS-platform dat zou worden opgezet in Zuid-Azië.

Terwijl zijn gedachten steeds sneller gingen, zette hij een plan op poten om zijn ideeën over de hervorming van de NCTS te presenteren aan de leiders van de senaatscommissie voor Veiligheid en de president. Toen het vliegtuig over Long Island vloog, hield hij daarmee op.

Er waren praktische zaken om over na te denken. *Wat zullen we doen als we Kourani eenmaal hebben? Hoe gaan we om met de Iraanse regering?*

Matt deed een niet opgegeten sandwich in de zak van de stoelleuning vóór hem en verliet het vliegtuig samen met de andere passagiers. Toen hij langs hem onbekende reclames voor films en allerlei producten liep, dacht hij aan Liz in Parijs.

Ik vraag me af hoe het met haar gaat. Ik moet helder denken. Rustig blijven.

Hij zette zijn mobiele telefoon aan. *Ik zal Alan zeggen dat hij noodvisa moet regelen voor Zyoda en haar dochter. Mis-*

schien moeten we wel iets voor haar regelen bij de Russische autoriteiten.

Merkwaardigerwijs waren er geen nieuwe berichten van het hoofdkwartier of van Alan Beckman. Ook stond er niemand op hem te wachten toen hij bij de immigratiedienst vandaan kwam.

Dat is vreemd.

Hij drukte op de voorkeurtoets voor het kantoor van generaal Jasper en wachtte, terwijl een assistent hem in de wacht zette.

'Matt Freed hier. Net aangekomen in New York. Ik wacht op orders.'

'Hoe zei u dat uw naam was?' vroeg de assistent.

'Matt Freed van de Odysseus-basis.'

Er ging blijkbaar geen belletje rinkelen bij het horen van Matts naam.

'Luister. Generaal Jasper heeft me gevraagd om contact met haar op te nemen zodra ik geland zou zijn. U moet me doorverbinden.'

'Het spijt me, meneer Freed. Dat is niet mogelijk. Ik zal een boodschap moeten aannemen.'

'Is daar iemand anders met wie ik kan praten?'

'Dan heb ik een specifieke naam nodig, sir.'

Matt probeerde Alan Beckmans telefoon twee keer en sprak toen een boodschap in. Toen hij Terminal 4 uit liep, trekkend aan zijn tas, belde Alan terug. 'Matt, waar ben je, verdomme?'

'Net geland op Kennedy. Waar ben jij?'

Alan snauwde: 'Geef me je exacte locatie.'

'Buiten. Terminal vier. Ik sta te wachten op een taxi om me naar Federal Plaza 26 te brengen.'

'Waar? Welke ingang?'

'Ingang drie. Wat is er aan de hand?'

'BLIJF DAAR!'

Hij hing op, belde de mobiele telefoon van Liz en sprak een boodschap in: 'Het is even na tweeën, ik ben net aangekomen op Kennedy. Ik bel je zo snel mogelijk. Ik hou van je.'

Hij stond op het punt om zijn kinderen in Athene te bellen, toen een zwarte personenauto met piepende banden voor hem tot stilstand kwam en een donkerharige man over de passagiersstoel naar hem toe leunde. 'Bent u Matt Freed?'

'Ja. Wie ben jij?'

'Vinnie. Stap in!'

Voordat hij zelfs het portier maar had dichtgedaan, scheurden ze weg. Hoewel de omstandigheden ongebruikelijk waren, voelde het prettig aan om weer terug te zijn in de States.

'Waarom zo'n haast?' vroeg Matt, terwijl hij achteruitleunde en de lucht opsnoof.

'Dat merk je gauw genoeg. Alan zegt dat jij de held bent.'

Ze reden tegen het verkeer in, met gillende sirene en luid toeterend, en kwamen over een 'verboden toegang'-weg bij de landingsbanen.

'Wie ben jij trouwens, verdomme?'

'Vinnie Danieli, NYPD, uitgeleend aan de FBI.'

'Leuk je te ontmoeten, Vinnie. Vertel je me nog waar we heen gaan?'

'Ik breng je naar Disneyland. Even wachten.'

Matt zag een eind verderop een vreselijke hoeveelheid geparkeerde noodhulpvoertuigen, politiewagens en ambulances staan. 'Wat is dit in godsnaam?' riep hij boven het geloei uit van een juist op dat moment langstaxiënd passagiersvliegtuig.

'Dat is het ontvangstcomité voor je Iraanse vriend.'

'Kourani?'

'Yep!'

'Waar is Alan?' schreeuwde Matt. 'Alan Beckman. Is hij hier?'

'Reken maar.'

Ze stopten bij een veiligheidsterrein dat was afgezet door de luchthavenpolitie in SWAT-uitrusting. Vinnie liet zijn FBI-insigne zien, zodat ze mochten doorlopen. Ze renden samen langs een rij bussen, mannen en vrouwen in HazMat-pakken, medische teams achter in noodhulpvoertuigen en kwamen terecht bij het binnenste terrein, dat bemand werd door FBI-agenten.

'Niemand anders komt erin,' zei de vrouwelijke ASAC.

'Gelul!' schreeuwde Matt met trillende neusvleugels, en hij greep naar zijn portefeuille.

'Ik zei: niemand.'

Vinnie kwam buiten adem aanrennen en sloeg de grote man naast hem op de schouder. 'Matt Freed.'

De ASAC herkende de naam en knikte. 'Aangenaam u te ontmoeten, meneer Freed. Daarheen.' Ze gebaarde naar een grote politiebus waarop aan de zijkant 'commandopost' was geplakt.

Dit hebben ze allemaal niet nodig, dacht Matt, terwijl hij zoekend rondkeek of hij de krullende haardos van generaal Jasper in de bus zag. Hij vond haar in luttele seconden, met een zacht pratende Beckman naast haar.

'Freed, je hebt het gered. Goed.'

'Wat wilt u dat ik doe?' vroeg Matt, die genoot van de opwinding.

Alan zei: 'Ik vertelde de generaal net dat een voormalige medewerker van Kourani recentelijk drie grote dozen toegestuurd heeft gekregen vanuit Moskou.'

'Heb je die gevonden?'

Iemand riep: 'Het vliegtuig is net geland!'

Generaal Jasper wendde zich tot Beckman en zei: 'Dit regelen we later.'

'Generaal...'

'Wacht op een signaal van het FBI-team in het vliegtuig,' legde ze uit. 'Als Kourani eenmaal veiliggesteld is, laten ze de andere passagiers eruit en gaat Alan erin.'

Matt zei: 'Ik ga met hem mee.'

Generaal Jasper schoot terug: 'Nee, Freed! Jij wacht hier met mij.'

'Maar ik ken hem.'

'Luister, Freed...'

'Generaal, alstublieft.'

'Jij blijft bij mij!'

'Wat een ...' Hij wilde 'gelul' roepen, maar hield zich in.

22

18 september, middag

De vijf leden van de Iraanse delegatie zaten in hun stoelen en baden tot Allah. Twaalf rijen achter hen, in de toeristenklasse, keek Devere Johnson II door het patrijspoortraampje hoe ze daalden boven Jamaica Park en daarna South Ozone. Hij had zijn eerste bloedneus daar in het Drew Memorial Park opgelopen door een magere jongen die geprobeerd had zijn fiets te stelen.

Toen ze op de landingsbaan neerkwamen, keek hij voor de vijftiende keer op zijn horloge: 15.45 uur. United-vlucht 352 was drie minuten voor de geplande tijd geland.

Organisatie. Discipline. Eén stap per keer, hielp hij zichzelf herinneren, terwijl hij probeerde geen acht te slaan op de hoge bloeddruk die in zijn hoofd begon te kloppen. Hij deed zijn veiligheidsriem los en fluisterde naar zijn assistent, Tina Chang: 'Denk eraan, jij en de air marshal isoleren Scimitar. Ik kom bij je zodra ik geholpen heb de rest van de passagiers uit de First Class te krijgen.'

'De marshal is die grote vent op rij tien, toch?'

'Zijn naam is Bud Pine.'

'Wil je dat we Scimitar in de boeien slaan?'

'Geef hem opdracht op te staan met zijn handen op zijn hoofd. Laat hem niets aanraken. Laat hem niet bewegen.'

'En wat als het doelwit niet meewerkt?'

'Dan sla je hem in de boeien. Gebruik zo nodig geweld. Onder geen enkele omstandigheid mag je hem toestaan iets te pakken dat op zijn lichaam of in zijn handbagage zit. Misschien heeft hij iets bij zich.'

'Wat dan?'

'Dat weet ik niet.'

'Spreekt Scimitar Engels?'

Johnson knikte. 'Zeker. Ik moet gaan.'

Hij liep snel door de First Class naar de cockpit.

'De t-t-toren zei hangar twaalf,' stamelde de piloot, die eruit-zag alsof zijn ogen ieder moment uit zijn hoofd konden springen.

Johnson stak zijn duimen naar hem op. 'Goed gedaan.'

Nadat hij zichzelf eraan herinnerd had dat hij autoriteit moest uitstralen, greep Johnson de microfoon, haalde diep adem en sprak met een zorgvuldig beheerste stem: 'Dames en heren, de veiligheidsdienst op de grond heeft ons laten weten dat er bij wijze van extra voorzorg speciale stappen zullen worden ondernomen om het vliegtuig nader te onderzoeken. Ik vraag u zorgvuldig te luisteren. Blijft u allemaal zitten in uw stoel. Veiligheidsagenten zullen zich snel bij u identificeren en u helpen met van boord gaan. We vragen iedereen om alle persoonlijke bezittingen – handbagage, tasjes, laptops, boeken, alles – achter te laten en het vliegtuig op een ordelijke manier te verlaten. Als de veiligheidsagenten daar het teken toe geven, vertrekt iedereen uit de First Class via de voorste uitgang. Passagiers in de toeristenklasse vertrekken via de achteruitgang. Uw handbagage, tasjes, et cetera zullen aan u worden teruggegeven als u eenmaal buiten het vliegtuig bent en de volledige inhoud ervan nauwkeurig onderzocht is. Blijf alstublieft in uw stoelen zitten en wacht op de instructies. Ik bied mijn excuses aan voor het ongemak en dank u voor uw medewerking.'

Johnson draaide zich om naar de hoofdstewardess, die zei: 'Erg goed.'

Een gespannen, verontrustend gevoel maakte zich onmiddellijk meester van het vliegtuig. Terwijl het straalvliegtuig langzaam langs diverse passagiersterminals taxiede, nam de bezorgdheid toe.

Tina Chang vond Bud Pine en liep door het gordijn de First Class binnen. Een ouder echtpaar was al opgestaan en klaagde. Tina liet haar FBI-insigne zien en zei ferm: 'FBI. Ik ga u allemaal vragen om plaats te nemen op uw stoelen en te blijven zitten tot het vliegtuig volledig tot stilstand is gekomen.'

Een man met een Duits accent protesteerde in gebroken Engels. Tina legde een hand op zijn schouder en duwde hem op zijn plaats. 'Blijf in uw stoel zitten!'

Zodra Tina rij 4 bereikte, begon de Iraanse VN-ambassadeur te klagen. 'Ik wil een verklaring,' schreeuwde hij.

'Alstublieft, blijft u zitten.'

'Weet u wel wie ik ben?'

'Jazeker, meneer de ambassadeur.'

Bud Pine schreeuwde: 'Ga zitten!'

Door het cockpitraam zag Johnson hoe het grondpersoneel het enorme vliegtuig naar een grote cirkel van metalen luchtbakens dirigeerde. Daaromheen stonden ambulances en noodhulpvoertuigen met noodhulppersoneel in HazMat-pakken.

De stem van de stewardess klonk vertrouwenwekkend en evenwichtig. 'Dames en heren. Ik herinner u er allemaal nog een keer aan dat u in uw stoelen moet blijven zitten. Geen uitzonderingen. Het veiligheidspersoneel zal u binnen enkele minuten uit het vliegtuig helpen.'

Zo gauw de motoren stilstonden, deed Johnson nog een mededeling bij de voorste cabinedeur.

'Dames en heren,' zei hij. 'Ik vraag iedereen van u die First Class zit, met uitzondering van de diplomatieke delegatie in de rijen drie en vier, om op te staan.'

Tweeënveertig mensen sprongen op en begonnen naar voren te dringen. 'Wacht!' riep Johnson onverzettelijk. 'U allemaal, stop! We gaan dit op een ordelijke manier doen. Rij voor rij. Ik herinner u eraan uw persoonlijke bezittingen achter te laten. Dat betekent ook álles: jassen, sweaters, tasjes, computers, handtassen.'

De Iraanse VN-ambassadeur keek de naast hem staande Tina Chang strak aan en schreeuwde: 'Ik eis dat me verteld wordt wat er hier gebeurt!'

'We hebben u er binnen een paar minuten uit. Blijft u alstublieft kalm.'

Toen de laatsten van de First Class-passagiers in een rij voorbij waren gegaan, sprong de onderminister van Buitenlandse Zaken, die in het midden zat, overeind. 'Neem me niet kwalijk,' zei hij in het Farsi.

Bud Pine schreeuwde: 'Ga zitten!' Toen de onderminister weigerde, trok Pine een stroomstootwapen. De twee Iraanse veiligheidsagenten kwamen hun minister meteen te hulp. 'Geen beweging, niemand!'

Chang wilde de marshal verrot schelden, maar had daar geen tijd voor. De vn-ambassadeur met de volle kop zilverkleurig haar hield een vinger vlak voor Buds gezicht. 'Ik ben een volledig geaccrediteerd diplomaat van de Iraanse regering. U, stomme man, veroorzaakt een incident.'

Bud Pine gaf geen krimp. 'Houd uw mond.'

De ambassadeur legde zich erbij neer en mompelde iets in het Farsi, toen Johnson zich langs hem heen drong, op weg naar de toeristenklasse. 'We hebben u er in een paar minuten uit, heren.'

'Sir,' zei Tina.

'Ik ben zo terug.'

Haar aandacht bleef gericht op de man bij het raam, Scimitar, die een zwarte leren tas op zijn schoot vasthield en er bang uitzag. 'Sir,' zei Tina langzaam, 'ik ga u vragen die tas op de grond te zetten en op te staan.'

Kourani draaide zich naar de ambassadeur, die naast hem zat, en oogde verward. 'Hij begrijpt u niet,' schetterde de ambassadeur.

'Ik zeg het nog maar een keer: zet de tas op de grond en sta op.'

Een nerveuze Kourani stond op met de tas.

Tina trok haar pistool. 'Nee! Stop! Ik weet dat u Engels spreekt. Zet neer.'

Achter haar waren andere fbi-agenten begonnen passagiers uit de toeristenklasse weg te leiden. De stem van de stewardess kwam door de luidsprekers: 'Werkt u alstublieft mee en neemt u ons het ongemak niet kwalijk. We hebben u snel uit het vliegtuig.'

Dat leidde alleen maar tot meer verwarring. Er verschenen

al gauw zweetdruppels op Tina's gezicht. 'U hebt de dame gehoord,' schreeuwde Bud Pine. 'Gooi die tas neer!'

'Alstublieft, zet u hem neer!'

Kourani leek het niet te begrijpen. Zichtbaar bevend bleef
hij half in elkaar gedoken staan. De Iraanse veiligheidsagent
met het stekelige witte haar boog over de stoel in een poging
hem te helpen. 'Ga verdomme zitten!' schreeuwde Bud.'

De tweede Iraanse veiligheidsagent spuugde naar Bud, die
meteen het stroomstootpistool afschoot. Twee pijltjes bleven
aan het shirt van de man vastzitten en joegen zesentwintig watt
elektriciteit door hem heen.

Kourani draaide zich abrupt om naar het raam, alsof hij de
leren tas ging neerzetten. Met zijn rechterhand greep hij naar
iets onder zijn jasje. Bud Pine zag dat het een pistool was en
boog naar voren om nogmaals te schieten.

Voordat hij hem kon bereiken, haalde Kourani de trekker
over en schoot twee kogels in Pines hoofd. Een derde kogel
raakte Tina in haar schouder.

Een deel van haar zei dat ze haar pistool moest trekken. Een
ander deel zei dat, als de Iraniër een explosief liet afgaan, het
hele vliegtuig vernietigd zou worden. Ze probeerde op zijn
schouder te mikken, maar twee van de drie kogels gingen door
zijn borst. Kourani viel tegen de stoel vóór hem en de cabine
vulde zich met geschreeuw.

Tina voelde dat ze haar bewustzijn verloor. Devere Johnson
schreeuwde: 'Liggen! Iedereen liggen!'

Er werden pistolen gericht op de andere Iraniërs, terwijl
angst het vliegtuig beheerste, en al gauw ook doordrong tot op
de landingsbaan.

Alan Beckman stond in een HazMat-pak op de bovenste trap-
tree van het FBI-commandocentrum te wachten op een teken
uit het vliegtuig, toen hij de schoten hoorde.

'Wat was dat, verdomme?' vroeg hij, terwijl hij zich omdraaide naar Jasper en zag hoe het bloed uit haar gezicht wegtrok. Enkele seconden later rende hij de aluminium traptreden
van het vliegtuig op.

Matt wilde hem het vliegtuig in volgen, maar hij werd tegengehouden. 'Ik moet Kourani spreken,' zei hij tegen generaal Jasper.

'Beheers je, Freed. Dat is een order!'

'Maar...'

'Kom met me mee de hangar in.'

Ze zaten in een hoek met Shelly en het NCTS-hoofd van de Nabije Oosten-divisie, en bespraken hoe ze Kourani het best konden aanpakken. Geen van hen was zich bewust van het feit dat hij nauwelijks meer in leven was.

Matt zei: 'Ik stel voor dat we proberen hem te isoleren.'

'Hoe?'

'Zeg tegen hem dat er een probleem is met zijn paspoort. Bedenk iets.'

Een gejaagd ogende Rove Peterson bleef even bij hen staan om te vertellen: 'We hebben drie gewonden: een FBI, een air marshal, een Iraniër.'

Shelly zei: 'Dat is erg.'

Generaal Jasper voelde dat ze misselijk werd en excuseerde zichzelf: 'Ik ben zo weer terug.'

Omdat hij onmogelijk stil kon blijven zitten, liep Matt naar de andere kant van de hangar, die zo groot was als een voetbalveld. Daar zaten geschokte passagiers in rijen op vouwstoelen, met hun handen in hun schoot.

'Als u maar meewerkt, hebben we u hier snel weer uit,' hoorde hij een jonge FBI-agent zeggen tegen een vrouw van middelbare leeftijd, wier blonde haar onder een petje van de Texas Longhorns zat. 'Naam?'

'Janice Burrows.'

'Stoelnummer?'

'Drieëntwintig C.'

'Reist u alleen?'

'Ik reis met mijn beste vriendin Barbara.'

De lijvige vrouw naast haar boog naar voren en zei: 'Ik hoorde schoten. Wat is er gebeurd?'

'We vragen u daar niet over te praten. Op dit moment is het een kwestie van nationale veiligheid. Over een paar uur zult u er beslist meer over horen in het nieuws. Zelfs dan vragen we u er niet over te praten met de pers. Het is een gecompliceer-de situatie. We nemen binnen een dag of twee contact met u op om het uit te leggen.'

Het leek allemaal onwerkelijk voor Matt. Een dag tevoren was hij nog in Moskou geweest met Zyoda en had hij Oleg Urakovs medische statuskaart gestolen. Nu probeerde hij, net als de andere FBI- en NCTS-agenten in de hangar, te begrijpen wat er in het vliegtuig was voorgevallen en wat dat inhield. *We reageren te sterk*, zei hij bij zichzelf. *Te veel mensen. Verdom-me, veel te veel trucks. Dat wekt de verkeerde indruk. Ik zou het directer hebben aangepakt. Ik had hier moeten zijn bij de voorbereiding.*

Hij luisterde hoe de jonge FBI-agent de lengte en het doel van het bezoek van iedere passagier vastlegde, de naam van het hotel in New York waar ze gingen verblijven en de hoe-veelheden koffers en handbagage die ze in het vliegtuig had-den achtergelaten.

Fucking zinloos, dacht Matt, terwijl hij heen en weer begon te lopen. Hij vond het vreselijk om gedwongen aan de zijlijn te zitten. *Ik moet erheen. We verliezen alleen maar tijd.*

Alan Beckman rook cordiet, zodra hij de cabine binnenging. De smalle ruimte was een en al chaos: Iraniërs schreeuwden bedreigingen en scheldwoorden; Devere Johnson II, met bloed aan zijn handen en op zijn shirt, riep: 'Waar is het medische team? Ik heb twee gewonde agenten!'

Alan vroeg naar de identiteit van de neergeschoten Iraniër.

'Ik geloof dat het Scimitar is,' antwoordde Johnson.

'Scimitar? Laten we hopen van niet.'

'Ik heb twee mensen die doodbloeden.'

Enkele seconden later, toen een medisch team van de FBI de Iraniër doodverklaarde, voelde Alan dat er iets in hem knapte.

Hij bewoog zich automatisch, controleerde de First Class, hielp Johnson en de anderen de resterende Iraniërs het vlieg-tuig uit te werken. Hij keek verdoofd toe hoe Bud Pine en Ti-na Chang naar een wachtende helikopter werden weggedragen om naar het Queens County Hospital te worden gebracht.

Toen onderzocht hij Kourani's lichaam zorgvuldig. Het paspoort en de portefeuille in de broekzak bevestigden de identiteit van de Iraniër. Het was de brief in het jasje die Alans aandacht trok. Hij maakte er een prop van in zijn met een handschoen bedekte hand, terwijl de lijkenzak werd dichtgeritst en weggedragen.

Beckman liet de biodreigingspecialisten via de radio weten: 'Alles veilig om het vliegtuig te inspecteren.'

Hij wachtte met over elkaar geslagen armen, terwijl in plastic geklede mannen en vrouwen handbagage openden en tasjes op de grond gooiden. De rotzooi deed hem denken aan het kinderrijmpje: *'All the king's horses and all the king's men couldn't put Humpty together again.'*

Iemand meldde dat Bud Pine op weg naar het ziekenhuis overleden was. Devere Johnson sloeg tegen de rugleuning van een stoel. 'GODVERDEGODVERDOMME!!!! Jullie hadden ons niet verteld dat hij gewapend was!'

'Pine?'

Johnson ging vlak voor Alan staan. 'Nee, de Iraniër. Waarom hebben jullie ons niet gewaarschuwd?'

'We wisten het niet.'

'Wie heeft de idiote beslissing genomen om ze ongecontroleerd door de beveiliging te laten gaan?'

'Ik niet.'

'WAAROM?'

'Waarom wat?'

'Waarom mochten ze door de beveiliging?'

'Ze zijn diplomaten. Die beleefdheid verschaffen we aan alle diplomaten.'

'Het is verdomme jullie fout!'

Buiten werden de resterende Iraniërs een wachtende SUV in gedreven en overgebracht naar een nabijgelegen diplomatieke lounge. De ondersecretaris-generaal voor politieke zaken van de VN, de Amerikaanse ambassadeur bij de VN en de burgemeester van New York waren ontboden om te proberen de woede van de Iraniërs af te zwakken.

Generaal Jasper stond met Shelly, Rove Peterson en anderen te wachten op iets om de klap te verzachten. Dertig gespannen minuten later kwam het bericht dat het toestel geïnspecteerd was en dat er niets gevonden was in de handbagage. Nog eens veertig minuten zoekwerk leverde op dat er niets was in de gecontroleerde bagage.

Dit was het derde opeenvolgende slechte nieuwsbericht dat generaal Jasper plichtsgetrouw doorgaf aan het Witte Huis. De scherpte in Stan Leschers stem sneed door staal: 'Generaal, heeft u ook iets positiefs te vertellen aan de president?'

'Het enige wat ik kan zeggen is dat het me vreselijk spijt. Ik heb het gevoel dat ik hem persoonlijk in de steek heb gelaten.'

'Dit is zonder meer onze slechtste dag ooit,' bromde Lescher.

'Daar ben ik me acuut van bewust.'

'De president is een sterke man. Hij is nu aan het bellen met de Iraanse president.'

'Hij kan mij de schuld geven, als hij wil,' bood generaal Jasper aan.

'Als dat ook maar iets inhield.'

Jasper zocht naar bemoedigende woorden. 'De leider van het FBI-team is nog altijd in het vliegtuig. Als hij er eenmaal uit komt, hebben we een duidelijker plaatje van wat er gebeurd is.'

'Ik betwijfel of dat zal helpen. We hebben te maken met een diplomatieke catastrofe van immense proporties.'

'Ik voel me heel klein worden,' zei generaal Jasper, en nam nog een Rennie met een slok uit de fles Evian die Shelly haar aanreikte.

'We mogen het zicht op de veiligheidssituatie niet verliezen,' bromde NSC-directeur Lescher. 'Wat gebeurt er nu?'

Generaal Jasper had geen tijd gehad om over de toekomst na te denken. Ze zei tegen Lescher dat ze met haar mensen zou overleggen en hem dan terug zou bellen. Op dat moment kwam Beckman terug uit het vliegtuig, met een gezicht alsof zijn hond net was doodgereden door een vrachtwagen.

'We zijn de lul.'

'Het is niet anders, Alan,' zei generaal Jasper, in een poging haar mensen op te peppen. 'We moeten onze hoofden erbij houden.'

'Het wordt nog erger.'

Alan Beckman vouwde een met bloed bevlekt stuk papier open en las de brief voor die hij in Kourani's zak had gevonden. 'Geachte meneer de president en leden van de Amerikaanse regering,' begon het. 'Zoals u weet, heb ik uw regering geholpen een terroristische aanslag in Qatar te voorkomen. Ik heb geprobeerd de informatie te verwerven die nodig is om u te helpen een geplande Al Qaida-aanslag tegen enkele van uw middelgrote steden te voorkomen. Hoewel ik geloof dat die aanslag ophanden is, ben ik niet in staat geweest meer informatie te verwerven. Ook is mijn gezin niet in staat geweest Iran te verlaten. Onder de omstandigheden ben ik niet in staat om mezelf van mijn regering te scheiden. Wees ervan overtuigd dat ik mijn best zal doen om naar de Verenigde Staten terug te keren zodra mijn gezin veilig Iran uit is. Respecteer mijn wensen alstublieft. Respectvolle groet, Moshen Kourani.'

Shelly, Alan, Rove Peterson en nog een stuk of zes anderen stonden verbijsterd in een kring bij elkaar. Generaal Jasper pakte de brief en las die nog een keer. 'Ik begrijp het niet.'
'Het houdt in dat Kourani niks had,' antwoordde Alan. 'En dat hij er niet klaar voor was om over te lopen.'

'Maar de aanslag is nog steeds ophanden?' vroeg Peterson. 'Dat klopt toch?'

Alan las de relevante zin nog een keer hardop voor: 'Hoewel ik geloof dat die aanslag ophanden is, ben ik niet in staat geweest meer informatie te verwerven.'

'Dan moeten we vertrouwen op onze afweer,' zei generaal Jasper. Ze stelde voor dat Rove Peterson terug zou keren naar het hoofdkwartier om dit te gaan coördineren met zijn teams in het veld.

'Ik ga nu om verontschuldigingen aan te bieden aan de Iraniërs. Van daaruit ga ik meteen door naar Federal Plaza.'

'Laten we in godsnaam hopen dat we iets positiefs bereiken.'

Niemand nam de moeite om met Matt te praten. Hij stond aan

de andere kant van de hangar te luisteren naar de First Class-passagiers, die praatten over wat ze gezien hadden in het vliegtuig. Ze waren allemaal al buiten toen het schieten begon. Mensen die aan de andere kant van het gangpad hadden gezeten, beschreven de Iraniërs als vijf mannen in donkere pakken, die lazen en sliepen.

'Niets ongebruikelijks,' was de vaak herhaalde zinsnede.

Bij het zien van de wanhoop op Alan Beckmans gezicht, liep Matt naar hem toe. Hij was op nog geen dertig meter afstand van waar generaal Jasper stond met Alan en Shelly, toen zijn telefoon ging. Het was Liz.

'Ha, schat. Ik ben hier,' zei ze. Liz klonk moe maar opgelucht. 'Gaat het goed?'

'Dit is een heel slecht moment.'

'Waarom? Wat is er gebeurd?'

'Dat vertel ik je later.'

'Waar ben je, Matt? Ik wil je zien.'

'Wacht op me bij terminal vier. Ik kom daar zo snel mogelijk naartoe.'

'Overal in de terminal lopen journalisten, die aan mensen vragen wat ze hebben gehoord en gezien…'

'Daar hebben we het later over. Ik hou van je.'

Hij klapte zijn mobiel dicht. Shelly ging voor hem staan en zei: 'Ik stel voor dat jij je maar ergens gaat verstoppen.'

'Waarom?'

Het gezicht van generaal Jasper werd rood van woede. 'Ga verdomme uit mijn ogen!'

'Generaal, geef me de tijd om het uit te leggen.'

Alan manoeuvreerde zijn lichaam tussen hen in. 'Kourani is dood.'

Matt viel even stil en had het gevoel dat de lucht uit zijn longen was geslagen.

Jasper zei over haar schouder: 'Zeg tegen Freed dat hij op mijn orders per onmiddellijk geschorst is. Ik vul de benodigde papieren wel in als ik terug ben uit Washington. Adviseer hem in de tussentijd maar om ander werk te gaan zoeken.'

Shelly knikte. 'Goed idee.'

Matt stak zijn hand uit om haar tegen te houden. Twee assistenten duwden hem snel weg. 'Generaal, werk me er niet uit.'

'Wij zullen je waarschijnlijk snel volgen.'

'Dit is nog niet afgelopen. Dat weet ik. We moeten het stap voor stap natrekken.'

'Je hebt vast gelijk, Freed,' zei generaal Jasper, terwijl ze haar krullen naar achteren veegde. 'Ik neem de volle verantwoordelijkheid. De president is razend. Als je me nu wilt excuseren, ga ik hem nog meer slecht nieuws vertellen.'

23

18 september,
laat in de middag

'Er klopt iets niet,' zei Matt hardop. Hij vouwde de met bloed bevlekte brief op en gaf die terug aan zijn baas. 'Dit klinkt niet als de Kourani die ik heb gesproken.'

Alan Beckman bromde: 'Wat hij ook van plan was, het is nu achter de rug.' Hij voelde zich als verdoofd.

'Dat hoeft niet.'

'Je hebt gelijk. Er komt mogelijk een terroristische aanslag aan, en we weten niet waar.' Achter hem begeleidden FBI-agenten passagiers naar buiten, waar bussen wachtten. Biodreigingteams deden hun HazMat-pakken uit en begonnen die in laadkleppen op te bergen.

'Ons land heeft ons nodig, Alan. We mogen nu niet verslappen.'

Alans telefoon begon te piepen. Zijn roodomrande ogen knipperden naar het scherm. 'Dit moet ik even aannemen.'

Het was Shelly, die hem zei dat hij zich bij generaal Jasper moest voegen buiten de diplomatieke lounge, waar de Amerikaanse VN-ambassadeur, Rove Peterson en zijzelf een verklaring voor de pers aan het opstellen waren.

'Ik word ontboden.'

Matt hield hem tegen. 'Wacht, baas. We moeten praten.'

'De president wil dat de generaal een verklaring opstelt.'

Matt ging naast Alan lopen. 'Schijt aan die verklaring. Dit is belangrijker.'

Alan had haast. 'Ik praat later wel met je bij.'

'Je moet het hele plaatje zien, Alan.'

Beckman riep gefrustreerd: 'Ga wat uitrusten!'

'*Fuck*, nee!'

Alan draaide zich bij de uitgang om en sloeg meevoelend een arm om de schouder van zijn adjudant. 'Ik kan je nu niet helpen. Je hebt de generaal gehoord.'

'Waarom heeft Kourani gewacht om ons dit nu pas te vertellen?' vroeg Matt, terwijl hij Beckman volgde door de grote schuifdeur. Buiten werd de 777 vastgekoppeld aan een vrachtwagen. 'Waarom heeft hij niks gezegd in Wenen? Waarom was hij op Rebirth om die vaten met tularemie op te graven?'

'Laat het los, Matt.'

'Dat KAN ik niet!'

Alan was kapot. Hoeveel sympathie hij ook voelde voor zijn ondergeschikte, hij moest ook zijn werk doen. 'Jouw probleem, *compadre*, niet het mijne.'

'Vertel me over die dozen die vanuit Rusland verscheept zijn.'

'Wij nemen het nu over.' Alan wachtte even voordat hij de passagiersdeur van de SUV dichtsloeg. 'Jij hebt gedaan wat je juist vond, ook al heb je daarmee een heleboel mensen pissig gemaakt. Ik ben medeschuldig. Als het allemaal wat is afgekoeld, ga ik wel met de generaal praten.'

'Verdomme, Alan. Alsof mij dat wat kan schelen.'

Beckman zei: 'We praten in D.C. Ik betaal een etentje,' en trok de deur dicht.

Wat is er mís met de mensen?

Matt liep terug de hangar in, met zijn hand aan zijn kin. Hij zette alle informatie op een rijtje, vanaf het moment van de moord op generaal Moshiri in Oman, via Boekarest, Afghanistan, Oezbekistan, Rebirth Island en Moskou. Op de een of andere manier moesten de puzzelstukjes zo in elkaar passen dat ze een logisch verhaal vormden.

Hoe? Dat is de vraag. Wat was Kourani echt van plan? En waar is het wapen?

Hij spoorde zichzelf aan om de puzzel op te lossen, terwijl overal om hem heen automotoren aansloegen en in hun versnelling schakelden, en metalen stoelen werden opgestapeld.

Agenten van de Qods-strijdkrachten zijn voorzichtig en mee-dogenloos. Waarom zou een man als Kourani naar ons toe ko-men met een aanbod van informatie, ons geld aanpakken en dan van gedachte veranderen?

Het was niet logisch. *Als Kourani de vliegreis zou hebben overleefd, hoe had hij dan kunnen voorkomen dat we hem zou-den chanteren? Hij moest weten dat de Iraanse regering er veel belang in zou stellen om te zien hoe op een bewakingsvideo was vastgelegd dat een hoge vertegenwoordiger van de Qods-strijdkrachten zijn regering verried.*

Zijn aandacht werd getrokken door een passerende man met het opschrift MEDICAL EXAMINERS op zijn zwarte jasje. In-stinctief riep Matt: 'Hé!'

De man met de afhangende schouders die een kartonnen be-ker koffie vasthad, stopte. 'Als je m'n naam niet kent, zeg je maar meneer. Wat wil je?'

'Matt Freed, Nationale Dienst Terrorismebestrijding. Ik sta te wachten om het lichaam te zien. Hoe heet je?'

De oudere man wees op de naam die op zijn borstzak was genaaid. 'Borkowski, Simon.'

'Simon, ik moet de Iraniër zien. Laten we dit snel afhande-len.' Zoals bij de meeste instinctieve handelingen, was hier wei-nig logica bij betrokken. Toch waren Matts hersens op zoek om een rechtvaardiging te vinden. *Misschien word ik wat wij-zer van het lichaam of de uitdrukking op zijn gezicht.*

Borkowski bekeek Matt eens goed en nam hem toen mee naar de achterkant van een grote bestelbus. Hij haalde een mo-biel van zijn riem en zei: 'Ik neem aan dat je bent wie je zegt dat je bent, maar ik moet dit volgens de regels doen.'

Matt zei: 'Simon, ik ben degene die deze klootzak over de halve wereld achterna heeft gezeten.'

'Dus?'

'Dus moet ik hem nog een laatste keer zien. Persoonlijk.'

'We nemen hem mee voor onderzoek.'

Matt gaf geen krimp. 'Twee minuten. Ik zal nergens aan ko-men.'

Borkowski keek om zich heen en knikte. 'Geen foto's.'

'Je zegt het maar.'

In het halfduister van de achterbak van de bestelbus deed Borkowski plastic handschoenen aan, ritste toen de ritssluiting open en vouwde de twee helften van de lijkenzak weg. Toen klikte hij een zaklampje aan, dat aan zijn sleutelbos vastzat. 'Ze zijn altijd teleurstellend.'

'Wie?'

'Lijken.'

Matts ogen gingen zorgvuldig langs de vertrouwde contouren van het voorhoofd, de jukbeenderen en de kaak. Er hing een vaag berustende glimlach om de lippen. Hij tilde de linkerhand voorzichtig op en draaide die om.

Borkowski blafte: 'Ik had gezegd: niet aanraken.' En hij scheen met de zaklamp in Matts gezicht.

'Richt eens op zijn arm.'

'Waarom?'

'Op zijn arm!'

Borkowski gehoorzaamde.

Matt haalde snel adem. 'Geen verbrandingslitteken.'

'Waar heb je het over?'

'Dit is hem niet.'

De tien minuten daarna belde Matt aan één stuk door – naar Alan, generaal Jasper, Rove Peterson, het NCTS-hoofdkwartier – maar niemand nam op. Hij liet dringende boodschappen achter voor elk van hen: 'Ik heb het lichaam gecontroleerd. Het is niet Kourani. Matt Freed hier. Bel me onmiddellijk terug op mijn mobiel.'

Wat nu? dacht hij, terwijl hij eerst naar links en toen naar rechts liep. Hij kon niet beslissen of hij naar de diplomatieke lounge zou rennen of nog wat telefoontjes zou plegen. *Ik moet naar het FBI-hoofdkwartier! Daar zijn mensen die zullen luisteren. Daar zorg ik wel voor.*

Buiten vond hij NYPD-rechercheur Vinnie Danieli, die een paar gasmaskers in de achterbak van een personenauto aan het gooien was. 'Het is gedaan,' zei Vinnie.

'Nee, dat is niet zo.'

Vinnie was meteen één en al aandacht. 'Wat bedoel je daarmee?'

'Dat zul je wel zien.'

'Alan zei dat je misschien een lift naar de stad kon gebruiken.'

Matt vroeg of de rechercheur het erg zou vinden om een tussenstop te maken bij terminal 4, om zijn vrouw op te pikken.

'Geen probleem, *Kemo Sabe.* Stap in.'

Buiten de diplomatieke lounge was het een chaos. Een hongerige troep belangstellenden, cameralieden, geluidsmensen en verslaggevers verdrongen elkaar voor een plek bij de deur. Generaal Jasper, Rove Peterson, Alan Beckman, Shelly en de anderen moesten zich erdoorheen worstelen.

'Generaal! Generaal, wat gebeurt er?' riep een verslaggever.

Een ander duwde een microfoon in haar gezicht. 'Kunt u de gebeurtenissen op United drie-vijf-twee beschrijven?'

'Hoeveel mensen zijn er neergeschoten?' vroeg een derde.

'Is het waar dat er een Iraanse diplomaat is gedood?'

Eenmaal binnen ontplofte de bevelhebbende special agent Rove Peterson: 'Ik wil die klootzakken hier weg hebben! NU!!!! Dit is krankzinnig.'

Een lange sergeant van de luchthavenpolitie stelde een kleine persruimte beneden voor.

'Stop ze daar maar in. Mij kan het niet schelen. Doe de deur op slot en laat ze wachten.'

Toen gingen Peterson en generaal Jasper hun condoleances aanbieden aan de Iraanse ambassadeur, die in de hoek zat te praten met de Amerikaanse ambassadeur bij de VN. Niemand had in de gaten dat de witharige Iraanse veiligheidsagent met het C-vormige litteken in zijn nek was weggeglipt.

'Dit was een aanslag op mijn land,' schreeuwde de Iraanse ambassadeur bij de VN, terwijl hij zijn handen als een zwaard heen en weer zwaaide. 'Een aanslag op de waardigheid van iedere Iraanse burger! Een belediging voor de islam!'

De intelligent ogende Amerikaanse ambassadeur, Max Grossman, probeerde hem te kalmeren. 'Een vreselijk, vreselijk incident. We zijn allemaal geschokt. Maar het laatste wat we willen doen, is het allemaal nog erger maken.'

'Er zullen verschrikkelijke repercussies komen,' schoot de Iraniër terug. 'De arme man is voor mijn ogen vermoord. Het is praktisch een daad van oorlog!'

Grossman was heel voorzichtig met woorden. Hij schrok van wat de Iraanse ambassadeur nu als granaten om zich heen slingerde. 'Alstublieft, sir. Alstublieft. Ik weet dat u boos bent. Maar laten we verstandig zijn met wat we zeggen.'

'Ik moet met de pers praten.'

Grossman was blij met de verzoenende toon van generaal Jasper, die bij de Iraniër was gaan staan en eruitzag alsof ze op het punt stond in tranen uit te barsten. 'Meneer de ambassadeur, ik voel me verschrikkelijk. Het spijt me. Ik wil me persoonlijk verontschuldigen.'

'Wie is deze vrouw?' vroeg de Iraniër.

'Generaal Jasper van de NCTS.'

De Iraniër duwde haar opzij. 'Ga uit de weg!'

Buiten echode de kwade stem van de Iraniër door de gangen van het vliegveld. 'Ik ben de excuses zat. De consequenties zullen onder ogen gezien worden!'

In de diplomatieke lounge kreeg generaal Jasper een dringend telefoontje van Stan Lescher. 'Nu alle wereldleiders verzameld zijn in New York, had dit niet op een slechter moment kunnen komen.'

'Stan, hoe erg ik het ook vind, wat er gebeurd is; ik denk dat ik nu mijn aandacht moet richten op de dreiging.'

'De president is praktisch door het dolle heen.'

'Ik zal mijn ontslagaanvraag indienen als ik terug ben,' zei Jasper.

'Laten we het over de volgende stappen hebben.'

Generaal Jasper haalde diep adem. 'We zijn allemaal op het vliegveld. We moeten terug naar Federal Plaza 26 om te hergroeperen.'

'Zonder Kourani hebben we geen bron.'

'Correct.'

'Is er kans dat een van de andere Iraniërs iets aan ons kwijt wil?'

'Ik denk niet dat dat realistisch is. Niet nu.'

'Wat inhoudt dat we niets hebben. Correct?'

'Behalve de informatie over het mogelijke gebruik van tularemie.'

'Is dat dan nog relevant, in het licht van wat er gebeurd is?'

De onvoorziene gebeurtenissen hadden de hersenen van generaal Jasper overweldigd. Ze had tijd nodig om te hergroeperen. 'Eerlijk gezegd weet ik dat niet. Maar zo gauw dit telefoontje voorbij is, ga ik ervoor zorgen dat draagbare biodreigingdetectoren worden geprogrammeerd om tularemie op te pikken.'

'Maar we weten niet waar de aanslag zal plaatsvinden.'

'Het belangrijkste om te weten is, dat we voorbereid zijn,' zei generaal Jasper, die zich vastgreep aan strohalmen.

'Wat verwacht jij van het tijdschema?' vroeg Lescher.

'Technisch gezien begint Eid al-Fitr bij zonsondergang. Dat is over een paar uur, als we het met onze plaatselijke tijd afmeten. In het Midden-Oosten is het al begonnen, omdat ze daar zeven of acht uur voorlopen.'

'God, help ons.'

'We zullen wat geluk nodig hebben.'

Stan Lescher bromde: 'Net wat de president graag wil horen.'

Op de achterbank van de Suburban, die door de Midtown Tunnel scheurde, luisterde Alan Beckman naar de boodschap van Freed.

'Dat is vreemd.'

'Wat?'

Omdat hij wist dat Matt op het moment niet de favoriete agent was van generaal Jasper, aarzelde Alan even voordat hij zei: 'Generaal, Freed heeft het lijk bekeken, en het is niet Kourani.'

Jasper, die naar Rove Peterson zat te luisteren, onderbrak hem midden in een zin. 'Wat? Freed heeft wát gedaan?'

'Hij heeft het lichaam bekeken.'

'Wiens lichaam?'

'Van Kourani.'

'Wanneer?'

'Ergens sinds we de hangar hebben verlaten.'

Ze greep naar haar hoofd. 'Heb ik hem niet geschorst?'

'Jazeker.'

'Ik begin te denken dat die man krankzinnig is,' begon Jasper, terwijl ze probeerde zichzelf weer onder controle te krijgen. 'Eerst onderneemt hij een persoonlijke kruistocht om te bewijzen dat Kourani een leugenaar is. Vervolgens draagt hij eraan bij dat de belangrijkste bron die we in jaren gehad hebben, dood is. En nu vertelt hij ons dat de dode man niet Kourani is. Ik kan me niet voorstellen waar hij straks weer mee komt.'

'Joost mag het weten, generaal,' voegde Shelly daaraan toe.

'Hij lijkt mij steeds wanhopiger te worden. Gevaarlijk zelfs. Ben ik nu onredelijk?'

Rove Peterson verhief zijn stem boven de herrie van de tunnel. 'We hebben Kourani voortdurend gevolgd in Boekarest en Wenen. Mijn FBI-teams hebben hun ogen niet van hem afgehouden. Of zijn echte naam nu Kourani of Joe Blow is, de man die we destijds geïdentificeerd hebben in Boekarest is de man die in het vliegtuig zat.'

'Mijn mening, en ik denk dat die op dit punt gedeeld wordt door de overweldigende meerderheid van ons, is dat Freed niet langer betrouwbaar is,' concludeerde Jasper.

Rove Peterson en Shelly waren het daarmee eens. De generaal wendde zich weer tot Alan: 'Wil jij hem verdedigen?'

Beckman dacht diep na voordat hij zei: 'Ik weet dat Freed onder hoge druk heeft gestaan. Ik weet zeker dat de gebeurtenissen van deze middag hem hard hebben geraakt. Ik ben geen psychiater en ik kan zijn geestelijke toestand niet inschatten. Maar ik denk dat we moeten horen wat hij ons te vertellen heeft.'

Moshen Kourani was op de avond van de zestiende met een Lufthansa-vlucht aangekomen in Newark.

Hij had de middag en avond van de zeventiende besteed aan wandelen door de East Side van Manhattan, walgend van de gulzigheid en de hebzucht. Hij passeerde mannen en vrouwen die zich opgesierd hadden met mooie kleren en diamanten, en vrouwen die zichzelf trots uitdosten als prostituees. Op de gezichten van mensen van alle rassen zag hij de zonde van de arrogantie. *Deze mensen zijn niet in staat enige nederigheid voor God tot uitdrukking te brengen.*

Nu moeten hun valse tempels neergehaald worden, zei hij tegen zichzelf, terwijl hij pauzeerde bij Central Park en uitkeek op de torenspitsen in het centrum. *Ze zijn gebouwd op de wetten van Satan.*

Moshen knielde, met zijn gezicht naar de Kaaba, en bad hardop:

O, Gij, Wiens getuige ver verwijderd is van de onderdrukkers, door Uw Kracht, weerhoud de onderdrukker en mijn vijand ervan om mij te overweldigen. Wend zijn scherpte van mij af, met Uw Macht. Laat hem opgaan in wat hem onmiddellijk omgeeft. Maak hem machteloos tegen dat wat hem vijandig is. O, Heer, de beeltenis in mijn hart gelijkt op wat Gij voor mij beschikbaar hebt van Uw Beloning en van wat Gij voor mijn vijand beschikbaar hebt aan wraak en lijden. Laat dit de reden zijn van mijn overgave aan wat Gij hebt bevolen en van mijn vertrouwen in wat Gij hebt gekozen. Amen, Heer van de Werelden! Waarlijk bent Gij de bezitter van grote glans. Gij hebt Macht over alles.

Toen liep hij langzaam Fifth Avenue af naar Rockefeller Center. Zijn vader, moellah sjeik Kourani, had hem er als jongen op gewezen hoe dit monument van hebzucht en verdrukking de kathedraal van christelijke godsdienst ertegenover nietig deed lijken.

'Dit zijn geen mensen die aan het hart van Allah toebehoren,' had zijn vader hem gezegd.

Dat had hij zijn hele leven gezien, aan de inmenging van de Verenigde Staten in zijn land, hun steun aan de sjah, hun ver-

bondenheid aan de sjeiks in Saoedi-Arabië en de misdadige leiders in Israël. Het leek volkomen duidelijk in de zachte bries
die zijn gezicht liefkoosde als de bevestigende adem van zijn
Heer.

Die bracht hem naar Rockefeller Center en de ijsbaan waar
hij als jongen naar gestaard had. En daar was het, weergege-
ven in sierlijk goud – het standbeeld van Prometheus, de god
die het vuur van Zeus had gestolen. Ongelofelijk!

Hoe stom en zelfingenomen zijn die ongelovigen? vroeg hij
zich af. *Weten ze dan niet dat Prometheus gestraft werd? Begrijpen ze dan niet dat ze eenzelfde lot moeten ondergaan?*

Toen hij laat in de middag van de achttiende naar Manhattan
reed, hoorde Kourani het nieuws via 1010 WINS. Er waren
schoten afgevuurd in het vliegtuig dat de Iraanse VN-delegatie
naar New York bracht. Volgens voorlopige berichten waren
de air marshal en een Iraanse diplomaat gedood.

De man met de lichtere huid achter het stuur van de bestelbus zette de radio harder en vroeg: 'Wat is er gebeurd?'

'Dit verandert niets,' antwoordde Moshen. Hij vroeg zich af
of zijn broer Abbas hun oudste broer Hamid nu vergezelde in
het martelaarschap.

In plaats van verdriet voelde hij zich bemoedigd en helder.
Voor hem was dit een oproep van Allah.

Achter in de personenauto werkten Matts hersens koortsach-
tig, terwijl hij de hand van zijn vrouw vasthield. Hij haalde
zich de zorgvuldig verzorgde Iraniër met de brandende ogen
voor de geest. *Waar is Moshen nu? Werkt hij samen met de
Qods-strijdkrachten, of opereert hij alleen?*

Liz had haar echtgenoot wel eens eerder op zien gaan in concentratie, maar nog nooit zoals nu. Hoewel ze opgewonden
had verteld over de kinderen en over Maggies operatie, was
het grootste deel van hem ergens anders. Ze zag hoe hij her-
haaldelijk heen en weer schoof op zijn plaats, zijn nek liet knak-
ken, gromde en zich plotseling naar het raam draaide, alsof hij
met zichzelf aan het worstelen was.

'Kan ik helpen?' fluisterde ze.

Matt zuchtte, knarsetandde en besloot: 'Hij is hier. Ik weet dat hij hier is.'

'Wie?'

Matt gaf geen antwoord.

'Matt, gaat het wel goed met je?'

Hij slaagde er nauwelijks in te knikken. Zijn aandacht was grotendeels gericht op andere vragen: *Wie was de man met wie ik in Boekarest gesproken heb?*

Steeds weer reikte zijn geest zo diep als hij kon, om dan weer verdwaald te raken in een mist van aannamen. Hij was zich nauwelijks bewust van de conversatie tussen de NYPD-rechercheur Vinnie Danieli aan het stuur en Liz, die ongeveer zo ging:

Liz: 'We hebben elkaar ontmoet bij het duurste relatiebureau van het land.'

Danieli: 'Welk bureau is dat?'

'De Farm, het opleidingsinstituut van de CIA.'

'Dat meen je niet.'

'Jawel. Toch, Matt?'

Uit het raam zag Matt de skyline van Manhattan vervagen in de avondmist, tegen een achtergrond van oranjerood. De torens zagen eruit als gigantische schaakstukken. Moshen Kourani was hem vier of vijf zetten voor en hij probeerde hem in te halen. Hij stelde zich voor hoe zijn vader veelbetekenend knikte aan de zijlijn.

'Zit jij ook bij de CIA?' vroeg Vinnie.

'Ik ben nu een huisvrouw, een moeder. Maar we wonen in het buitenland.'

'Moet een interessant leven zijn.'

'O ja.'

Ze volgden de afrit van de Triborough Bridge naar FDR Drive. Matt had het gevoel dat ze afdaalden in een duisterder wereld, een plek waar hij uiteindelijk gedwongen zou zijn de faalangst, die hem door zijn vader was ingeprent, het hoofd te bieden.

Met zijn beste Brooklyn-accent zei Vinnie: 'Waar logeren jullie, tortelduifjes?'

Liz wendde zich naar Matt, wiens ogen een elektronisch re-
clamebord voor het History Channel volgden, dat adverteer-
de met een speciale uitzending over 9/11. 'Schat, heb je de vraag
gehoord?'

Matt kneep in haar hand. Het leek vreemd dat ze er was.
Hij stelde zich zijn vader voor, die naar hem keek en zei: 'Heb
ik je niet gewaarschuwd dat er zoiets als dit zou gebeuren?'

Hij dacht aan al zijn mede-Amerikanen, die doorgingen met
hun leven – eten, auto's wassen, kinderen schommelend in de
achtertuin, honkballen – en zich niet bewust waren van de loe-
rende dreiging.

Een nederlaag is uitgesloten, hield Matt zichzelf voor. *Wat
heeft een nederlaag te bieden? Schande? Alcoholisme? Dood?*

'Nooit!' gromde hij zachtjes naar zijn vader.

'Nooit wat?' fluisterde Liz terug.

Vinnies mobiel ging over. Het was de ASAC, die hem zei dat hij
moest uitkijken naar NCTS-agent Matt Freed. 'Als je hem ziet,'
zei ze, 'breng hem dan meteen naar het hoofdkwartier. Rove
Peterson en generaal Jasper willen hem van de straat hebben,
voordat hij nog meer moeilijkheden veroorzaakt. Misschien is
hij moeilijk onder controle te krijgen.'

'Begrepen,' antwoordde hij, terwijl hij in de achteruitkijk-
spiegel naar Matt keek.

Vinnie was niet gek. Hij had gehoord hoe Alan Matts moed
en toewijding beschreef. Vanuit zijn perspectief was de grote
man op zijn achterbank, de man die de ASAC terug wilde hebben op het hoofdkwartier, iemand die deugde.

Hij zei: '*Yo*, grote man. Hoe zit het?'

Matt greep de rugleuning van de passagiersstoel en trok zichzelf dichter bij Vinnies oor. 'Luister, misschien heb ik je hulp
nodig.'

'Ja?' Vinnie was opgegroeid in Beasonhurst. Sinds zijn eerste James Bond-film *(From Russia With Love)* op zesjarige leeftijd had hij ervan gedroomd te werken voor de geheime dienst.
'Dat was de ASAC, die me opdracht gaf om je direct naar het
hoofdkwartier te brengen.'

'Zet me dan hier maar af.'

'Kan ik niet.'

'Ik ben op zoek naar iemand die gevaarlijk kan zijn.'

'Wie dan?' vroeg Vinnie, hoewel hij wist dat hij in de problemen kon raken.

'We zijn belazerd,' zei Matt met intense overtuiging. 'De Iraniër die neergeschoten is in het vliegtuig was niet de man die we dachten dat hij was. Ik moet die man vinden voordat hij ons aanvalt.'

'Weet het hoofdkwartier dat?'

'Ik heb het ze verteld, maar ze nemen het niet van me aan. Ze zijn nog steeds geschokt.'

Vinnie kende het verschil tussen een ouwehoer en iemand die de waarheid vertelt. Hij was op straat opgegroeid. 'Heb je enig idee waar die vent is?'

Matt schudde zijn hoofd.

Liz boog zich dichter naar haar echtgenoot, die aanvoelde alsof hij in brand stond. 'Is dat de man wiens vader gedood is boven de Straat van Hormoez?'

'Ja.'

'Hoe heet hij?' vroeg Vinnie.

'Kourani.'

Toen Matts mobiel overging, snauwde hij: 'Alan, ik heb de lijkschouwer mij het...'

Alan Beckman onderbrak hem. 'De generaal wil dat je naar Federal Plaza 26 komt. Wij zijn er nu ook op weg naartoe.'

'Alan! Luister.'

'Dat is een order!' Alan hing op.

Matt ramde zijn onderarm tegen de achterste portier en drukte toen een sneltoets in. 'Alan, dit is belangrijk! Alan!' Hij gaf geen antwoord. 'SHIT!'

Ze vlogen door de tunnel onder de East Side en naderden de afslag naar East 96th Street. Liz kneep in de arm van haar man. 'Vertel het me, schat. Wat gebeurt er?'

'Ik heb geen tijd om het uit te leggen.' Matt zag dat er op de FDR Drive voor hen een verkeersopstopping was. 'Hier afslaan!'

Rubber piepte op asfalt. Vinnie gaf een ruk aan het stuur om een gat in de weg ter grootte van een kinderwagen te omzeilen.

'Waar gaan we naartoe?'

'Federal Plaza 26.'

Vinnie had een hekel aan Second Avenue, dus ging hij verder westwaarts naar Lexington Avenue. Bij de hoek van Lex en 96 deed hij het blauwe zwaailicht op het dak en trapte het gaspedaal verder in. 'Heeft dit iets te maken met een Libanese gast die Rafiq heet?' vroeg hij.

'Wie?'

Het verkeer werd drukker terwijl ze ter hoogte van de 80th Street aankwamen. Groepen mensen met picknickmanden en dekens leken in de richting van het park te gaan. 'Verdomme,' zei Vinnie. 'Vergeten.'

'Wat?'

'Vanavond is er een gratis concert in Central Park.'

Matt leunde naar voren. 'Wat voor gratis concert?'

'Andrea Bocelli en Il Divo.'

Om de een of andere reden leek dat belangrijk. 'Andrea Bocelli? Weet je dat zeker?' vroeg Matt.

'Yep, die blinde Italiaanse zanger,' antwoordde Vinnie, waarna hij een paar maten neuriede van 'Con te partirò'. 'Mijn vrouw vindt hem geweldig.'

Matts gedachten sprongen terug naar Tasjkent en de twee cd's van Andrea Bocelli, die hij gezien had in Kourani's hotelkamer. Dat had hij altijd al vreemd gevonden. En nu dit: een gratis concert, een halve wereld verderop. Het leek een grote sprong, maar een deel van hem wilde die nemen. 'Stop!'

'Wat, ver...'

Matt leunde naar voren en wees naar de stoeprand. 'Laat me eruit!'

'Wat is er aan de hand?'

'Ik moet naar Central Park!'

'Waarom?'

'Anders spring ik eruit.'

Toen het autoportier openzwaaide, schreeuwde Liz: 'Matt!'

'Wacht verdomme even!' Vinnie stuurde rechtsaf, 77th in, en stopte.

Maar Matt was er al uit en trok aan Liz. 'Kom mee!'

24

18 september, avond

Ze renden zwaar ademend door de frisse avondlucht over 77th, vervolgens over Fifth Avenue en linksaf over de ongelijke stoep onder Amerikaanse olmen, die een scherm vormden tegen de harde geluiden van de stad. Ze voegden zich bij de opwinding van kinderen en volwassenen, die aangetrokken werden door romantische muziek onder de sterren.

Er was niets idyllisch aan het koude zweet en de wanhoop die langs Matts rug kropen, terwijl hij zich met Liz aan zijn zijde door de menigte heen worstelde. Hij twijfelde er niet aan dat Vinnie ergens achter hem het hoofdkwartier op de hoogte stelde, de achtervolging inzette, of allebei.

'Kaartjes?' blafte een vrouw vooraan – plomp, van middelbare leeftijd, met rode wangen en een kuif van rood haar.

Matt greep naar zijn portefeuille. 'Ik ben van de NCTS.'

'De... wat?' kraste ze, achterdochtig kijkend naar zijn gekreukte broek en jasje.

'De Nationale Dienst Terrorismebestrijding,' zei hij zacht, in de hoop dat de aan alle kanten tegen hem aan duwende concertgangers het niet zouden horen. 'Kan ik met iemand van de bewakingsdienst praten?'

'Bewaking!' schreeuwde ze. Vrijwel onmiddellijk werd Matt links en rechts ingesloten door twee potig ogende, getatoeëerde mannen in zwarte T-shirts.

'Waarom gaat u niet met ons mee, sir?' sneerde een bewaker met knoflookadem.

Met een enkele blik wist Matt dat ze nooit zouden begrijpen: (1) dat hij het park moest doorzoeken, en (2) dat hij geen paniek wilde veroorzaken. Hij overwoog net een andere ingang te proberen, toen een arm voor hem langs reikte en een insigne ophield. 'FBI. Zij horen bij mij.'

De bewakers stapten opzij en lieten Matt, Liz en Vinnie door.

'Bedankt,' zei Matt, en draaide zich om naar de NYPD-rechercheur. 'Maar probeer me niet tegen te houden.'

'Wacht,' schreeuwde Vinnie, die hem bij zijn mouw pakte. 'Er is iets wat ik je moet vertellen.'

Voordat Vinnie de kans kreeg om te vertellen over Rafiq Haddad en over wat hij en Alan hadden ontdekt, rende Matt over het asfaltpad en riep: 'Laten we het podium eerst proberen.'

Een geüniformeerde agent wees hen naar 81st Street, het midden van het park. Haastig wrong hij zich langs concertgangers, die hem nariepen: 'Hé! Kijk waar je loopt! Doe eens normaal, man!'

Het podium glansde als een witte verjaardagstaart, opgesierd met emmers vol witte rozen. Matt hoorde een podiummedewerker zeggen: 'Ik heb gehoord dat hij in het zwart gekleed zal zijn.'

Wat leuk, dacht hij, terwijl hij zich door de menigte bewoog en naar gezichten keek. Liz haalde hem in, hijgend. Vinnie was vlak achter haar.

'Tien minuten, dan gaan we naar het hoofdkwartier.' Vinnie probeerde op adem te komen. 'Is dat redelijk?'

'Prima,' antwoordde Matt. 'Hij is Perzisch. 1.75 meter lang. Midden veertig. Kort, peper-en-zoutkleurig haar. Keurig bijgeknipte snor en baard.'

Alle drie liepen ze om de make-upwagens heen en door de eerste vijftig rijen met plaatsen voor 'speciale gasten'.

Bij een van de cameratrucks voelde Matt dat er iemand naar hem keek. Hij draaide zich snel om en zag een man met wit haar wegduiken achter een vrachtauto. *Kon dat de man geweest zijn die in Dubai uit de lift gekomen was? Wat doet die hier?*

Zijn intuïtie zei hem dat hij niet moest blijven staan nadenken, maar verder moest. Vinnie kwam naast hem lopen en vroeg in zijn oor: 'Wat is jouw relatie met Alan Beckman?'

'Hij is mijn baas.' Matt draaide zich om en liep in een boog terug. De man met het witte haar leek te zijn verdwenen.

Vinnie zei: 'We zijn samen naar een adres in de Bronx geweest. Hij was op zoek naar een Libanese kerel die Rafiq Haddad heette.'

'Wat was er met die man?'

'Hij was een medewerker van die andere vent.'

'Kourani?'

'Yep.'

'Hebben jullie Rafiq Haddad gevonden?'

'Zo ver zijn we niet gekomen.'

Liz haalde hen in. Matt keek noord- en zuidwaarts, op zoek naar een spoor.

Vinnie zei: 'Als er een echte dreiging is, moeten we het park ontruimen.'

Matt fronste zijn wenkbrauwen. 'Niemand zou ons geloven.'

'Ik kan maar beter het hoofdkwartier bellen.'

'Ik heb het gevoel dat hij hier is.'

'Haddad?'

'Kourani. Laten we gaan.' Hij liep naar het zuiden en snoof de lucht op alsof hij probeerde een geurspoor te vinden.

Omdat haar hoge hakken waren afgebroken, volgde Liz hen op blote voeten naar West Drive, waar Matt stopte en noordwaarts keek. Vinnies blik ging naar de andere kant, waar hij een rij verplaatsbare toiletten zag, die verder zuidwaarts aan de straat stonden. 'Hé.'

Matt schreeuwde: 'Deze kant.'

'Nee, wacht.'

Om de bocht, achter een paar bomen, zag Vinnie een witte vrachtwagen met een stuk of zes Portosan-eenheden achterop. Drie mannen in grijze overalls met beschermende maskers over hun gezichten waren met veel moeite een van de toiletblokken op zijn plaats aan het zetten.

Toen Vinnie tot op twintig meter genaderd was, werd hij tegengehouden door een geüniformeerde politieman. 'Dit gebied is afgesloten,' zei de agent met uitgestoken arm.

Vinnie hield zijn insigne omhoog. 'FBI.'

'Als je naar het toilet moet, probeer dan die bij 65th.'

Iets aan het vreemde accent van de politieman en de moeilijkheden die de mannen hadden om de toiletten te plaatsen, maakte dat Vinnie riep: 'Rafiq?'

De man met de steekwagen stopte, draaide zich een halve slag om en rende naar de cabine van de vrachtwagen. Vinnie volgde, met de politieman op zijn hielen.

'Ik heb u gezegd dat dit gebied is afgesloten.'

Vinnie negeerde de politieman en rende naar de man in de cabine.

'Ben jij Rafiq?'

Liz draaide zich om op het moment dat Vinnie de open deur van de truck bereikte. Vanaf zeventig meter afstand keek ze verbijsterd toe hoe de politieman iets tevoorschijn haalde dat eruitzag als een mes en daarmee Vinnies keel doorsneed.

Haar gezicht trok wit weg. 'Matt!' probeerde ze te schreeuwen, maar er kwam niets uit. 'Kijk!'

In een fractie van een seconde overzag Matt wat er gebeurde en begon te rennen. Hij wierp zich heuvelafwaarts, terwijl de drie gemaskerde mannen Vinnies lichaam de cabine van de truck in sleepten.

Liz riep achter hem. 'Matt! Hij is geen echte agent!'

Daar was Matt al achter. *Jij klootzak!*

'Hé, jij daar! Stop!' riep de politieman naar Matt, en trok een pistool.

Matt wierp zich naar voren, tackelde de politieman om zijn middel, zodat allebei hun lichamen tegen de zijkant van de vrachtwagen sloegen. De drie gemaskerde mannen hesen zich naar binnen en startten de motor, terwijl Matt overeind sprong.

Terwijl er sterretjes voor zijn ogen draaiden, zag Matt de politieman op de grond liggen, mond open, ogen dicht. Zijn pistool lag bij de stoeprand. Matt overwoog het te pakken, toen hij de motor in zijn versnelling hoorde schieten. De truck reed weg.

Niet zo snel! Hij greep de zijkant van de vrachtwagen vast en gebruikte de vaart van de truck om zijn lichaam tegen het portier van de chauffeur te slingeren. Het raam was dicht en hij zag de man in het midden wijzen.

Met een uithaal van zijn gekromde elleboog ramde Matt door het glas en pakte in dezelfde beweging de chauffeur bij zijn keel.

'Matt!' gilde Liz. 'Help! Iemand moet helpen!'

Ze zag hoe hij de keel van de chauffeur bleef vasthouden en dat iemand in het midden een pistool richtte. 'O, mijn God. LAAT LOS!!!!'

De optrekkende truck reed over de stoeprand en tegen een boom. Toen ging het pistool af. 'MATT!!!!'

Een fontein van bloed spoot uit zijn rechterschouder, maar hij hield vast. Een twintigtal concertgangers met picknickmanden bleven staan en keken verbijsterd toe. Matt werkte zich tot aan zijn middel door het kapotte raam van het portier. Hij gleed verder naar binnen en gaf snelle klappen. Terwijl hij zich langs het krachteloze lichaam van de chauffeur wrong, greep hij de pols van de tweede man en draaide die woest om, tot hij de botten hoorde breken.

De man op de passagiersstoel boog zich naar hem toe en sproeide iets in zijn gezicht. 'Fuck!'

Een dikke, bittere geur vulde zijn neus en zijn ogen brandden.

Matt greep blind naar de man in de passagiersstoel en kreeg zijn boord te pakken. Tanden beten in zijn arm. 'Klootzak!' Door zijn waterige ogen zag hij Kourani's felle blik.

'U bent dood, meneer Freed,' schreeuwde Kourani door zijn gasmasker.

'Nog niet!'

Liz stond twintig meter verderop en zag hoe de man met de donkere huidskleur uit de cabine sprong, met een spuitbus in de richting van de bange toeschouwers spoot, en die toen op de grond gooide. Hij trok de riemen van zijn rugzak aan en liep in haar richting.

Het enige wat ze kon bedenken, was voor hem gaan staan en haar arm omhoogdoen. 'Stop!'

Een ogenblik verrast, zakte Kourani wat door zijn knieën en beukte haar omver. Op de grond liggend zag ze hem op de scooter van de politieman springen en die aantrappen met de kickstarter.

Matt strompelde naar haar toe, vegend in zijn ogen. 'Liz!' Hij knielde neer en trok haar omhoog bij haar schouders. 'Gaat het?'

Met trillende lippen zittend op het trottoir naast haar echtgenoot wees Liz naar de man die ontkwam. 'Matt...'

Toen zag ze dat er bloed druppelde uit de schouder van haar echtgenoot. 'Je bent gewond!'

Zijn hart bonsde gestaag, waardoor zijn lichaam werd volgepompt met adrenaline en hij zijn pijn vergat. Het was de zwaarte die door zijn hoofd en borst kroop, waar hij zich zorgen over maakte. Hij had ergens op het internet gelezen dat bepaalde dodelijke vormen van tularemie zich binnen enkele minuten konden verspreiden, vooral als ze door de mond en ogen binnenkwamen.

Hij zei: 'Dat spul waarmee hij sproeide is tularemie. Haal tetracycline. Veel. Voor hen!' Hij wees op de omstanders. 'En jou!'

'Ja. Ja.'

'Bel dan een biodreigingteam. Laat ze onschadelijk maken wat er in die toiletten zit!'

'Matt...'

'Ik hou van je, Liz.' Hij stond op. 'Zorg dat het gebeurt.'

Ze zag de onbuigzame vastberadenheid in zijn ogen. 'Dat doe ik. Ik hou ook van jou!'

Terwijl hij naast haar stond, zag hij een glimp van een witharige man met een zakdoek voor zijn mond, die door de menigte tevoorschijn kwam. Wat hij zag van het profiel, leek overeen te komen. *Waar hoort hij bij?* Hij zag hoe de witharige man in een Lexus stapte in Central Park West en in de richting van het centrum reed. *Is hij me de hele tijd op het spoor geweest?*

Matt rende noordwaarts, recht naar een drietal agenten die op scooters aan kwamen rijden. Ze kwamen slippend tot stilstand. 'Wat is hier verdomme gebeurd?' riep een van hen. 'Handen omhoog!'

Matt greep een van hen bij de schouders en trok hem van zijn scooter. 'Ik werk voor de overheid. NCTS!'

'Ga op de grond liggen!'

Matt had geen tijd om zijn ID te pakken. Hij sprong op de scooter en reed weg.

De andere twee politiemannen trokken hun wapens. Liz riep: 'Hij is mijn man! NIET SCHIETEN!'

Een stuk of tien toeschouwers voegden zich bij het koor: 'Hij is een van de goeien! Nee! Niet doen!!'

Dat weerhield een paar agenten in burgerkleding er niet van om hun pistolen te trekken en te schieten. Twee kogels floten langs Matts rechteroor. Een andere kaatste af op het metaal bij zijn voet.

Hij stuurde scherp naar rechts en wipte over de stoeprand. De scooter gleed weg over een grashelling en knalde tegen een bank.

Zonder te letten op de pijn in zijn enkel trok Matt de scooter recht en reed weg. Het spatbord van het voorwiel sleepte over de straat en veroorzaakte een stroom vonken.

Hij kwam op snelheid over een stoep die tussen een rij bomen met prachtige vlammend oranje bladeren heen ging en zag toen een flits van Kourani's hoofd, voordat het verdween, een stenen trap af, die leidde naar het bruidspad.

Omdat hij weer schoten hoorde, dook hij in elkaar. Verwarde politiemensen bij de vijver knielden neer en vuurden.

'Uit de weg!' riep hij naar de geschrokken concertgangers vóór hem.

Hij voelde koude rillingen en een zware golf misselijkheid. Bij de bocht leunde hij naar rechts en gaf gas, wat inhield dat hij geen tijd meer had om af te remmen voor de trap naar beneden. Het wiel raakte de betonnen rand van de bovenste trede en de scooter vloog.

Matt greep de handvatten van het stuur, kwam omhoog van het zadel en zette zich schrap. De scooter kwam met een klap neer op de aangestampte aarde. Op de een of andere manier lukte het Matt om erop te blijven.

Zijn moment van opgetogenheid was meteen voorbij toen

hij zag hoe Kourani dertig meter verderop van zijn scooter stapte en een pistool richtte. Hij had maar twee keuzes: rechts de struiken insturen en de scooter achterlaten, of op Kourani af rijden. Hij koos voor het laatste, zwierde naar links, toen naar rechts, met zijn voeten over de grond om een stofwolk te maken, en zijn lichaam zo laag mogelijk tegen de scooter gedrukt.

Verschillende kogels raakten het metaal, andere vlogen over zijn hoofd. Hij was op zes, vijf, vier meter afstand, toen hij de scooter liet gaan en zich naar links liet vallen. De scooter gleed voorwaarts naar de Iraniër, die zichzelf in de struiken langs de oever wierp om niet geraakt te worden.

Matts borst klapte tegen de grond en perste de adem uit zijn longen. Om de een of andere reden wilde zijn keel niet opengaan. *Is dat het bloedverlies of de spray?* Zijn ogen en neusgaten brandden van het stof.

Met zijn laatste beetje kracht duwde hij zich omhoog en strompelde naar Kourani, die iets uit zijn rugzak haalde. Het was een jerrycan.

Tularemie, dacht Matt. Hij zag Kourani naar de oever van de vijver klimmen en van daaraf naar een anderhalve meter breed pad dat naar het hek leidde.

Toen hij Matt aan zag komen strompelen, grijnsde de Iraniër.

'Het spel is voorbij,' zei Kourani en trok het gasmasker opzij.

Matts ogen draaiden weg en zagen een glimp van vage sterren tegen een Pruisisch blauwe lucht boven hen. Hij hield zich vast aan een boompje en keek trillend toe hoe Kourani de dop afschroefde.

'Waarom?' schreeuwde Matt, terwijl hij op handen en voeten naar hem toe kroop.

'Het gaat erom jullie tegen te houden,' zei Kourani kalm, terwijl hij de jerrycan opzijzette en het pistool greep, dat hij in zijn riem had gestoken. 'Om de plaag van de westerse beschaving te bestrijden met een letterlijke plaag. Ironisch,' sneerde hij en richtte het pistool op Matt, wiens armen en benen het begaven.

Matt probeerde zich tegen Kourani's knieën te werpen, maar schoot hopeloos tekort. Kourani spotte: 'Je bent zwak.'

Matt keek omhoog in de loop van een pistool en stelde zich voor dat zijn vader hoofdschuddend naast hem stond. *Ik ben tot hier gekomen, papa. Ik ben niet bang.* Toen, als in een droom, ontplofte zijn vaders hoofd in een nevel van bloed.

Matt knipperde. Toen hij zijn ogen weer opendeed, zag hij Kourani tegen het hek vallen en in elkaar krimpen. Hij knipperde weer.

Kourani viel met een plof op de grond.

Toen kwam er een andere man in zijn gezichtsveld en schoot een tweede kogel in Kourani's hoofd. Matt herkende het stekelige witte haar en het C-vormige litteken in zijn nek.

Met de laatste krachten die hij had vroeg Matt: 'Waarom?'

De Iraniër antwoordde: 'Kourani was een godsdienstfanaticus.'

'Ja.'

'We moeten onszelf beschermen tegen zulke mensen.'

De wereld werd wazig en onscherp.

'Ik ben gestuurd door mijn president. Ik vertegenwoordig de Iraanse regering. Als u het overleeft, leg dan aan uw mensen uit wat hier gebeurd is.'

'Generaal Moshiri?'

'Wij zijn een trots volk, meneer Freed. Dit is onze zaak. We moeten deze dingen zelf regelen.'

De woorden gingen Matts hersenen binnen en ontsloten een deur naar een soort innerlijke vrede. Hij ontspande zich en liet zichzelf meevoeren.

Een kilometer zuidelijker probeerden ambulancebroeders en politiemensen Liz in een wachtende ziekenwagen te krijgen, maar ze weigerde. 'Nog niet!' schreeuwde ze. 'Niet voordat jullie die toiletten controleren. Niet voordat die mensen daar geholpen zijn!'

Ze wees op de enkele tientallen mensen langs het pad, die besproeid waren door Kourani. 'Zij moeten in quarantaine,' schreeuwde ze. 'Ze moeten onmiddellijk behandeld worden!'

'Dat weten we.'

'Ze zijn blootgesteld aan iets wat tularemie heet.'

'En uzelf?'

'Ik ook. Ze moeten onmiddellijk tetracycline krijgen,' zei ze, terwijl ze zich vasthield aan het handvat van de ambulance-deur.

'We regelen alles, mevrouw,' zei het hoofd van het EMS-team.

'Laten we gaan!'

'Niet voordat het biodreigingteam er is om die toiletten te onderzoeken.'

Een politie-inspecteur genaamd Bastido blafte: 'Meewerken, dame. Er is een team onderweg.'

Op de achtergrond hoorde ze de burgemeester de menigte via de luidsprekers vragen om geduld, omdat er een kort op-onthoud was opgetreden vanwege 'technische problemen'.

Nog twee agenten voegden zich bij inspecteur Bastido, die nu een andere toon aansloeg. 'Ik vraag u of u alstublieft met me mee wilt gaan, mevrouw. Wij brengen u naar het zieken-huis, laten u nakijken. En als u het niet erg vindt, rijd ik met u mee om een verklaring op te nemen.'

Liz wees naar de verplaatsbare toiletten. 'Wat gebeurt daar-mee?'

'Die hebben we buiten werking gesteld.'

'Niet goed genoeg.'

Toen het biodreigingteam vijf minuten later arriveerde, ston-den ze erop dat iedereen de omgeving verliet. Liz stond met in-specteur Bastido buiten de politiewagen die bij het Museum of National History geparkeerd stond, waar ze twee 500-milli-gramcapsules Achromycin (tetracycline) wegslikte met een fles water.

Bastido vertelde haar dat alle verdachten gearresteerd wa-ren en dat Matt behandeld werd in een nabijgelegen zieken-huis. Zijn toestand: kritiek. Liz werd heen en weer getrokken door haar wens om bij haar echtgenoot te zijn en door de be-lofte die ze gedaan had om de klus geklaard te krijgen.

Een paar honderd meter verderop controleerden vier bio-dreigingteams van de NYPD, gekleed in HazMat-pakken, helmen en speciale beademingsapparatuur, alle vierentwintig Portosans met draagbare McWorthle Bio-Hazard Alert Detectors.

'Geen gevaarlijke substanties,' luidde het rapport dat inspecteur Bastido via zijn walkietalkie kreeg.

'Vraag ze om het nog een keer te controleren,' zei Liz.

Bastido zei: 'We brengen de toiletten naar een andere locatie.'

Liz was nog steeds aan het protesteren, toen twee FBI-agenten met vragen aankwamen: 'Wat heeft u precies gezien? Wat deden u, uw echtgenoot en rechercheur Danieli in Central Park?'

Ze zei dat ze zou meewerken, als ze eerst in staat werd gesteld te praten met het hoofd van het biodreigingteam. Enkele seconden later had ze een sergeant Woo aan de telefoon.

Liz vroeg hem gedetailleerd de procedure te beschrijven die zijn team had uitgevoerd.

'We hebben de lucht, de deodorantvloeistof, het water en zelfs de handzeep gecontroleerd. Geen enkele giftige of explosieve stof. We hebben de muren, de pot, de geurspuitbussen, et cetera allemaal met röntgenstralen gecheckt. Geen verborgen explosieven.'

'Welke geurspuitbussen?'

'De spuitbussen die aan de plafonds zijn vastgemaakt.'

'Sergeant, die kunnen geladen zijn met een biologisch wapen. Controleer ze alstublieft nog een keer.'

Een nadere inspectie van de spuitbussen onthulde minuscule radiozenders die in verbinding stonden met een tijdklok op afstand. NYPD-specialisten van de bommenopruimingsdienst deactiveerden de biobommen vier minuten voordat ze, zoals gepland, een zeer dodelijke, genetisch gemuteerde vorm van tularemie zouden blootstellen aan de lucht.

25

21 september

Drie dagen later, om vijf minuten voor vier 's middags, kwam de presidentiële stoet tot stilstand voor het Mount Sinai Hospital op Fifth Avenue. Uit de rij zwarte limousines stapten de president, NSC-directeur Stan Lescher, generaal Emily Jasper, Alan Beckman en talloze anderen.

De Verenigde Staten waren ternauwernood ontsnapt aan een zware terroristische aanslag. Honderdduizenden mensen hadden kunnen sterven of besmet kunnen zijn. Een onvermijdelijke tegenaanval van de VS zou een soennitisch-sjiitisch conflict hebben veroorzaakt dat het Midden-Oosten had verscheurd en een economische chaos had opgeleverd.

Hoewel de gelegenheid somber was, was de opluchting die iedereen voelde enorm.

Officials van het ziekenhuis en de stad begeleidden de president en zijn adviseurs naar een speciaal quarantainegebied van acht verdiepingen, waar ze een ontmoeting hadden met dr. J.P. Loventhal – directeur van de afdeling Besmettelijke Ziekten. Hij legde uit dat van de eenenzeventig patiënten die naar het ziekenhuis gebracht waren, er slechts één was overleden. Acht mannen en drie vrouwen leden nog steeds aan 'ernstige symptomen' maar waren buiten gevaar. De overige vierenzestig waren in observatie en stonden op de nominatie aan het eind van de week te worden ontslagen.

'We hebben heel, heel veel geluk gehad,' legde hij de president uit. 'Dankzij de informatie die verschaft werd door Elizabeth Freed, werd onmiddellijk tetracycline ingezet. Ze heeft vele levens gered.'

'We zijn aan een grote klap ontsnapt,' zei de president tegen generaal Jasper en pakte haar bij de arm. 'Dank u.'

'De echte eer komt toe aan mijn team.'

Het had Rove Peterson, Alan Beckman en hun agenten ongeveer negenenhalf uur gekost om de mechanieken achter Kourani's operatie te ontdekken. De Iraanse regering had meegewerkt en informatie verschaft waaruit bleek dat Kourani een afscheiding binnen de Qods-strijdkrachten vertegenwoordigde, die uit was op het verwerven van macht voor een groep radicale moellahs.

Ondanks het vervelende incident in het United Airlines-vliegtuig, drie dagen tevoren, werd de relatie tussen de vs en Iran gestabiliseerd en gingen de beide landen over tot de ongemakkelijke verhouding die karakteristiek was voor de voorafgaande dertig jaar.

'Dit is een van die momenten waar ik de ironie van kan inzien,' zei de president met een zucht van verlichting.

We zullen beter moeten worden in het werken aan relaties,' voegde generaal Jasper daaraan toe, 'vooral met vijanden en rivalen. Hoe meer we over hen weten, des te beter zullen we in staat zijn om onze belangen veilig te stellen.'

Er verschenen tranen in de ogen van de belangrijkste buitenlandbeleidsmakers van het land, toen Liz Freed in een rolstoel naar hen toe werd gebracht. Ze zat trots rechtop terwijl de president de dankbaarheid van de natie uitdrukte en haar een Presidentiële Burgermedaille overhandigde vanwege 'exemplarische daden of diensten voor het land en medeburgers'.

'Ik weet niet zeker of ik dit wel verdien,' zei Liz bescheiden.

'Laat het me weten als u of uw gezin iets nodig hebt,' bood de president aan. 'Zijn uw kinderen bij u?'

'Ze zijn nog steeds bij mijn moeder in Athene. De meisjes vliegen hier komend weekend heen.'

De president kneep in haar hand. 'Het hele land dankt u en uw gezin.'

Er was al dank uitgebracht aan Zyoda Reynek door de Amerikaanse ambassade in Moskou. En er waren noodvisa afgegeven voor haar en haar dochter Irina, om naar de Verenigde Staten te komen.

Vervolgens kregen de president en zijn assistenten beschermende maskers en jassen, waarna ze naar de quarantaineafdeling werden geleid. Daar brachten ze de vierenzestig patiënten die aan het eind van de week weg mochten de beste wensen over. Uiteindelijk bracht dr. Loventhal hen naar een beveiligde kamer aan het einde van de afdeling. Daar lag op een bed, achter speciaal glas, ingebouwd in een verzegelde plastic tent, met allerlei slangen aan zijn lichaam bevestigd, Matthew Freed. De stem van de president was bibberig toen hij Matt loofde vanwege zijn 'daden van ongewone moed, onder de zwaarste en dodelijkste omstandigheden'.

'U hebt uw eigen leven, uw gezin en uw carrière op het spel gezet om honderdduizenden mensen te redden van een afschuwelijk lijden en de dood,' zei de president. 'We staan vandaag allemaal dankbaar voor u, vanwege uw kracht en moed.' Hij overhandigde een doos waarin de Presidentiële Vrijheidsmedaille zat aan Liz.

Ze stonden bij het glas en keken stil hoe Matthew Freed zichzelf langzaam omhoogduwde. Generaal Jaspers kin trilde toen Matt zijn linkerhand ophief en wuifde. Ze wuifde terug en riep bemoedigende woorden.

De president vroeg dr. Loventhal naar Matts prognose.

'Toen hij binnenkwam, dacht ik dat hij geen schijn van kans had. Ernstig bloedverlies, hoge koorts, bacteriën die zijn longen en lever aanvielen, plus nog een assortiment aan recente verwondingen. Maar hij is nu vrijwel uit de gevarenzone.'

'Hij gaat pas als hij beslist dat hij er klaar voor is.'

'Zoiets,' zei Loventhal, terwijl hij keek naar Liz, die haar gezicht tegen het glas drukte en geluidloze woorden uitsprak tegen haar echtgenoot. 'Als je 't mij vraagt, heeft hij veel om voor te leven.'

Dankwoord

De auteurs willen bedanken: redacteur Rick Horgan, Amy Boorstein, Mary Anne Stewart, en vooral Julian Pavia van uitgeverij Crown, voor hun intelligentie, passie en redactioneel inzicht. We willen ook onze waardering uitdrukken voor onze agente Heather Mitchell van Gelfman-Schneider en manager Michael Garnett van Leverage, voor hun deskundige begeleiding.

Het schrijven van dit boek zou niet mogelijk zijn geweest zonder de liefde en steun van onze familie, met name onze vrouwen en kinderen. Wij dragen dit boek aan hen op.